Vorrede.

Die Hydraulik oder Mechanik flüssiger Körper ist zum größten Theil eine Erfahrungswissenschaft. Die ihr zu Grunde liegenden Gesetze der rationellen Mechanik reichen, so lange man die mechanischen Wirkungen der Flüssigkeitstheile, sowohl auf einander als auch auf feste Körper nicht näher kennt, nicht aus, um aus ihnen, mit Zuhilfenahme einiger Hypothesen oder Voraussetzungen, die Bewegungsverhältnisse des Wassers abzuleiten. Um für das praktische Bedürfniß genügende Regeln über die Bewegung der Flüssigkeiten zu erhalten, bleibt deshalb nichts weiter übrig, als unter den verschiedenartigsten Umständen und Verhältnissen Versuche anzustellen und aus denselben, mit Zugrundelegung der allgemeinen Gesetze der Mechanik, spezielle Regeln der Hydraulik aufzusuchen, und Erfahrungscoefficienten für dieselbe zu bestimmen. Ohne solche Versuche wäre es z. B. unmöglich die Geschwindigkeit des Wassers in Röhren und Kanälen aus dem Abhange und Querschnitte derselben zu berechnen, oder die Kraft zur Fortbewegung eines Schiffes im Wasser zu bestimmen u. s. w. Hierüber, so wie über viele andere mechanische Verhältnisse des Wassers und der Luft, können uns nur Experimente die erforderliche Auskunft geben. Die Hydraulik wird daher auch erst durch die Ausführung von Versuchen zu einer dem praktischen Leben nützlichen und dienstbaren Wissenschaft.

Die Experimentalhydraulik, wie ich diese Schrift genannt habe, ist keine Hydraulik in dem gewöhnlichen Sinne des Wortes, sondern sie ist eine Anleitung zur Ausführung hydraulischer Versuche, und zwar nicht blos im Kleinen, sondern insofern auch überhaupt, als die meisten Versuche im Großen auf dieselbe Weise auszuführen sind als die im Kleinen. Die folgenden Beschreibungen beziehen sich größtentheils auf einen Apparat, welchen der Verfasser im vorigen Jahre für das Kaiserlich Russische Institut des Ingenieur-Corps der Wege- und Wassercommunication hat anfertigen lassen; jedoch wird in denselben auch noch einiger Ergänzungen und Vervollständigungen gedacht, welche an später construirten Apparaten angebracht worden sind. Um diese Schrift zu einem Ganzen zu gestalten und ihren Gebrauch möglichst nützlich und bequem zu machen, habe ich in derselben auch die nöthigen theoretischen Lehren abgehandelt, so wie die wichtigsten hydraulischen Formeln abgeleitet und deren Anwendung auf die Praxis gezeigt, auch eine große Anzahl der durch den hydraulischen Experimentirapparat erlangten Versuchsergebnisse mitgetheilt, und endlich die erforderlichen Vergleichungen derselben mit der Theorie und mit denen aus anderweitigen Versuchen gefolgerten Regeln angestellt.

Das ganze Werk ist in dreizehn Kapitel abgetheilt. Während das erste Kapitel eine kurze Beschreibung der hydraulischen Versuchsapparate und das zweite die allgemeinsten Regeln und Gesetze über den Ausfluß des Wassers und der Luft aus Gefäßen behandelt, beschäftigen sich die übrigen Kapitel mit dem Ausflusse des Wassers und der Luft aus Gefäßen, mit der Theorie des hydraulischen Druckes, ferner mit der Bewegung des Wassers in Röhren und Kanälen und endlich mit der Kraft und Arbeit des Wassers durch Gewicht, Reaction und Stoß. Es ist hierbei in jedem Kapitel die Anordnung befolgt worden, daß die Theorie und die bekannten Thatsachen anderweitiger Erfahrungen an der Spitze stehen, hierauf die Versuche mittelst des Experimentirapparates und die durch dieselben erhaltenen Ergebnisse folgen und endlich eine Vergleichung der letzteren mit den bekannten theoretischen Lehren und praktischen Regeln den Schluß bildet.

Zur Ausführung der Versuche mit Hilfe des Experimentirapparates gehört vor Allem eine sichergehende Secundenuhr, oder wenigstens ein Pendel mit Schlagwerk, wodurch sich die Ausfluß- oder Versuchszeit mindestens bis auf halbe Secunden genau angeben läßt. Das Wasserquantum, welches die Versuche erfordern ist zwar nur ein sehr mäßiges, da man in der Regel das bei jedem Versuche gebrauchte Wasser in einem besonderen Untersetzer auffängt, und daher bei den folgenden Versuchen wieder gebrauchen kann; es ist jedoch stets bequemer, wenn man über ein größeres Wasserquantum von circa 1 Cubikmeter, oder gar über ein fließendes z. B. über ein starkes Röhrwasser verfügen kann, und nicht nöthig hat, alles Wasser nach dem Versuche wieder zu sammeln.

Die Ausführung der Versuche erfolgt am besten unter freiem Himmel oder wenigstens in einem gepflasterten hellen Parterrlocale, da es bei derselben nicht ganz ohne einiges Vergießen des Wassers abgehen kann.

Einen递Haupttheil der Experimente machen die Versuche über den Ausfluß des Wassers aus Gefäßen aus, und dieselben lassen sich sowohl unter constantem als auch unter allmälig abnehmendem Drucke ausführen. Im ersteren Falle wird der Zutritt des Wassers zum Ausflußreservoir mittelst eines Hahnes so regulirt, daß der Wasserspiegel in diesem Gefäße einen unveränderlichen Stand behält. Hierzu ist allerdings einige Uebung nöthig; durch kleine Schwankungen desselben wird indessen die Genauigkeit der Versuche fast gar nicht beeinträchtigt. Wenn man diesen Hahn mit einer aus einer Schraube ohne Ende bestehenden Stellvorrichtung versieht, so kann man aber auch den Wasserspiegel sehr genau auf einerlei Höhe erhalten. Bei Versuchen über den Ausfluß der Luft wird der Druck derselben im Ausflußreservoir ebenfalls durch zufließendes Wasser und mittelst dieses Hahnes regulirt. Durch diese Versuche lassen sich die Ausfluß-, Contractions- und Geschwindigkeitscoefficienten für verschiedene

Mündungen und Mundstücke bestimmen, und hieraus wieder die entsprechenden Widerstandscoefficienten (s. des Verfassers Versuche über den Ausfluß des Wassers, Abtheilung I, Leipzig 1842) berechnen. Ebenso wird durch diese Versuche der Unterschied zwischen vollständiger und unvollständiger oder partieller Contraction der Wasserstrahlen, so wie auch die Verschiedenheit zwischen der vollkommenen und der unvollkommenen Contraction, welche letztere der Verfasser zuerst in Abtheilung II des soeben citirten Werkes erforscht hat, nachgewiesen. Die Versuche über den Widerstand des Wassers in Röhren und in oben offenen Leitungen lassen sich ohne Schwierigkeiten anstellen und führen auf Widerstandscoefficienten, welche von den bekannten Werthen derselben meist nur wenig und oft gar nicht abweichen. Auch über die Widerstände des Wassers in Röhren bei plötzlichen Geschwindigkeits- und Richtungsänderungen lassen sich mit unserm Apparate manche lehrreiche Versuche anstellen. Im Allgemeinen stimmen dieselben sehr gut mit der Theorie überein; jedoch bei dem Durchgang des Wassers durch Knie- und Kropfröhren geben diese Versuche im Kleinen bedeutend größere Widerstandscoefficienten als ich bei anderen Versuchen an weiten Röhren gefunden habe und wonach die Tabellen in §. 375 und §. 376 meiner Ingenieur- und Maschinenmechanik berechnet sind. Es ist daraus zu schließen, daß auch die absolute Weite dieser Röhren auf den Widerstand in demselben von Einfluß ist. Dies sind aber auch die einzigen Versuche, welche auf größere Abweichungen von dem bereits Bekannten geführt haben. Indessen sind diese Differenzen nicht der Unvollkommenheit des Apparates, sondern nur der Unvollständigkeit der theoretischen Voraussetzungen beizumessen. Es ist übrigens bekannt, und wird auch durch die mit diesem Apparate angestellten Versuche nachgewiesen, daß selbst der Widerstandscoefficient für den Durchgang durch gerade Röhren bei kleinen Röhrenweiten größer ausfällt als bei größeren. Die nur in einem sehr kleinen Maaßstabe auszuführenden Versuche über das Aus- und Einströmen der atmosphärischen Luft sind nicht allein

Die Mundstücke, durch welche das Wasser ausfließt, haben ein scheibenförmiges Kopfstück von 4 Millimeter Dicke und 56 Millimeter Durchmesser, welches an seinem Umfange rund herum $1^1/_2$ Millimeter dick und 3 Millimeter breit ausgenommen ist. Ebenso ist der innere Umfang des Futterringes $2^1/_2$ Millimeter dick und 3 Millimeter breit ausgenommen, so daß sich die Kopfscheibe des Mundstückes in diesen Ring einsetzen läßt, ohne daß ihre innere Stirnfläche gegen die des Futterringes vor- oder zurücksteht. Bevor man das Mundstück einsetzt, beschmiert man zur Herstellung des wasserdichten Abschlusses den Umfang seiner Kopfscheibe ganz schwach mit feingeschabtem Talg. Die Befestigung des Mundstückes in dem Futterringe wird endlich durch einen in Figur 3 (I, II) abgebildeten messingenen Preßring OP und mittelst

Fig. 3.

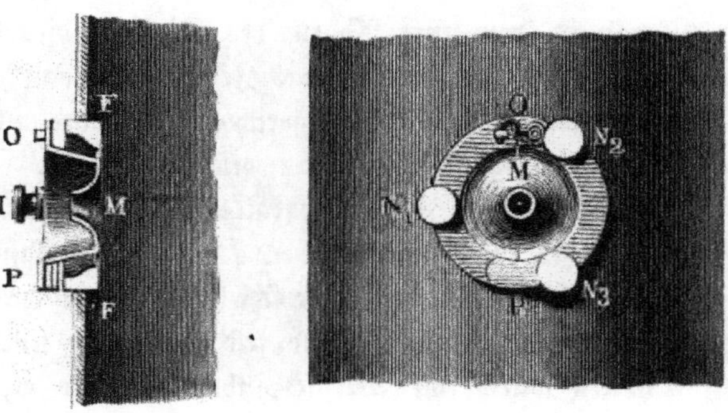

dreier Schrauben N_1, N_2, N_3 bewirkt, welche in der äußeren Stirnfläche des Futterringes FF eingesetzt sind und mittelst ihrer Köpfe den Preßring gegen die äußere Stirnfläche der Kopfscheibe des Mundstückes M und also auch dieses selbst gegen den Futterring andrücken.

Der obere und weitere Theil des Ausflußreservoirs dient vorzüglich zum Aichen oder Ausmessen des Ausflußgefäßes, und ist deshalb möglichst regelmäßig prismatisch zu formen, am besten aber genau cylindrisch auszudrehen. Aus dem Durchmesser d desselben ergiebt sich sein Querschnitt G durch die bekannte Formel

$$G = \frac{\pi d^2}{4}.$$

Kennt man nun noch die Tiefe s, um welche der Wasserspiegel während einer gewissen Ausflußzeit t gesunken ist, so hat man das entsprechende Ausflußquantum

$V = G s = \frac{\pi d^2 s}{4}$, und daher endlich die mittlere Ausflußmenge in der Zeiteinheit oder Secunde

$$Q = \frac{V}{t} = \frac{\pi d^2 s}{4 t}.$$

Für die Gefäßweite $d = 0{,}40$ Meter und die Senkung des Wasserspiegels, $s = 0{,}12$ Meter, ist z. B.

$$V = \frac{\pi (0{,}4)^2 . 0{,}12}{4} = 0{,}1 . 0{,}4 . 0{,}12 \pi = 0{,}0048 \pi = 0{,}0150797 \text{ Cubikm.}$$

Wäre nun noch die Zeit, innerhalb welcher der Wasserspiegel um die Tiefe $s = 0{,}12$ Meter sinkt, $t = 42$ Secunden, so hätte man die mittlere Ausflußmenge pr. Secunde

$$Q = \frac{V}{t} = \frac{0{,}0150797}{42} = 0{,}00035904 \text{ Cubikmeter.}$$

Fig. 4.

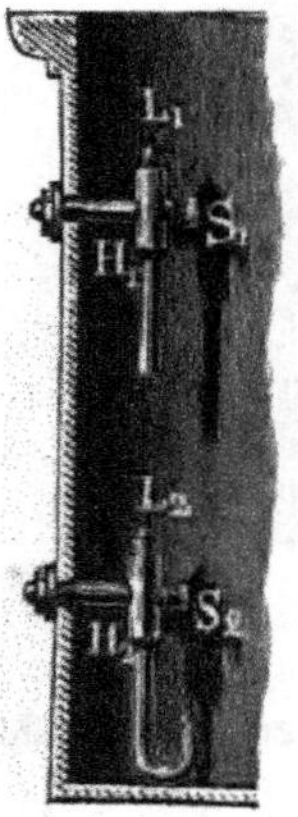

Um die Senkung s genau zu ermittteln, bringt man in dem zum Aichen des Wassers dienenden Theil des Ausflußapparates zwei Zeiger mit conischen Spitzen an, welche nach oben gerichtet sind und in dem gegebenen Abstande s unter einander stehen. Die Einrichtung dieses Zeigerapparates ist auf Figur 4 zu ersehen. Die Zeigerstäbchen L_1 und L_2 lassen sich in Hülsen H_1 und H_2 verschieben, welche durch Querarme mit der Gefäßwand fest verbunden sind, und erhalten durch die Preßschrauben S_1 und S_2 ihre feste Stellung.

Figur 5 giebt eine monodimetrische Abbildung des im Vorstehenden beschriebenen Ausflußapparates. Um das ausfließende Wasser aufzufangen und zu dem folgenden Versuche wieder verwenden zu können, dient ein cylindrisches Blechgefäß U, welches während des Ausflußes unter dem Wasserstrahle steht, nach demselben aber auf den Kopf A des Ausflußreservoirs gesetzt und durch Aufziehen eines Stöpsels in das Ausflußreservoir entleert wird.

Läßt man das Wasser durch längere Röhren ausfließen, so müssen dieselben durch ein besonderes Gestelle TW unterstützt werden. Dasselbe besteht aus einem eisernen Dreifuß T, aus einem runden Eisenstab und einem verschiebbaren Querarm W, welcher mittelst einer Preßschraube an dem Stabe zu befestigen und zur Unterstützung der Röhren u. s. w. mit besonderen Einschnitten versehen ist. Auch dient dieses Gestelle zur

Querschnitt dieses Gefäßes, s der Vertikalabstand dieser Spitzen und t die beobachtete Zeit, so hat man auch hier das in der Secunde von

Fig. 11.

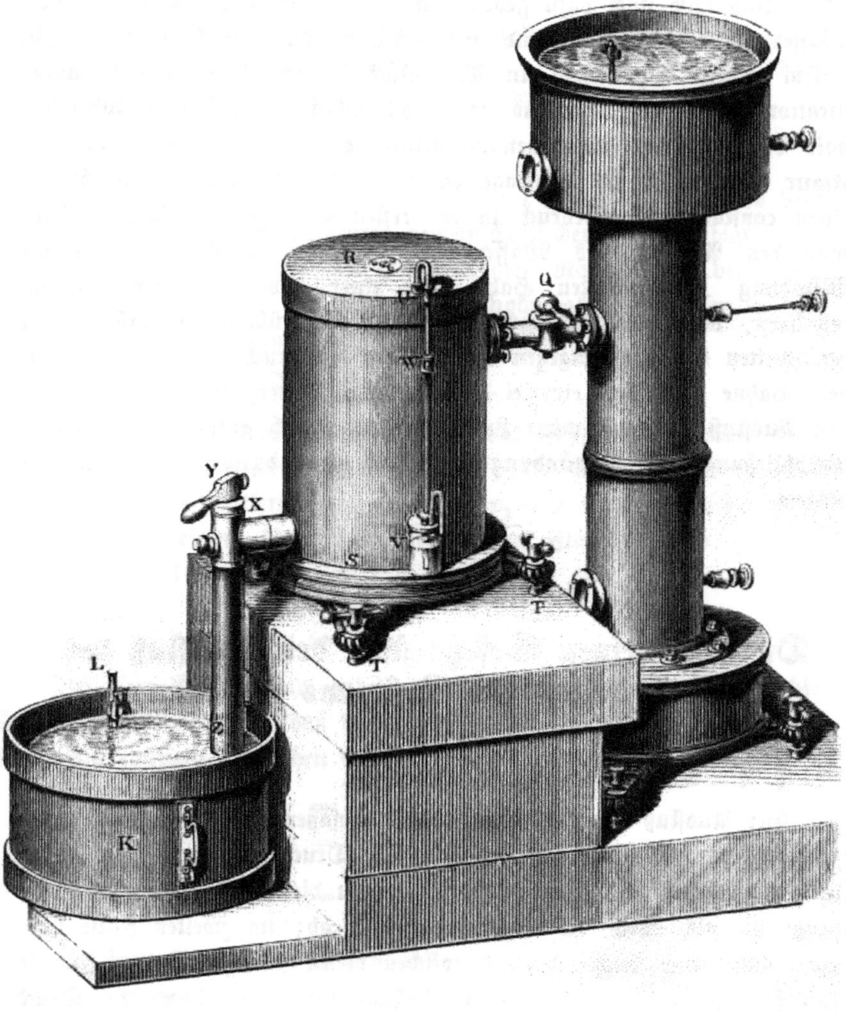

außen durch R nach innen eingeflossene Luftquantum gleich dem zu gleicher Zeit durch Z abgeleiteten Wasserquantum $Q = \frac{G s}{t}$.

Da das Wasser in R von unten nach oben steigt, so hat man zur Vermeidung des Einflusses der Capillarität die Zeigerspitzen an der Scala L nicht wie im Hauptreservoir nach oben, sondern nach unten zu richten.

punkt sich in einer Curve $AOPF$ vom Wasserspiegel AK bis zur Ausflußmündung F bewegt. Nehmen wir an, daß dasselbe die Form eines Cylinders habe, daß seine Grundflächen $BC = DE$ den Inhalt f haben und daß seine Axenlänge $OP = \sigma$ sei; setzen wir ferner den Druck auf die Flächeneinheit von $BC = p_1$ und den auf die Einheit der untern Grundfläche $DE = p_2$, so haben wir das Gewicht dieses Wasserelementes $= f\sigma\gamma$ und den Ueberschuß des äußeren Wasserdruckes auf dasselbe, von oben nach unten, $= fp_1 - fp_2 = f(p_1 - p_2)$.

Fig. 12.

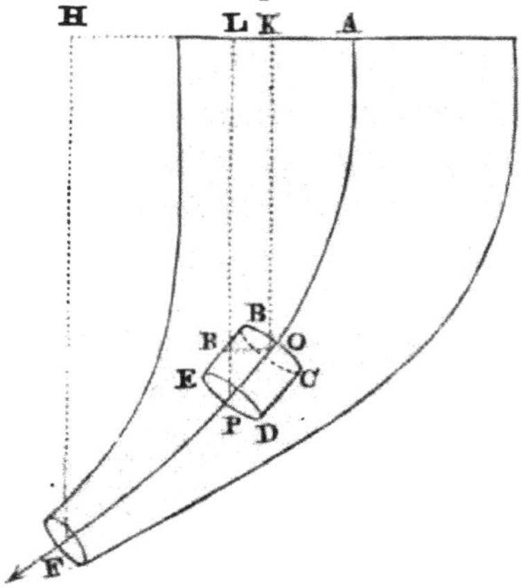

Während dieses Wasserelement in seiner Axenrichtung den Weg σ durchläuft, um dem folgenden Wassertheilchen Platz zu machen, geht seine Druckhöhe oder senkrechte Tiefe $KO = h_1$ unter dem Wasserspiegel in die Druckhöhe $LP = h_2$ über, wächst also um $RP = h_2 - h_1$, folglich ist die hierbei verrichtete Arbeit des Gewichtes von diesem Wasserelemente

$$f\sigma\gamma \,.\, (h_2 - h_1),$$

dagegen die der Druckdifferenz $f(p_1 - p_2)$ entsprechende Arbeit

$$f(p_1 - p_2)\,\sigma$$

und folglich die ganze bewegende Kraft dieses Körperchens

$$f\sigma\gamma\,(h_2 - h_1) + f(p_1 - p_2)\,\sigma = f\sigma\,[\gamma(h_2 - h_1) + (p_1 - p_2)].$$

Wenn nun während Durchlaufung des Wegelementes die Geschwindigkeit des Wasserelementes BD aus v_1 in v_2 übergeht, so nimmt seine Trägheit die mechanische Arbeit

$$f\sigma\gamma\,\frac{(v_2^2 - v_1^2)}{2g}$$

in Anspruch, und stellen sich der Bewegung des Wasserelementes keine anderen Hindernisse entgegen, so ist folglich

$$f\sigma\,[\gamma(h_2 - h_1) + (p_1 - p_2)] = f\sigma\gamma\left(\frac{v_2^2 - v_1^2}{2g}\right),$$ oder einfacher

I. $$(h_2 - h_1) + \frac{(p_1 - p_2)}{\gamma} = \frac{(v_2^2 - v_1^2)}{2g}$$ zu setzen.

Diese Gleichung gilt auch für alle übrigen Wasserelemente des Wasserfadens $AOPF$, wenn man darin statt h_1 und h_2 die Druckhöhen h_3, $h_4 \ldots h_n$, statt p_1 und p_2 die Pressungen $p_3, p_4 \ldots p_n$ und statt v_1, und v_2 u. s. w. die Geschwindigkeiten v_3, $v_4 \ldots v_n$ der vorausgehenden Begrenzungsflächen F_3, $F_4 \ldots F_n$ einsetzt. Es ist also auch

$$h_3 - h_2 + \frac{p_2 - p_3}{\gamma} = \frac{v_3^2 - v_2}{2g}$$

$$h_4 - h_3 + \frac{p_3 - p_4}{\gamma} = \frac{v_4^2 - v_3^2}{2g}$$

$$\vdots \qquad \vdots \qquad \vdots$$

$$h_n - h_{n-1} + \frac{p_{n-1} - p_n}{\gamma} = \frac{v_n^2 - v_{n-1}^2}{2g},$$

und es giebt folglich die Summe sämmtlicher Gleichungen, da sich drei Glieder der einen Gleichung gegen drei Glieder der andern aufheben:

$$h_n - h_1 + \frac{p_1 - p_n}{\gamma} = \frac{v_n^2 - v_1^2}{2g},$$

oder wenn man der Einfachheit wegen, statt h_n, p_n und v_n die Druckhöhe h, den äußeren Druck p und Geschwindigkeit v an der Ausmündung einsetzt,

II. $$h - h_1 + \frac{p_1 - p}{\gamma} = \frac{v^2 - v_1^2}{2g}.$$

In dieser Gleichung beziehen sich h_1, p_1 und v_1 auf jeden beliebigen Querschnitt des Ausflußreservoirs, und folglich auch auf die freie Oberfläche des Wassers oder den Wasserspiegel, für welchen $h_1 = o$ ist. Deshalb hat man denn auch

$$h + \frac{p_1 - p}{\gamma} = \frac{v^2 - v_1^2}{2g}.$$

Ist F der Querschnitt der Ausflußmündung und F_1 der Inhalt der freien Oberfläche des Wassers, so hat man auch $F_1 v_1 = Fv$, und daher

$$\frac{v^2 - v_1}{2g} = \frac{v^2}{2g} - \left(\frac{F}{F_1}\right)\frac{v^2}{2g} = \left[1 - \left(\frac{F}{F_1}\right)^2\right]\frac{v^2}{2g},$$

so daß auch

III. $$h + \frac{p_1 - p}{\gamma} = \left[1 - \left(\frac{F}{F_1}\right)^2\right]\frac{v^2}{2g}$$ gesetzt werden kann.

Durch Umkehrung dieser Gleichung ergiebt sich folgende Formel für die Ausflußgeschwindigkeit des Wassers:

IV. $$v = \sqrt{\frac{2g\left(h + \frac{p_1 - p}{\gamma}\right)}{1 - \left(\frac{F}{F_1}\right)^2}}.$$

Ist der Druck p_1 am Wasserspiegel gleich dem Drucke p an der Ausflußmündung, stoßen z. B. beide Flächen an die freie Luft, so hat man einfacher

V. $$v = \sqrt{\frac{2gh}{1 - \left(\frac{F}{F_1}\right)^2}},$$

und ist endlich noch die freie Oberfläche F_1 des Wassers viel größer als der Querschnitt F der Ausflußmündung, so ist ganz einfach

VI. $$v = \sqrt{2gh},$$ so wie umgekehrt

VII. $$h = \frac{v^2}{2g}.$$

Dies sind zugleich die Formeln für den freien Fall der Körper im luftleeren Raume, wenn hier h die Fallhöhe und v die Endgeschwindigkeit bezeichnet. Die allgemeinen Formeln

VIII. $$h - \frac{p - p_1}{\gamma} = \frac{v^2}{2g}$$ und

IX. $$v = \sqrt{2g\left(h + \frac{p_1 - p}{\gamma}\right)}$$

finden aber auch vielfache Anwendung, namentlich

1. wenn der Wasserspiegel nicht frei ist, sondern, nach Befinden, durch einen Kolben gedrückt wird;
2. wenn das Wasser nicht frei, sondern ins Wasser ausfließt, und
3. wenn der Luftdruck über dem Wasserspiegel ein anderer ist als an der Ausflußmündung, wenn z. B. die eine oder die andere Mündung mit einem Reservoir communicirt, worin sich entweder comprimirte oder verdünnte Luft befindet.

Im ersteren Falle ist in der Regel die äußere Kolbenfläche, so wie die Ausflußmündung mit der freien Luft in Berührung, und dann ist natürlich $p_1 > p$. Bezeichnet P_1 die gesammte Kraft, mit welcher der Kolben auf die Oberfläche F_1 des Wassers aufgedrückt wird, so hat man den Druck auf die Einheit der Fläche, $p_1 = \frac{P_1}{F_1}$ als $p_1 - p$ in die obigen Formeln einzusetzen, also

$$h + \frac{P_1}{F_1 \gamma} = \frac{v^2}{2g} \text{ und}$$

X. $$v = \sqrt{2g\left(h + \frac{P_1}{F_1 \gamma}\right)} \text{ zu schreiben.}$$

Mißt man den Ueberdruck $\frac{P_1}{F_1}$ durch die Höhe h_1 einer Wassersäule, setzt man also $\frac{P_1}{F_1 \gamma} = h_1$, so hat man einfach

XI. $$v = \sqrt{2g(h + h_1)}.$$

Im zweiten Falle, wenn das Wasser unter Wasser ausfließt, hat man $p > p_1$, und es ist die Differenz dieser Pressungen der Druck $h_1 \gamma$ des Unterwassers auf die Ausflußmündung, folglich

XII. $$v = \sqrt{2g(h - h_1)},$$

oder einfach, wenn $h_2 = h - h_1$ den Abstand zwischen dem Ober- und dem Unterwasserspiegel bezeichnet,

XIII. $$v = \sqrt{2gh_2}.$$

Im dritten Falle, wenn der Luftdruck p_1 über dem Wasserspiegel ein anderer ist als der Luftdruck p vor der Ausflußmündung, findet die Formel

$$v = \sqrt{2g\left(h + \frac{p_1 - p}{\gamma}\right)}$$

unmittelbare Anwendung. Es läßt sich jedoch auch hier

$$v = \sqrt{2g(h + h_1)}$$

setzen, wenn man unter h_1 die Höhe einer Wassersäule versteht, welche den Unterschied der Luftdrücke p_1 und p mißt.

Die allgemeine Gleichung

$$h + \frac{p_1 - p}{\gamma} = \frac{v^2 - v_1^{\,2}}{2g}$$

behält ihre Richtigkeit dann noch, wenn man statt p_1 die Pressung p_2 des Wassers an irgend einer Stelle im Gefäße, statt v_1 die Geschwindigkeit v_2 des Wassers an dieser Stelle und statt h die Tiefe h_2 der Ausflußmündung unter diesem Orte im Gefäße einsetzt. Auch kann man hiernach, umgekehrt, den hydraulischen Druck des Wassers an irgend einer Stelle des ausfließenden Wasserkörpers finden.

Zieht man die Gleichungen

$$h + \frac{p_1 - p}{\gamma} = \frac{v^2 - v_1{}^2}{2g} \quad \text{und}$$

$$h_2 + \frac{p_2 - p}{\gamma} = \frac{v^2 - v_2{}^2}{2g}$$

von einander ab, so erhält man die Gleichung

$$h - h_2 + \frac{p_1 - p_2}{\gamma} = \frac{v_2{}^2 - v_1{}^2}{2g},$$

und es ist folglich der hydraulische Druck des Wassers an irgend einer Stelle im Ausflußreservoir

$$\frac{p_2}{\gamma} = h - h_2 + \frac{p_1}{\gamma} - \frac{v_2{}^2 - v_1{}^2}{2g},$$

oder einfacher, wenn man die Tiefe dieser Stelle unter dem Wasserspiegel, d. i. $h - h_2$ durch h_1 bezeichnet,

XIV. $$\frac{p_2}{\gamma} = h_1 + \frac{p_1}{\gamma} - \frac{v_2{}^2 - v_1{}^2}{2g}.$$

Für $v_1 = v_2 = 0$ erhält man die sogenannte hydrostatische Druckhöhe

$$h_0 = h_1 + \frac{p_1}{\gamma};$$

und bezeichnen wir dagegen die den hydraulischen Druck messende Höhe $\frac{p_2}{\gamma}$ durch k, so haben wir für letztere die einfache Formel

XV. $$k = h_0 - \frac{v_2{}^2 - v_1{}^2}{2g}.$$

Es ist also die hydraulische Druckhöhe um die Differenz zwischen der Geschwindigkeitshöhe $\frac{v_2{}^2}{2g}$ des Wassers an der betreffenden Stelle und der Geschwindigkeitshöhe $\frac{v_1{}^2}{2g}$ des Wassers an der Oberfläche desselben kleiner als die hydrostatische Druckhöhe des ausfließenden Wassers.

§. 6. Gesetze für den Ausfluß des Wassers durch Seitenöffnungen.

Die vorstehenden Formeln für den Ausfluß des Wassers aus Gefäßen gelten streng genommen nur für sehr kleine Ausflußmündungen, und lassen sich wenigstens nur dann auf den Ausfluß durch größere Mündungen anwenden, wenn dieselben horizontal sind, also allen Theilen derselben eine und dieselbe Druckhöhe zukommt. Größere Seitenöffnungen

$$y = \frac{l}{a} x \text{ und}$$

$$Q = \sqrt{2g} \int_0^a \frac{l}{a} x \sqrt{h_0 + x \sin \alpha} . dx$$

$$= \frac{l\sqrt{2g}}{a (\sin \alpha)^2} \int_0^a (u - h_0) u^{\frac{1}{2}} du$$

zu setzen, wofern u den Ausdruck $h_0 + x \sin \alpha$ bezeichnet.

Nun ist aber

$$\int (u-h_0) u^{\frac{1}{2}} du = \int u^{\frac{3}{2}} du - h_0 \int u^{\frac{1}{2}} du = \frac{2}{5} u^{\frac{5}{2}} - \frac{2}{3} h_0 u^{\frac{3}{2}},$$

daher folgt das Ausflußquantum

$$Q = \frac{l\sqrt{2g}}{a(\sin \alpha)^2} \left[\frac{2}{5} \left((h_0 + a \sin \alpha)^{\frac{5}{2}} - h_0^{\frac{5}{2}} \right) - \frac{2}{3} h_0 \left((h_0 + a \sin \alpha)^{\frac{3}{2}} - h_0^{\frac{3}{2}} \right) \right]$$

$$= \frac{l\sqrt{2g}}{a (\sin \alpha)^2} \left(\frac{2}{5} (h_1^{\frac{5}{2}} - h_0^{\frac{5}{2}}) - \frac{2}{3} h_0 (h_1^{\frac{3}{2}} - h_0^{\frac{3}{2}}) \right), \text{ oder}$$

$$Q = \frac{2 l \sqrt{2g}}{15 a (\sin \alpha)^2} \left(3 h_1^{\frac{5}{2}} - 5 h_0 h_1^{\frac{3}{2}} + 2 h_0^{\frac{5}{2}} \right),$$

wenn man noch die Druckhöhe der horizontalen Seite BC des Dreiecks ABC durch h_1 bezeichnet.

Fig. 16.

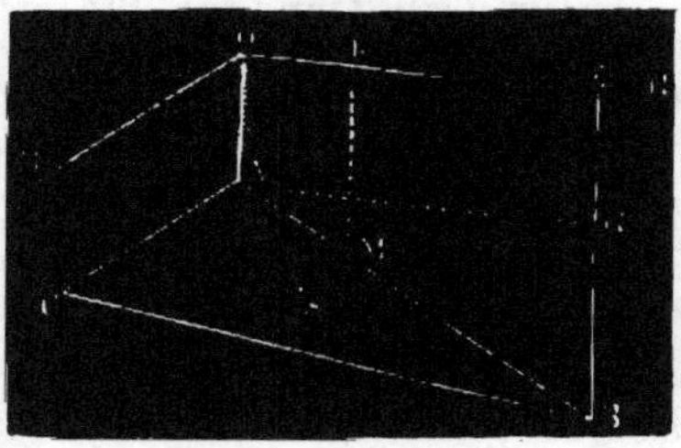

Die vorstehende Formel gilt nur für den Fall, wenn wie in Fig. 15, die horizontale Dreiecksseite unten liegt, befindet sich aber dieselbe oben, d. i. über der Dreiecksspitze B, wie in Fig. 16, so geht h_0 in h_1 und h_1 in h_0 über, daher hat man hier die Ausflußmenge

$$Q_1 = \frac{2 l \sqrt{2g}}{15 a (\sin \alpha)^2} \left(2 h_1^{\frac{5}{2}} - 5 h_1 h_0^{\frac{3}{2}} + 3 h_0^{\frac{5}{2}} \right).$$

Nun ist aber die Mündungshöhe

$$a = \frac{h_1 - h_0}{\sin \alpha} \text{ und der Inhalt der Mündung}$$

$$F = \frac{al}{2} = \frac{(h_1 - h_0) l}{2 \sin \alpha}; \text{ folglich hat man auch}$$

IX. $$Q = \frac{4}{15} F\sqrt{2g} \cdot \frac{3h_1^{\frac{5}{2}} - 5h_1^{\frac{3}{2}}h_0 + 2h_0^{\frac{5}{2}}}{(h_1-h_0)^2}$$ und

X. $$Q_1 = \frac{4}{15} F\sqrt{2g} \cdot \frac{2h_1^{\frac{5}{2}} - 5h_1 h_0^{\frac{3}{2}} + 3h_0^{\frac{5}{2}}}{(h_1-h_0)^2},$$

Fig. 16.

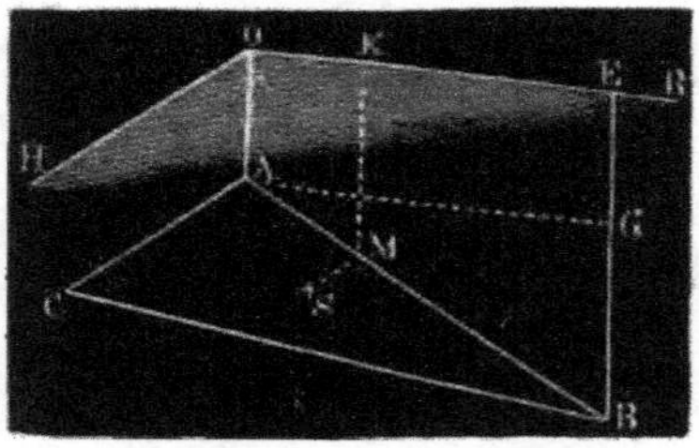

wobei nicht außer Acht zu lassen ist, daß h_0 die kleinste und h_1 die größte Druckhöhe der Mündung bezeichnen.

Führt man die Druckhöhe $KM = h = \frac{h_0 + 2h_1}{3}$ des Schwerpunktes S der Mündung in die Rechnung ein, setzt man also im ersten Falle (für Q)

$$h_1 = h + \frac{a}{3} \text{ und}$$

$$h_0 = h - \frac{2}{3}a, \text{ so erhält man annähernd}$$

XI. $$Q = \left[1 - \frac{1}{144}\left(\frac{a}{h}\right)^2\right] F\sqrt{2gh}, \text{ also}$$

XII. $$v = \left[1 - \frac{1}{144}\left(\frac{a}{h}\right)^2\right] F\sqrt{2gh}.$$

Auch gelten diese Formeln für den zweiten Fall (für Q_1), wo die mittlere $KM = h = \frac{2h_0 + h_1}{3}$ folglich

$$h_1 = h + \frac{2}{3}a \text{ und}$$

$$h_0 = h - \frac{a}{3} \text{ ist.}$$

Reicht die Mündung ABC, Fig. 16, bis zum Wasserspiegel, fällt also die Basis AC mit HO zusammen, so hat man $h_0 = 0$ und es entsteht ein dreiseitiger Wandeinschnitt. Für denselben ist

XIII. $$Q = \frac{8}{15} F\sqrt{2gh_1}, \text{ also die mittlere Geschwindigkeit}$$

XIV. $$v = \frac{8}{15}\sqrt{2gh_1}.$$

Fig. 17.

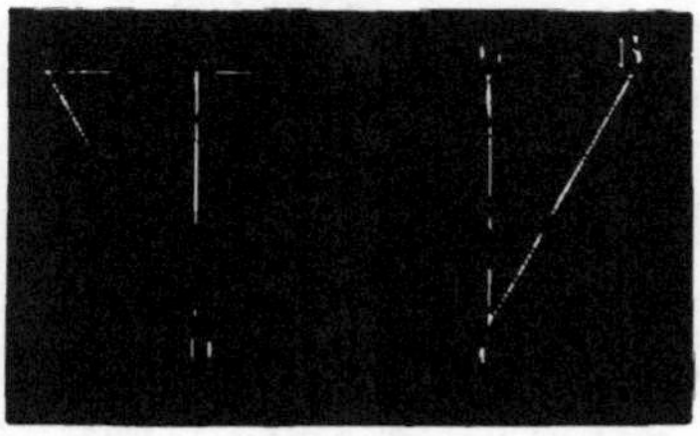

Durch Zusammensetzung eines rectangulären und zweier triangulärer Wandeinschnitte erhält man den **trapezoidalen Wandeinschnitt** oder Ueberfall $ABCD$, Fig. 17, für welchen hiernach das Ausflußquantum

$$Q = \frac{2}{3} F_1 \sqrt{2gh_1} + \frac{8}{15} F_2 \sqrt{2gh_1}$$

XV. $$Q = \frac{2}{15}(5F_1 + 4F_2)\sqrt{2gh_1},$$

ist, wofern man den Inhalt des rectangulären Theiles $CDEG$ durch F_1 und die Summe der Inhalte der triangulären Theile ADE und BCG durch F_2 bezeichnet.

Ist die Mündungsebene vertikal, ferner die Länge des rectangulären Theils der Mündung, $CD = EG = l_1$, und die der beiden triangulären Theile zusammen, d. i. $AE + GB = l_2$, so hat man einfach

XVI. $$Q = \frac{2}{15}(5l_1 + 2l_2)\sqrt{2gh_1^3} \text{ und}$$

XVII. $$v = \frac{2}{15} \cdot \frac{5l_1 + 2l_2}{l_1 + l_2}\sqrt{2gh_1}.$$

3. Für eine **kreisförmige Mündung**, von welcher in Fig. 18, ACB einen Quadranten mit horizontalem Halbmesser $CB = r$ vorstellt, ergiebt sich die Ausflußmenge wie folgt. Es sei ACS ein veränderlicher Sector der Mündung, und φ^0 der Centriwinkel ACS, also $\frac{\varphi r . r}{2} = \frac{1}{2}\varphi r^2$ der Inhalt desselben. Ferner sei $d\varphi^0$ das unendlich kleine Wachsthum SCT von φ^0, also $\frac{1}{2} d\varphi . r^2$ der Inhalt von dem entsprechenden Wachsthum des Sectors ACS. Schneidet man nun von CS einen variablen Halbmesser $CN = z$ ab, läßt man denselben um das Element $NP = dz$ wachsen und beschreibt endlich aus dem Mittelpunkte C der Mündung die Bogenelemente NQ und $PR = zd\varphi$, so erhält man ein Element

Fig. 18.

$NPRQ = NP \, . \, NQ = z \, d\varphi \, dz$ von dem Elemente SCT des Sectors ACS. Die horizontale Linie NM schneidet von dem ersten Halbmesser CA die Tiefe $CM = z \cos \varphi$ ab, um welche das Mündungselement $NPRQ$ unter dem Mittelpunkte C der Mündung, in der Ebene der letzteren gemessen, liegt, ist folglich h die Tiefe OC des Mittelpunktes C der Mündung unter dem Wasserspiegel HOR, und α der Neigungswinkel ACL der Mündung gegen den Horizont, so hat man die Druckhöhe des Flächenelementes $NPRQ$:

Fig. 18.

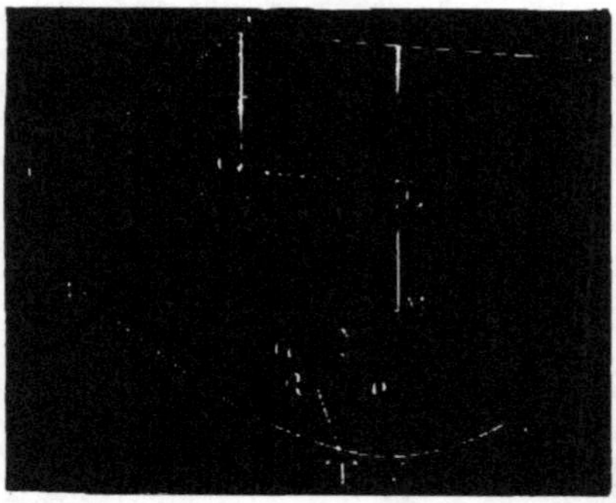

$$KM = KL + LM = OC + LM = h + CM \sin \alpha$$

$= h + z \sin \alpha \cos \varphi$, und folglich die Ausflußmenge desselben:

$$dQ = z \, d\varphi \, dz \sqrt{2g \, (h + z \sin \alpha \cos \varphi)} \, .$$

In der Voraussetzung, daß $z \sin \alpha \cos \varphi$ ansehnlich kleiner sei als h, können wir

$$\sqrt{h + z \sin \alpha \cos \varphi} = \sqrt{h} \left[1 + \frac{1}{2} z \frac{\sin \alpha \cos \varphi}{h} - \frac{1}{8} \left(z \frac{\sin \alpha \cos \varphi}{h} \right)^2 \right]$$

setzen, und man findet nun durch einfache Integration in Hinsicht auf z die Ausflußmenge des sectorförmigen Elementes CST:

$$dQ = d\varphi \sqrt{2gh} \int_0^r \left(z + \frac{1}{2} z^2 \frac{\sin \alpha \cos \varphi}{h} - \frac{1}{8} z^3 \frac{\sin \alpha^2}{h^2} \cos \varphi^2 \right) dz$$

$$= d\varphi \sqrt{2gh} \left(\frac{r^2}{2} + \frac{r^3 \sin \alpha \cos \varphi}{6h} - \frac{1}{32} \frac{r^4 \sin \alpha^2 \cos \varphi^2}{h^2} \right) .$$

Integrirt man diese Reihe auch noch in Hinsicht auf φ, so ergiebt sich endlich die Ausflußmenge des ganzen Sectors:

$$Q = r^2 \sqrt{2gh} \int \left(\frac{1}{2} + \frac{r \sin \alpha \cos \varphi}{6h} - \frac{r^2 \sin \alpha^2 (1 + \cos 2\varphi)}{64 h^2} \right) d\varphi$$

$$= r^2 \sqrt{2gh} \left[\frac{\varphi}{2} + \frac{r \sin \alpha \sin \varphi}{6h} - \frac{r^2 \sin \alpha^2}{64 h^2} \left(\varphi + \frac{\sin 2\varphi}{2} \right) \right]$$

$$= \frac{\varphi r^2}{2} \sqrt{2gh} \left[1 + \frac{1}{3} \frac{r}{h} \sin \alpha . \frac{\sin \varphi}{\varphi} - \frac{r^2 \sin \alpha^2}{32 h^2} \left(1 + \frac{\sin 2\varphi}{2\varphi} \right) \right],$$

d. i. XVIII.

$$Q = \left[1 + \frac{1}{3} . \frac{r \sin \alpha}{h} . \frac{\sin \varphi}{\varphi} - \frac{1}{32} \left(\frac{r \sin \alpha}{h} \right)^2 \left(1 + \frac{\sin 2\varphi}{2\varphi} \right) \right] F \sqrt{2gh},$$

wenn F den Inhalt der sectorförmigen Mündung $CAS = \frac{\varphi r^2}{2}$ bezeichnet.

Die entsprechende mittlere Ausflußgeschwindigkeit ist

$$\text{XIX.} \quad v = \left[1 + \frac{1}{3}\frac{r \sin\alpha}{h} \cdot \frac{\sin\varphi}{\varphi} - \frac{1}{32}\left(\frac{r \sin\alpha}{h}\right)^2 \left(1 + \frac{\sin 2\varphi}{2\varphi}\right)\right].$$

Nimmt man $\varphi = \frac{\pi}{2}$, so erhält man diese Geschwindigkeit für den unteren Quadranten ACB oder für die untere Halbkreisfläche, da $\sin\frac{\pi}{2} = 1$ und $\sin\pi = 0$ ist,

$$\text{XX.} \quad v = \left[1 + \frac{2}{3\pi}\frac{r \sin\alpha}{h} - \frac{1}{32}\left(\frac{r \sin\alpha}{h}\right)^2\right]\sqrt{2gh};$$

setzt man aber $\varphi = \pi$, so folgt die mittlere Ausströmungsgeschwindigkeit für den Vollkreis

$$\text{XXI.} \quad v = \left[1 - \frac{1}{32}\left(\frac{r \sin\alpha}{h}\right)^2\right]\sqrt{2gh}.$$

Genauer ist noch

$$\text{XXII.} \quad v = \left[1 + \frac{1}{32}\left(\frac{r \sin\alpha}{h}\right)^2 - \frac{5}{1024}\left(\frac{r \sin\alpha}{h}\right)^4\right]\sqrt{2gh}.$$

Zieht man von der Ausflußmenge

$$\left[1 - \frac{1}{32}\left(\frac{r \sin\alpha}{h}\right)^2\right]\pi r^2 \sqrt{2gh}$$

der ganzen Kreisfläche die Ausflußmenge

$$\left[1 + \frac{2}{3\pi}\frac{r \sin\alpha}{h} - \frac{1}{32}\left(\frac{r \sin\alpha}{h}\right)^2\right]\frac{\pi r^2}{2}\sqrt{2gh}$$

der unteren Hälfte der Kreisfläche ab, so erhält man die Ausflußmenge der oberen Hälfte

$$\left[1 - \frac{2}{3\pi}\frac{r \sin\alpha}{h} - \frac{1}{32}\left(\frac{r \sin\alpha}{h}\right)^2\right]\frac{\pi r^2}{2}\sqrt{2gh}$$

und daher die entsprechende mittlere Ausflußgeschwindigkeit

$$\text{XXIII.} \quad v = \left[1 - \frac{2}{3\pi} \cdot \frac{r \sin\alpha}{h} - \frac{1}{32}\left(\frac{r \sin\alpha}{h}\right)^2\right]\sqrt{2gh}.$$

Steht die Ebene der Ausmündung vertikal, so hat man $\alpha = 90$ und $\sin\alpha = 1$, z. B. für den Vollkreis

$$\text{XXIV.} \quad v = \left[1 - \frac{1}{3^2}\left(\frac{r}{h}\right)^2 - \frac{5}{1024}\left(\frac{r}{h}\right)^4\right]\sqrt{2gh}.$$

Berührt endlich der Wasserspiegel die oberste Stelle der kreisförmigen Mündung, so ist $h = r$, und daher

$$\text{XXV.} \qquad v = \left(1 - \frac{1}{32} - \frac{5}{1024}\right)\sqrt{2gh} = 0{,}964\sqrt{2gh}\,.$$

§. 8. Gesetze für den Ausfluß der Luft.

Die Formel I. $\left(h_2 - h_1 + \frac{p_1 - p_2}{\gamma} = \frac{v_2{}^2 - v_1{}^2}{2g}\right)$ in §. 5 für die Bewegung eines Wasserelementes $BCDE$ in einem Gefäße AF, Fig. 19, findet auch ihre unmittelbare Anwendung auf die Bewegung eines gleichen Luftelementes.

Fig. 19.

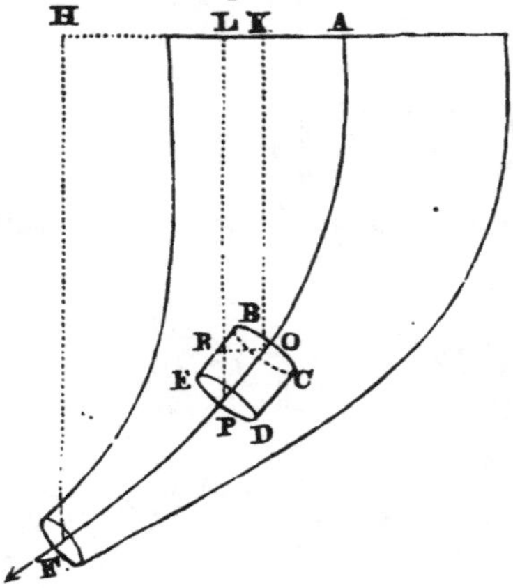

Es ist auch hier $h_2 - h_1$ die senkrechte Höhe RP des Elementes, p_1 die Pressung auf die eine Grundfläche BC und p_2 die auf die andere Grundfläche desselben, v_1 die Geschwindigkeit in O und v_2 die in P. Um dieser Gleichung die Gestalt einer Differenzialformel zu geben, schreiben wir statt

$h_2 - h_1 = dh$, statt

$p_2 - p_1 = dp$ und statt

$v_2{}^2 - v_1{}^2 = d(v^2)$; so daß nun

$$dh - \frac{dp}{\gamma} = \frac{d(v^2)}{2g} \text{ folgt.}$$

Nun ist aber die Dichtigkeit γ der Luft nicht constant, sondern mit p variabel, und zwar dem Mariotteschen Gesetze zu Folge, $\frac{p}{\gamma} = k$ eine constante, oder vielmehr nur von der Temperatur der Luft abhängige Zahl, demnach hat man

$$dh - k\frac{dp}{p} = \frac{d(v^2)}{2g}, \text{ also integrirt:}$$

$$h - k\,Log.nat.\,p = \frac{v^2}{2g} + Con.$$

Beziehen sich h, p und v auf die Ausmündung F, und dagegen h_1, p_1 und v_1 auf irgend einen andern Querschnitt F_1 des Ausflußreservoirs, so hat man auch

$$h_1 - k\,Log.\,nat\,p_1 = \frac{v_1{}^2}{2g} + Con,$$

und es folgt daher durch Subtraction

$$h - h_1 + k \, Log. \, nat. \left(\frac{p_1}{p}\right) = \frac{v^2 - v_1^2}{2g},$$

oder, wenn man die senkrechte Tiefe der Ausmündung F unter dem Querschnitte F_1, durch welchen die Luft unter dem Drucke p_1 mit der Geschwindigkeit v_1 hindurchströmt,

$h - h_1 = a$ setzt,

$$\text{I.} \qquad a + k \, Log. \, nat. \left(\frac{p_1}{p}\right) = \frac{v^2 - v_1^2}{2g}$$

Nun ist aber noch das Gewicht des durch die Querschnitte F und F_1 pr. Sec. strömenden Luftquantums

$$Q\gamma = Q_1 \gamma_1 = F v \gamma = F_1 v_1 \gamma_1 ;$$

demnach hat man auch

$$F v p = F_1 v_1 p_1 \text{ und}$$

$$v_1 = \frac{Fp}{F_1 p_1} v,$$

und es läßt sich folglich die Formel I. auch in folgende umsetzen:

$$\text{II.} \qquad a + k \, Log. \, nat. \left(\frac{p_1}{p}\right) = \left[1 - \left(\frac{Fp}{F_1 p_1}\right)^2\right] \frac{v^2}{2g},$$

woraus durch Umkehrung, für die Ausflußgeschwindigkeit die Formel

$$\text{III.} \qquad v = \sqrt{\frac{2g\left[a + k \, Log. \, nat. \left(\frac{p_1}{p}\right)\right]}{1 - \left(\frac{Fp}{F_1 p_1}\right)^2}} \text{ sich ergiebt.}$$

Bedeutet p_1 den Druck der Luft im Reservoir an einer Stelle, wo der Querschnitt F_1 desselben sehr groß ist gegen die Ausmündung F, so kann man die Geschwindigkeit v_1 in Hinsicht auf die Ausflußgeschwindigkeit v vernachlässigen und daher

$$v = \sqrt{2g\left[a + k \, Log. \, nat. \left(\frac{p_1}{p}\right)\right]} \text{ setzen.}$$

Meist ist auch die Höhe a des Reservoirs in Hinsicht auf die Höhe $k \, Log. \, nat. \left(\frac{p_1}{p}\right)$ sehr klein, so daß sich auch

$$v = \sqrt{2gk \, Log. \, nat. \left(\frac{p_1}{p}\right)} \text{ annehmen läßt.}$$

Ist endlich noch der innere Luftdruck p_1 nicht viel größer als der äußere Luftdruck p, so kann man auch

$$Log.nat.\left(\frac{p_1}{p}\right) = Log.nat.\left(\frac{p+p_1-p}{p}\right) = Log.nat.\left(1+\frac{p_1-p}{p}\right)$$

$= \frac{p_1-p}{p}$, oder mindestens

$= \frac{p_1-p}{p} - \frac{1}{2}\left(\frac{p_1-p}{p}\right)^2$ setzen.

Nehmen wir die erste Annäherung, so erhalten wir

$$\text{IV.} \quad v = \sqrt{2gk\left(\frac{p_1-p}{p}\right)} = \sqrt{2g\left(\frac{p_1-p}{\gamma}\right)} = \sqrt{2g\frac{q}{\gamma}} = \sqrt{2gh},$$

wenn q den Ueberdruck der inneren Luft über den der äußeren und h den Luftmanometerstand oder die Höhe einer Luftsäule von der Dichtigkeit der äußeren Luft bezeichnet, deren Gewicht dem Ueberdrucke q gleich ist.

Der Ausdruck $v = \sqrt{2gh}$ stimmt mit der Formel VI in §. 5 für den Ausfluß des Wassers vollkommen überein; es läßt sich folglich annehmen, daß für kleine Manometerstände oder Ueberdrücke die Gesetze des Ausflusses des Wassers auch auf den Ausfluß der Luft und anderer gasförmigen Flüssigkeiten anwendbar sind.

Mißt man den Ueberdruck q durch ein Manometer, dessen Füllung in Ansehung der äußeren Luft das specifische Gewicht ε hat, so muß man natürlich statt h, εh also

$$\text{V.} \quad v = \sqrt{2g\varepsilon h} \text{ setzen.}$$

Das Ausflußquantum der Luft ist, unter dem äußeren Drucke gemessen,

$$\text{VI.} \quad Q = Fv,$$ und dagegen unter dem inneren Drucke gemessen,

$$\text{VII.} \quad Q_1 = \frac{Q\gamma}{\gamma_1} = \frac{Qp}{p_1} = \frac{p}{p_1}Fv$$

$$= \frac{b}{b_1}Fv = \frac{b}{b+h}Fv,$$ wenn

b den äußeren und

$b_1 = b + h$ den inneren Barometerstand der Luft bezeichnen.

Anlangend den Coefficienten k oder das Verhältniß $\frac{p}{\gamma}$ der Pressung p zur Dichtigkeit γ, so hat man für die atmosphärische Luft

$$\frac{p}{\gamma} = \frac{1 + 0{,}00367\,t}{1{,}2572}$$

und dagegen für Wasserdämpfe

$$\frac{p}{\gamma} = \frac{1 + 0{,}00367\,t}{0{,}7857}$$ zu setzen,

wobei t die Temperatur in Centesimalgraden,

p den Druck auf das Quadratcentimeter und

γ das Gewicht eines Cubikmeters der einen oder der anderen der genannten Flüssigkeiten bezeichnet. In den obigen Formeln ist daher

1. für die atmosphärische Luft

VIII. $$k = \frac{10000\,p}{\gamma} = \frac{10000}{1,2572}(1+0,00367t) = 7954(1+0,00367t),$$

IX. $$\sqrt{k} = 89,19\sqrt{1+0,00367\,t},$$

und, wenn man noch die Beschleunigung der Schwere $g = 9,81$ Meter einführt,

X. $$\sqrt{2gk} = 395\sqrt{1+0,00367\,t}.$$

2. Für Wasserdämpfe hat man dagegen

XI. $$k = \frac{10000\,(1+0,00367\,t)}{0,7857} = 12727\,(1+0,00367\,t)$$

XII. $$\sqrt{k} = 112,81\sqrt{1+0,00367\,t}$$

XIII. $$\sqrt{2gk} = 500\sqrt{1+0,00367\,t}.$$

Hiernach ergiebt sich die Ausflußgeschwindigkeit der atmosphärischen Luft

XIV. $$v = 395\sqrt{(1+0,00367\,t)\,Log.\,nat.\left(\frac{b+h}{b}\right)},$$

oder bei kleinen Ueberdrücken $\left(\frac{h}{b}\right)$, annähernd

XV. $$v = 395\sqrt{(1+0,00367\,t)\,\frac{h}{b}},$$

und dagegen die Ausflußgeschwindigkeit der Wasserdämpfe:

XVI. $$v = 500\sqrt{(1+0,00367\,t)\,\frac{h}{b}},$$

oder bei mäßigen Ueberdrücken $\left(\frac{h}{b}\right)$,

XVII. $$v = 500\sqrt{(1+0,00367\,t)\left(1-\frac{1}{2}\frac{h}{b}\right)\frac{h}{b}}.$$

Die Ausflußmenge $Q = Fv$ entspricht dem äußeren durch den Barometerstand b gemessenen Luftdruck, und giebt, wenn man sie auf Null Grad Temperatur reducirt, das Quantum

XVIII. $$Q_0 = \frac{Q}{1+0,00367\,t},$$

also z. B. für die atmosphärische Luft:

XIX. $$Q_0 = 395\, F \sqrt{\frac{Log.\ nat.\ (b+h) - Log.\ nat.\ h}{1 + 0{,}00367\, t}}.$$

Bei der Entwickelung der Grundformel I. ist auf die Abkühlung der Luft, welche letztere sich während ihres Ausströmens allmälig verdünnt und dabei Wärme bindet, nicht Rücksicht genommen worden; weshalb die vorstehenden Formeln auch nur annähernde Richtigkeit besitzen und nur für mäßige Ueberdrücke $\left(\frac{h}{b}\right)$ giltig sind.

§. 9. Ausfluß des Wassers unter allmälig zu- oder abnehmendem Drucke.

Wenn während des Ausflusses einer Flüssigkeit aus einem Gefäße *HRF*, Fig. 20, nicht gerade so viel Wasser zufließt als die Ausmündung F abführt, so hat man es mit einem Ausflusse unter veränderlicher Druckhöhe $CF = x$ zu thun. Unter bekannten Voraussetzungen ist die Ausflußmenge $Q = F\sqrt{2gx}$; ist nun das Zuflußquantum pr. Sec. $Q_1 > Q$, so tritt ein Ansammeln des Wassers im Reservoir und folglich auch ein allmäliges Wachsen der Druckhöhe x ein; ist dagegen $Q_1 < Q$, so findet eine Abnahme des Wassers, und folglich auch eine stetige Verminderung der Druckhöhe in dem Reservoir statt. Beides hat jedoch seine Grenzen; da, im ersten Falle Q mit x im Wachsen und im zweiten mit x im Abnehmen begriffen ist, so muß endlich $Q = Q_1$ werden, d. i. gerade so viel Wasser ab- als zufließen. Die entsprechende Druckhöhe h ist durch die Gleichung

Fig. 20.

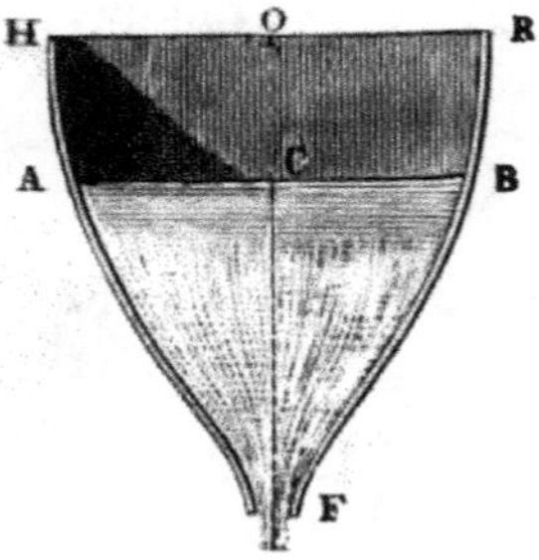

$$F\sqrt{2gh} = Q_1$$

gegeben, und folglich durch die Formel

$$h = \frac{1}{2g}\left(\frac{Q_1}{F}\right)^2 \text{ bestimmt.}$$

Das Grundgesetz für den Ausfluß unter veränderlichem Drucke läßt sich allgemein nur durch eine Differenzialgleichung ausdrücken. In einem Zeitelemente τ fließt das Wasserquantum

$Q_1\tau$ zu und das Wasserquantum

$F\sqrt{2gx}\,.\,\tau$ ab,

folglich ist das in dieser Zeit im Reservoir angesammelte Wasserquantum

$$Q_1\tau - F\sqrt{2gx}\,.\,\tau = (Q_1 - F\sqrt{2gx})\,\tau.$$

Steigt während des Zeitelementes τ das Wasser im Reservoir um die Höhe ξ, und ist die veränderliche Größe des Wasserspiegels $AB = Y$, so hat man das angesammelte Wasserquantum auch

$Y\xi$, und es gilt folglich die Gleichung

$$\text{I.} \qquad (Q_1 - F\sqrt{2gx})\tau = Y\xi.$$

Findet während des Ausflusses kein Zutritt von anderem Wasser statt, so ist $Q = 0$, und folglich

$$-F\sqrt{2gx}\,.\,\tau = Y\xi.$$

Nun ist aber, den Regeln der Differenzialrechnung zu Folge, das Zeitelement τ durch dt und
das Wegelement ξ durch dx zu ersetzen, daher folgt dann

$$dt = -\frac{Y\,dx}{F\sqrt{2gx}},$$

und demnach die Zeit, innerhalb welcher die Druckhöhe von h auf h_1 sinkt

$$\text{II.} \qquad t = -\int_h^{h_1} \frac{Y\,dx}{F\sqrt{2gx}} = -\frac{1}{F\sqrt{2g}} \int_h^{h_1} \frac{Y\,dx}{\sqrt{x}}.$$

Ist das Gefäß prismatisch, so hat man den Querschnitt $Y = G$ constant, und folglich

$$t = -\frac{G}{F\sqrt{2g}} \int_h^{h_1} \frac{dx}{\sqrt{x}} = -\frac{G}{F\sqrt{2g}} \int_h^{h_1} x^{-\frac{1}{2}}\,dx, \text{ d. i.}$$

$$\text{III.} \qquad t = \frac{2G}{F\sqrt{2g}}\,(\sqrt{h} - \sqrt{h_1}).$$

Die Zeit zum Ausleeren des ganzen Gefäßes folgt, wenn man $h_1 = 0$ setzt,

$$\text{IV.} \qquad t = \frac{2G\sqrt{h}}{F\sqrt{2g}}.$$

Giebt man die Zeit t des Ausflusses, so hat man umgekehrt für die entsprechende Senkung des Wasserspiegels

$$\text{V.} \qquad s = h - h_1 = \frac{Ft\sqrt{2g}}{G}\left(\sqrt{h} - \frac{Ft\sqrt{2g}}{4G}\right).$$

Fließt das Wasser aus einem prismatischen Reservoir AF, Fig. 21 mittelst eines Mundstückes oder einer Röhre F in ein anderes prismatisches Gefäß BD, so ist die veränderliche Druckhöhe x durch den Niveauabstand BC der Wasserspiegel AB und CD in beiden Gefäßen bestimmt. Diese Höhe nimmt, wenn das erste Gefäß keinen Zufluß hat, allmälig ab, und es fällt dieselbe endlich = Null aus, es ist also der Uebertritt des Wassers aus AC nach BD beendigt, wenn beide Wasserspiegel in einerlei Niveau HOR gelangen.

Fig. 21.

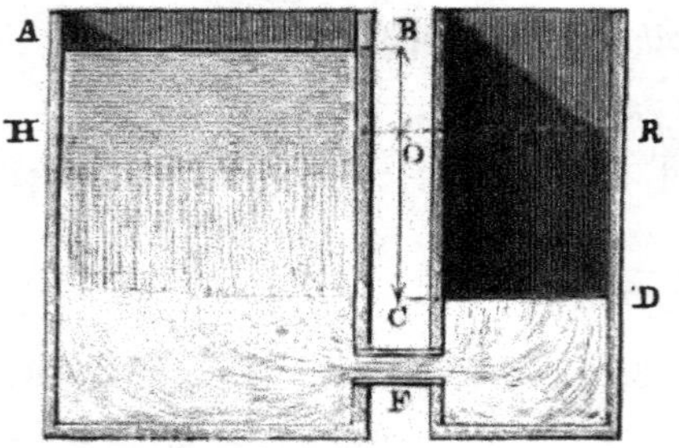

Setzen wir die veränderliche Höhe BO des Oberwasserspiegels AB über dem Niveau HOR, $= y$, und die veränderliche Tiefe CO des Unterwasserspiegels CD unter HOR, $= z$, so ist $x = y + z$.

Bezeichnen wir den Querschnitt des ersten Gefäßes durch G und den des zweiten durch G_1, so haben wir, da das Ausflußquantum von AC dem gleichzeitigen Eintrittsquantum von BD gleich ist

$$Gy = G_1 z, \text{ folglich } z = \frac{G}{G_1} y \text{ und}$$

$$x = \left(\frac{G + G_1}{G_1}\right) y, \text{ und umgekehrt,}$$

$$y = \frac{G_1 x}{G + G_1}, \text{ so wie}$$

$$dy = \frac{G_1 \, dx}{G + G_1}.$$

Die während des Zeitelementes dt aus dem ersten Gefäße durch F in das zweite Gefäß geflossene Wassermenge ist nun

$$F\sqrt{2gx} \,.\, dt = -G dy = -\frac{GG_1 \, dx}{G + G_1},$$

und folglich die Zeit, innerhalb welcher der Niveauabstand h zwischen beiden Wasserspiegeln AB und CD in h_1 übergeht:

$$t = -\frac{GG_1}{G + G_1} \cdot \frac{1}{F\sqrt{2g}} \int_h^{h_1} x^{-\frac{1}{2}} \, dx, \text{ d. i.}$$

VI. $$t = \frac{2GG_1}{(G + G_1) F\sqrt{2g}} \left(\sqrt{h} - \sqrt{h_1}\right).$$

Nimmt man $h_1 = 0$, so erhält man die vollständige Ausflußzeit

VII. $$t = \frac{2GG_1\sqrt{h}}{(G + G_1) F\sqrt{2g}}.$$

Hat das eine Gefäß einen viel größeren Querschnitt als das andere, so geht die letzte Formel in folgende über

VIII. $$t = \frac{2G(\sqrt{h} - \sqrt{h_1})}{F\sqrt{2g}} \text{ oder}$$

IX. $$t = \frac{2G_1(\sqrt{h} - \sqrt{h_1})}{F\sqrt{2g}},$$

und zwar je nachdem entweder $\frac{G_1}{G}$ oder $\frac{G}{G_1}$ sehr groß ist. oder unendlich groß angenommen werden kann.

Fließt das Wasser durch einen Einschnitt in einer vertikalen Wand von der Breite b ab, so hat man

$$\frac{2}{3} b\sqrt{2gx^3}\,.\,dt = -G dx, \text{ und daher}$$

$$t = \frac{3G}{2b\sqrt{2g}} \int_h^{h_1} x^{-\frac{3}{2}} dx, \text{ d. i.}$$

$$t = \frac{3G}{b\sqrt{2g}} \left(h_1^{-\frac{1}{2}} - h^{-\frac{1}{2}}\right), \text{ oder}$$

X. $$t = \frac{3G}{b\sqrt{2g}} \left(\frac{1}{\sqrt{h_1}} - \frac{1}{\sqrt{h}}\right),$$

wobei h und h_1 die Höhen des Wasserspiegels über der Schwelle am Anfange und am Ende der Ausflußzeit t bezeichnen.

Da für $h_1 = 0$, $\frac{1}{\sqrt{h_1}} = \infty$ ist, so fällt die Zeit t innerhalb welcher das Wasser durch den Wandeinschnitt bis zur Ueberfallschwelle herabsinkt, also der Ausfluß zu Ende kommt, ebenfalls unendlich groß aus.

Wenn das Reservoir während des Ausflusses einen constanten Zufluß Q_1 pr. Sec. erhält, so hat man nach I.,

$$dt = \frac{Y dx}{Q_1 - F\sqrt{2gx}},$$

und für die Zeit t, innerhalb welcher die Druckhöhe h in h_1 übergeht,

XI. $$t = \int^{h_1} \frac{Y.dx}{Q_1 - F\sqrt{2gx}}.$$

Ist das Gefäß prismatisch, so hat es einen constanten Querschnitt $Y = G$, und es ist

$$t = \frac{G}{Q_1} \int_h^{h_1} \frac{dx}{1 - \frac{F}{Q_1}\sqrt{2gx}}.$$

Setzt man $\frac{F}{Q_1}\sqrt{2gx} = u$, so hat man

$$x = \left(\frac{Q_1}{F}\right)^2 . \frac{u^2}{2g} \text{ und } dx = \left(\frac{Q_1}{F}\right)^2 . \frac{2udu}{2g}, \text{ so daß}$$

$$\int \frac{dx}{1-\frac{F}{Q_1}\sqrt{2gx}} = \frac{1}{g}\left(\frac{Q_1}{F}\right)^2 \int \frac{udu}{1-u} = -\frac{1}{g}\left(\frac{Q_1}{F}\right)^2 \int \left(du + \frac{du}{u-1}\right)$$

$$= -\frac{1}{g}\left(\frac{Q_1}{F}\right)^2 [u + Log.\ nat.\ (u-1)]$$

$$= -\frac{1}{g}\left(\frac{Q_1}{F}\right)^2 \left[\frac{F}{Q_1}\sqrt{2gx} + Log.nat.\left(\frac{F}{Q_1}\sqrt{2gx} - 1\right)\right]$$

folgt.

Nach Einsetzung der Grenzwerthe h und h_1 erhält man endlich

$$\text{XII.} \quad t = \frac{2G}{F\sqrt{2g}}\left[\sqrt{h} - \sqrt{h_1} + \frac{Q_1}{F\sqrt{2g}} Log.nat.\left(\frac{F\sqrt{2gh} - Q_1}{F\sqrt{2gh_1} - Q_1}\right)\right].$$

Ist $F\sqrt{2gh_1} = Q_1$, also $h_1 = \frac{1}{2g}\left(\frac{Q_1}{F}\right)^2$, so fällt

$$\frac{F\sqrt{2gh} - Q_1}{F\sqrt{2gh_1} - Q_1} = \infty \text{ aus;}$$

es tritt also der Beharrungszustand des Ausflusses, bei welchem eben so viel Wasser ab- als zufließt, erst nach unendlich langer Zeit ein.

Drittes Kapitel.

Die Versuche zur Bestätigung des ersten allgemeinen Ausflußgesetzes des Wassers ($v = \sqrt{2gh}$).

---

§. 10. Zusammensetzung der Formeln zur Berechnung der Ausflußcoefficienten. Ausfluß in die freie Luft.

Die im vorigen Kapitel entwickelten Ausflußgesetze werden auch durch die Versuche bestätigt, wenn die Weite der Ausflußmündung in Ansehung der Druckhöhe nicht zu groß ist, und wenn das Wasser ohne alle Störungen der Mündung so zugeführt wird, daß es in parallelen

Fäden, also im Ganzen in einem prismatischen Strahle ausfließt, welcher mit der Mündung gleichen Querschnitt hat.

Zu diesem Zwecke muß man die Ausflußmündung entweder in einer dicken Wand ausschneiden und nach innen allmälig erweitern, so daß sie sich ohne Kanten und Ecken an den inneren Gefäßraum anschließt, oder man muß sie durch ein besonders geformtes Mundstück bilden, welches in den Boden oder in die Seitenwand des Ausflußreservoirs so einzusetzen ist, daß die weitere Einmündung desselben mit der inneren Gefäßwand zusammenfällt.

Ein solches **Mundstück**, welches bei den im Folgenden beschriebenen Versuchen vielsach zur Anwendung kommt, ist in Figur 22 und zwar sowohl im Durchschnitt als auch in der Ansicht von innen in der halben natürlichen Größe abgebildet. Die Art und Weise wie dasselbe in das Ausflußgefäß eingesetzt wird, ist bereits aus Fig. 3 (Seite 5) bekannt. Die innere Stirnfläche dieses Mundstückes hat einen Durchmesser von 5 Centimeter und der Durchmesser der Ausmündung beträgt 1 Centimeter. Der Kanal, welcher das Mundstück bildet, wird von einer Rotationsfläche begrenzt, deren Erzeugungslinie aus einer kurzen mit der Axe des Kanales parallelen Geraden und aus einem größeren, mit einem Halbmesser von 1,5 Centimeter beschriebenen Kreisbogen besteht. Die Axenlänge des ganzen Mundstückes ist der ein und ein halbfachen Mündungsweite gleich, also = 1,5 Centimeter.

Fig. 22.

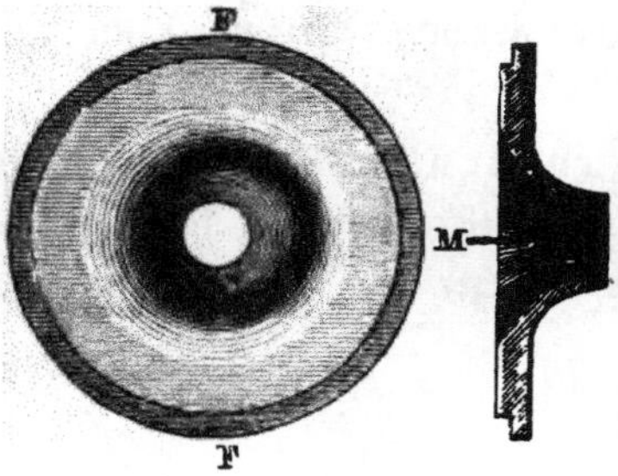

Der Inhalt der Ausmündung dieses Mundstückes ist

$$F = \frac{\pi d^2}{4} = \frac{0{,}01^2 . \pi}{4} = 0{,}0001 . \frac{\pi}{4} = 0{,}00007854 \text{ Quadratmeter.}$$

Die mittlere Geschwindigkeit v, mit welcher das Wasser unter einer gegebenen Druckhöhe aus diesem Mundstücke effectiv ausfließt, ist nur 2 bis 4 Procent kleiner als die theoretische Geschwindigkeit, welche sich mittelst der in §. 5 gefundenen Formel

$v = \sqrt{2gh}$ berechnet.

Wir werden in der Folge das Verhältniß $\frac{v_1}{v}$ der effectiven Ausflußgeschwindigkeit v_1 zur theoretisch bestimmten Geschwindigkeit v den

Geschwindigkeitscoefficienten nennen und ihn durch φ bezeichnen; deshalb setzen wir auch

$$v_1 = \varphi v = \varphi \sqrt{2gh}, \text{ und ebenso}$$

$$Q_1 = Fv_1 = \varphi Fv = \varphi F \sqrt{2gh} = \varphi Q, \text{ wenn}$$

Q das theoretische Ausflußquantum $Fv = F\sqrt{2gh}$ und

Q_1 das effective Ausflußquantum $Fv_1 = \varphi Fv$ bezeichnet.

Für das abgebildete conoidische Mundstück ist, in Uebereinstimmung mit den weiter unten mitgetheilten Versuchsresultaten, der Geschwindigkeitscoefficient $\varphi = 0{,}96$ bis $0{,}98$.

Um diesen Coefficienten zu finden, bedarf es nur einer Messung der effectiven Ausflußmenge Q_1 und einer Vergleichung derselben mit dem theoretischen Ausflußquantum $Q = F\sqrt{2gh}$.

Der dieser Bestimmung zu Grunde liegende Versuch kann auf zweierlei Weise ausgeführt werden.

1. Man kann das Wasser unter constantem Drucke (h) und folglich auch mit unveränderlicher Geschwindigkeit ausfließen lassen, und hierbei die Zeit t beobachten, innerhalb welcher ein gewisses Wasserquantum V ausströmt.

Es ist dann

$$Q_1 = \frac{V}{t} \text{ und folglich}$$

$$\varphi = \frac{Q_1}{Q} = \frac{V}{Ft\sqrt{2gh}}, \text{ oder}$$

$$\varphi = \frac{Gs}{Ft\sqrt{2gh}},$$

wenn G den Querschnitt und s die Höhe des ausgeflossenen prismatischen Wasserkörpers bezeichnet.

2. Man kann das Wasser unter allmälig abnehmendem Drucke ausfließen lassen und hierbei die Zeit t beobachten, innerhalb welcher die Druckhöhe h_1 auf h_2 herabsinkt. Geht während dieses Ausflusses der Wasserspiegel in einem prismatischen Gefäßraume vom Querschnitte G nieder, so ist das ausgeflossene Wasserquantum

$$V = G\,(h_1 - h_2), \text{ und die theoretische Ausflußzeit,}$$

nach §. 9, III., $t = \dfrac{2G(\sqrt{h_1} - \sqrt{h_2})}{F\sqrt{2g}}$.

Hiernach bestimmt sich der Geschwindigkeitscoefficient

$$\varphi = \frac{v_1}{v} = \frac{V}{Ft_1} : \frac{V}{Ft} = \frac{1}{t_1} : \frac{1}{t} = \frac{t}{t_1}, \text{ d. i.}$$

$$\varphi = \frac{2\,G\,(\sqrt{h_1} - \sqrt{h_2})}{Ft_1\sqrt{2g}}.$$

Für die entsprechende mittlere Druckhöhe h hat man

$$h = \left(\frac{G\,(h_1 - h_2)}{Ft_1\sqrt{2g}}\right)^2 = \left(\frac{h_1 - h_2}{2(\sqrt{h_1} - \sqrt{h_2})}\right)^2 = \left(\frac{\sqrt{h_1} + \sqrt{h_2}}{2}\right)^2.$$

Zu den Versuchen der ersten Art dient der in Fig. 6 auf Seite 8 abgebildete zusammengesetzte Ausflußapparat, wobei das Mundstück bei Y in die Vorlage RS eingesetzt ist, und der constante Druck durch Stellung des Hahnes Q erhalten wird. Die Versuche der zweiten Art werden mittelst des in Fig. 5 auf Seite 7 abgebildeten einfachen Ausflußapparates angestellt, wo das Mundstück an den verschiedenen Stellen F_1, F_2 und F_3 eingesetzt werden kann. Bei beiderlei Versuchen dient das weitere Gefäß AB zum Aichen oder Ausmessen der Ausflußmenge mittelst der in seinem Innern angebrachten Zeiger L_1, L_2. Bei dem Apparate, womit die Versuche angestellt wurden, war die Weite von AB nicht genau 0,4, sondern 0,399 Meter, weshalb hier

$$G = \frac{0{,}399^2 \,.\, \pi}{4} = 0{,}12504 \text{ Quadratmeter},$$

$$\frac{G}{\sqrt{2g}} = \frac{G}{\sqrt{2\,.\,9{,}81}} = \frac{G}{\sqrt{19{,}62}} = 0{,}02823,$$

und für das oben abgebildete Mundstück,

$$\frac{G}{F\sqrt{2g}} = \frac{0{,}02823}{0{,}00007854} = 359{,}44 \text{ ist.}$$

Hiernach hat man für den Ausfluß unter constantem Drucke:

$$\varphi = \frac{359{,}44\,.\,s}{t\sqrt{h}} = \frac{359{,}44\,(h_1 - h_2)}{t\sqrt{h}},$$

und dagegen für den unter veränderlichem Drucke

$$\varphi = \frac{718{,}88\,(\sqrt{h_1} - \sqrt{h_2})}{t}.$$

Im ersteren Falle war bei der Druckhöhe $h = 15$ Centimeter und der Höhe $s = 12$ Centimeter die Ausflußzeit $t = 116$ Secunden; daher ist hiernach

$$\varphi = \frac{359{,}44\,.\,0{,}12}{\sqrt{0{,}15}\,.\,t} = \frac{111{,}37}{t} = \frac{111{,}37}{116} = 0{,}960.$$

Unter veränderlichem Drucke wurden folgende drei Versuche angestellt.

1. Das Mundstück saß im oberen Loche des Hauptreservoirs.

Hier war $h_1 = 0{,}1575$ Meter,
$h_2 = 0{,}0375$ „ und
$t = 151$ Sec.;

folglich $\sqrt{h_1} - \sqrt{h_2} = 0{,}39686 - 0{,}19365 = 0{,}20321$,
und hiernach die entsprechende mittlere Druckhöhe

$$h = \left(\frac{\sqrt{h_1} + \sqrt{h_2}}{2}\right)^2 = 0{,}0872 \text{ Meter}$$

und der Geschwindigkeitscoefficient

$$\varphi = \frac{718{,}88 \,.\, 0{,}20321}{t} = \frac{146{,}08}{t} = \frac{146{,}08}{151} = 0{,}967.$$

2. Das Mundstück saß im mittleren Loche des Hauptreservoirs.

Hier war $h_1 = 0{,}4620$ Meter,
$h_2 = 0{,}3420$ „ und
$t = 69{,}75$ Sec.;

folglich $\sqrt{h_1} - \sqrt{h_2} = 0{,}67971 - 0{,}58481 = 0{,}09490$,
die entsprechende mittlere Druckhöhe

$$h = \left(\frac{\sqrt{h_1} + \sqrt{h_2}}{2}\right)^2 = 0{,}3998 \text{ Meter, und hiernach}$$

$$\varphi = \frac{718{,}88 \,.\, 0{,}09490}{t} = \frac{68{,}22}{t} = \frac{68{,}22}{69{,}75} = 0{,}978$$

3. Das Mundstück saß im unteren Loche des Hauptreservoirs.

Hier war $h_1 = 0{,}9600$ Meter,
$h_2 = 0{,}8400$ „ und
$t = 47$ Sec.;

folglich $\sqrt{h_1} - \sqrt{h_2} = 0{,}97980 - 0{,}91652 = 0{,}06328$,

$$h = \left(\frac{\sqrt{h_1} + \sqrt{h_2}}{2}\right)^2 = 0{,}8990 \text{ Meter und}$$

$$\varphi = \frac{718{,}88 \,.\, 0{,}06328}{t} = \frac{45{,}491}{t} = \frac{45{,}491}{47} = 0{,}968$$

Es schwankt also diesen Versuchen zu Folge, wie bei den Versuchen in größerem Maßstabe, der Geschwindigkeitscoefficient für den Ausfluß durch glatte und gut abgerundete conoidische Mundstücke zwischen 0,96 und 0,98.

Der Grundformel $v = \sqrt{2gh}$ zu Folge erhalten sich die Ausflußgeschwindigkeiten wie die Quadratwurzeln aus den Druckhöhen zu einander, und nach der Formel

$$V = Fvt\,, \text{ oder } t = \frac{V}{Fv}$$

stehen die Ausflußzeiten für gleiche Wassermengen und bei gleichen Ausmündungen im umgekehrten Verhältnisse zu den Geschwindigkeiten, folglich sind also auch die Zeiten der Quadratwurzeln aus den Druckhöhen umgekehrt proportional. Dies bestätigen auch die drei letzten Versuche.

Die mittleren Druckhöhen sind:	0,0872	0,3998	0,8990	Meter
ihre Quadratwurzeln:	0,2953	0,6323	0,9482	„
die Reciproken der letzteren:	3,386	1,582	1,055	„
die Ausflußzeiten:	151	69,75	47	Sec.

Es verhalten sich also die umgekehrten Quadratwurzeln aus den Druckhöhen wie

$$\frac{3,386}{1,055} : \frac{1,582}{1,055} : 1\,, \text{ d. i. wie } 3,21 : 1,50 : 1\,,$$

und es stehen fast ebenso die entsprechenden Zeiten in dem Verhältnisse

$$\frac{151}{47} : \frac{69,75}{47} : 1\,, \text{ d. i. } 3,21 : 1,48 : 1 \text{ zu einander.}$$

§. 11. Versuche über den Ausfluß des Wassers unter Wasser, so wie in comprimirte und in verdünnte Luft.

Die Formel $v = \sqrt{2gh}$ für die Ausflußgeschwindigkeit gilt auch dann noch, wenn das Wasser nicht in die freie Luft, sondern unter Wasser ausfließt, nur hat man hier unter h den Niveauabstand oder die Tiefe des Unterwasserspiegels unter der Oberfläche des Oberwassers zu verstehen.

Die hierauf bezüglichen Versuche lassen sich mit dem in Figur 6 auf Seite 8 abgebildeten zusammengesetzten Ausflußapparat anstellen, wenn man das Mundstück in das Ende M_2 des Rohres $M_1 M_2$ einsetzt, welches die Vorlage mit dem Hauptreservoir verbindet, und während des Versuches den Hahn Q in diesem Rohre vollständig eröffnet. Das Wasser kann man entweder aus der Vorlage über den Rand UM über- oder durch die Seitenöffnung abfließen lassen, in welchem letzteren Falle zur Erzielung eines constanten Druckes in der Vorlage der Abfluß durch Y mittelst eines Hahnes oder Ventiles regulirt werden muß.

Mit dem bekannten conoidischen Mundstücke sind bei oben überfließendem Wasser folgende Versuche angestellt worden.

1. Der Unterwasserspiegel stand 0,199 Meter unter der mittleren Mündung des Hauptreservoirs und die Ausflußzeit war $t = 58{,}125$ Sec. Die Druckhöhen über der mittleren Mündung waren aber wie bei dem Versuche (2) des vorigen Paragraphes, $h_1 = 0{,}4620$ und $h_2 = 0{,}3420$ Meter, folglich haben wir hier

$$h_1 = 0{,}4620 + 0{,}1990 = 0{,}6610 \text{ und}$$
$$h_2 = 0{,}3420 + 0{,}1990 = 0{,}5410 \text{ Meter.}$$

Hiernach ist

$$\sqrt{h_1} - \sqrt{h_2} = 0{,}81302 - 0{,}73553 = 0{,}07749\,,$$

$$h = \left(\frac{\sqrt{h_1} + \sqrt{h_2}}{2}\right)^2 = 0{,}5994 \text{ Meter und}$$

$$\varphi = \frac{718{,}88 \,.\, 0{,}07749}{t} = \frac{55{,}718}{58{,}125} = 0{,}958\,.$$

2. Der Unterwasserspiegel stand nur 0,0875 Meter unter der Mitte der mittleren Mündung im Hauptreservoir, und es war die Zeit, innerhalb welcher der Wasserspiegel im letzterem von der einen Spitze L_1 zur andern Spitze L_2 herabsank, $t = 64{,}5$ Sec.

Hiernach ist $h_1 = 0{,}4620 + 0{,}0875 = 0{,}5495$,

$$h_2 = 0{,}3420 + 0{,}0875 = 0{,}4295 \text{ Meter,}$$

daher folgt

$$\sqrt{h_1} - \sqrt{h_2} = 0{,}74128 - 0{,}65536 = 0{,}08592$$
$$h = 0{,}4876 \text{ Meter, und}$$
$$\varphi = \frac{718{,}88 \,.\, 0{,}08592}{64{,}5} = 0{,}958.$$

Um diese Geschwindigkeitscoefficienten für den Ausfluß unter Wasser mit denen für den Ausfluß in die freie Luft vollständig vergleichen zu können, hat man noch Ausflußversuche mit dem in das äußere Ende des Rohres $M_1 M_2$ sitzenden Mundstück in der Art ausgeführt, daß man das Wasser in die freie Luft treten ließ.

1. Es war $h_1 = 0{,}9600$

$$h_2 = 0{,}8400 \text{ Meter und } t = 46{,}5 \text{ Sec.}$$

Hiernach ist wie in 3. des vorigen Paragraphen,

$$h = 0{,}8990 \text{ Meter, und}$$

$$\varphi = \frac{45{,}491}{t} = \frac{45{,}491}{46{,}5} = 0{,}978.$$

2. Es war $h_1 = 0{,}4642$, $h_2 = 0{,}3420$ Meter und $t = 70{,}33$ Sec. Hiernach ist wie in 2. des vorigen Paragraphen

$$h = 0{,}4090 \text{ Meter, und}$$

$$\varphi = \frac{68{,}22}{t} = \frac{68{,}22}{70{,}33} = 0{,}970.$$

Es ist also der Geschwindigkeitscoefficient für den Ausfluß in freie Luft im Mittel, $\varphi = 0{,}974$, und dagegen derselbe für den Ausfluß unter Wasser $\varphi = 0{,}958$, folglich der letztere um

$$\frac{0{,}974 - 0{,}958}{0{,}974} = 0{,}0164\,,$$

d. i. $1^2/_3$ Procent kleiner als der Geschwindigkeitscoefficient für den Ausfluß in die freie Luft.

Versuche im größeren Maßstabe (S. J. Weisbach, Versuche über die unvollkommene Contraction des Wassers rc. Leipzig, 1843) gaben im Mittel diese Differenz $1^1/_3$ Procent.

Die Versuche über den Ausfluß in comprimirte Luft wurden mit Hilfe des in Fig. 9 auf Seite 12 zusammengesetzten Ausflußapparates, wobei wieder das oben beschriebene conoidische Mundstück in dem Ende M_2 des Hahnrohres $M_1 M_2$ eingesetzt war, in der Art, ausgeführt, daß man durch theilweise Verschließung der Mündung R mittelst eines Kegels die comprimirte Luft in der Vorlage auf einerlei Druck erhielt.

1. Bei dem ersten Versuche der Art war der Wassermanometerstand, welcher den Ueberdruck der in der Vorlage eingeschlossenen Luft mißt, $= 0{,}3940$ Meter.

Die Druckhöhen im Hauptreservoir waren wieder 0,9600 und 0,8400 Meter und die entsprechende Ausflußzeit $t = 62{,}4$ Sec.

Hiernach ist $h_1 = 0{,}9600 - 0{,}3940 = 0{,}5660$ Meter und

$$h_2 = 0{,}8400 - 0{,}3940 = 0{,}4460 \quad \text{„} \;;$$

folglich $\sqrt{h_1} - \sqrt{h_2} = 0{,}75233 - 0{,}66783 = 0{,}08450$,

$$h = 0{,}7101^2 = 0{,}5042 \text{ Meter und}$$

$$\varphi = \frac{718{,}88 \,.\, 0{,}08450}{62{,}4} = 0{,}973.$$

2. Bei dem zweiten Versuche stand das Manometer auf 0,1810 M. und es war $t = 52$ Sec., ferner

$$h_1 = 0{,}9600 - 0{,}1810 = 0{,}7790,\; \sqrt{h_1} = 0{,}88261\,,$$

$$h_2 = 0{,}8400 - 0{,}1810 = 0{,}6590,\; \sqrt{h_2} = 0{,}81179\,,$$

woraus $\sqrt{h_1} - \sqrt{h_2} = 0{,}07082$, $h = 0{,}7177$ Meter und

$$\varphi = \frac{718{,}88 \,.\, 0{,}07082}{52} = 0{,}979 \text{ folgt.}$$

Es ist also für den Ausfluß in comprimirte Luft der mittlere Geschwindigkeitscoefficient $\varphi = 0{,}976$ nicht beachtungswerth von dem für den Ausfluß in die freie Luft verschieden.

Zu den Versuchen über den Ausfluß des Wassers in verdünnte Luft wurde die in Fig. 11 abgebildete Zusammensetzung des Ausflußapparates angewendet. Die Luft in der Vorlage wurde durch Eröffnung des Hahnes XY verdünnt, wodurch Etwas von dem die Vorlage nur zum kleinsten Theil ausfüllenden Wassers abfließen konnte; auch ließ sich durch Stellung dieses Hahns der von dem Manometer angezeigte Luftdruck auf einerlei Höhe erhalten.

1. Bei einem Versuche war der Manometerstand — 0,3670 Meter, und hieraus ergeben sich die vollständigen Druckhöhen am Anfang und am Ende der Versuchszeit $t = 50{,}6$ Sec.,

$$h_1 = 0{,}4620 + 0{,}3670 = 0{,}8290 \text{ Meter,}$$
$$h_2 = 0{,}3420 + 0{,}3670 = 0{,}7090 \text{ Meter.}$$

Hiernach ist

$$\sqrt{h_1} - \sqrt{h_2} = 0{,}91049 - 0{,}84202 = 0{,}06847, \text{ folglich}$$

$$h = \left(\frac{1{,}75251}{2}\right)^2 = 0{,}87625^2 = 0{,}7677 \text{ Meter und}$$

$$\varphi = \frac{718{,}88 \,.\, 0{,}06847}{50{,}6} = 0{,}973.$$

2. Bei dem zweiten Versuche zeigte das Manometer — 0,1940 M., es war also der innere Luftdruck um 0,1940 Meter kleiner als der äußere, und die Ausflußzeit betrug 57,5 Secunden.

Hier ist $h_1 = 0{,}4620 + 0{,}1940 = 0{,}6560$, $\sqrt{h_1} = 0{,}80994$,
$h_2 = 0{,}3420 + 0{,}1940 = 0{,}5360$, $\sqrt{h_2} = 0{,}73212$;

folglich hat man $\sqrt{h_1} - \sqrt{h_2} = 0{,}07782$,

$$h = 0{,}77103^2 = 0{,}5944 \text{ Meter und}$$

$$\varphi = \frac{718{,}88 \,.\, 0{,}07782}{57{,}5} = 0{,}973.$$

Es ist also auch beim Ausfluß in verdünnte Luft der Geschwindigkeitscoefficient (0,973) fast gleich dem beim Ausfluß in die freie Luft

§. 12. Prüfung der theoretischen Grundformel ($v = \sqrt{2gh}$) der Hydraulik durch Messung der Steighöhe des Wasserstrahles.

Der Formel $v = \sqrt{2gh}$ für die Geschwindigkeit des unter der Druckhöhe h ausfließenden Wassers zu Folge ist diese Geschwindigkeit gleich der Endgeschwindigkeit eines von derselben Höhe im luftleeren Raume frei herabgefallenen Körpers, und umgekehrt, die Druckhöhe $h = \frac{v^2}{2g}$, welche zur Erzeugung einer gewissen Ausflußgeschwindigkeit erforderlich ist, gleich der Steighöhe eines mit eben dieser Geschwindigkeit im luftleeren Raum senkrecht emporgeworfenen Körpers.

Nun lassen sich aber alle Theile eines senkrecht emporsteigenden Wasserstrahles als senkrecht emporgeworfene Körper ansehen, und deshalb müßte also auch, wenigstens im luftleeren Raume, ein solcher Wasserstrahl bis zu dem Niveau der Oberfläche des Wassers im Ausflußreservoir empor steigen. Diese Erscheinung findet auch bei mäßigen Ausflußgeschwindigkeiten oder kleinen Steighöhen wirklich beinahe statt, wenn das Wasser durch ein gut abgerundetes Mundstück, wie in Fig 22, ausfließt, und dasselbe bei seiner Bewegung im Ausflußreservoir keine Hindernisse zu überwinden hat. Es steigt das durch ein solches Mundstück in vertikaler Richtung von unten nach oben ausfließende Wasser fast bis zur Höhe des Wasserspiegels im Ausflußreservoir, wenigstens fehlen hieran bei einer Steighöhe von circa 1 Meter nicht mehr als 5 bis 7 Centimeter oder 5 bis 7 Procent der ganzen Druckhöhe. Bei einer so kleinen Geschwindigkeit des springenden Wassers stört die den Strahl umgebende, von demselben zum Theil mit fortgerissene Luft die Bewegung des Wassers nur wenig, und es ist der angegebene Verlust an Steighöhe hauptsächlich nur in dem Widerstand des Wassers bei seinem Ausfluß begründet. Da die effective Geschwindigkeit $v_1 = \varphi \sqrt{2gh}$ ist, so hat man folglich die Steighöhe

$s = \frac{{v_1}^2}{2g} = \varphi^2 h$, und daher den Verlust an Höhe

$h - s = (1 - \varphi^2) h$, also z. B. für $\varphi = 0,97$,

$h - s = (1 - 0,94) = 0,06 h$, d. i. 6 Procent der Druckhöhe.

Um einen senkrechten Strahl zu erhalten, ist natürlich nöthig, daß die Axe des Mundstückes senkrecht gerichtet sei, und deshalb ist zu einem solchen Versuche noch die Anwendung einer weiten Seitenröhre AB,

Fig. 23, nöthig, welche ein Loch C enthält, worin das Mundstück CD für den springenden Strahl eingesetzt oder eingeschraubt werden kann. Man giebt diesem Rohr eine bedeutende Weite oder bedient sich eines Mund-

Fig. 23.

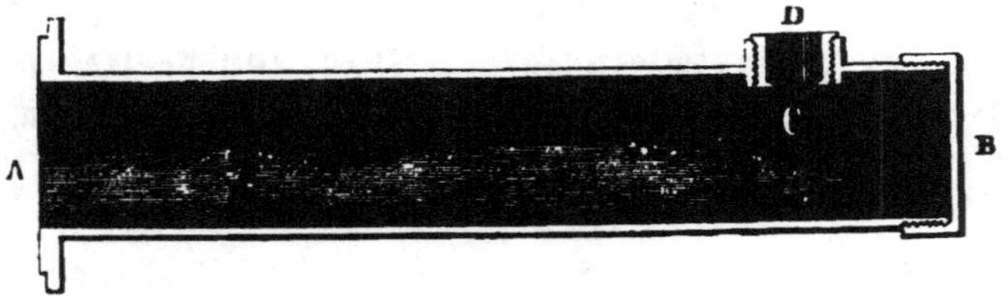

stückes, dessen Weite nur ein kleiner Theil von dem Durchmesser des Rohres ist, um eine möglichst langsame Bewegung des Wassers im Rohre zu erhalten und dadurch die Widerstände oder Hindernisse, welche das Wasser bei seiner Bewegung in demselben zu überwinden hat, möglichst herabzuziehen. Das zu diesem Versuche dienende Seitenrohr hat eine Länge von 15 und eine Weite von 3 Centimeter. Um es in eins der drei Löcher des Hauptreservoirs (Fig. 1) einsetzen zu können, ist es mit einer gefalzten Kopfscheibe versehen, womit es mittelst des bekannten Preßringes u. s. w. wie jedes andere Mundstück gegen den Futterring im Hauptreservoir angepreßt werden kann.

Die Ausmündung des in das Rohr eingesetzten conoidischen Mundstückes hatte 0,707 Centimeter Durchmesser und folglich nur halb so viel Inhalt als das seither zu den Versuchen verwendete. Dem hierzu gefundenen Geschwindigkeitscoefficienten $\varphi = 0,975$ entspricht die Steig- oder Geschwindigkeitshöhe $s = \varphi^2 h = 0,9506\, h$, wonach also dieselbe nahe um 5 Procent kleiner ist als die Druckhöhe.

Bei den Versuchen über das Aufsteigen der Strahlen hat man das Ausflußgefäß ganz gefüllt erhalten und das Seitenrohr mit dem Mundstücke ein Mal in die untere und das andere Mal in die obere Mündung des Reservoirs eingesetzt. Die Druckhöhe war im ersten Falle 0,948 Meter, und die Steig- oder Sprunghöhe des Strahles 0,888 Meter, also um $0,948 - 0,888 = 0,060$, d. i. reichlich 6 Procent kleiner als die Druckhöhe; im zweiten Falle war die Druckhöhe 0,486 Meter und die Sprunghöhe 0,454 Meter, also um $0,486 - 0,454 = 0,032$ Meter, d. i. nahe um 7 Procent kleiner als die erstere. Diesen Versuchen zu Folge ist also die Sprunghöhe nur 1 bis 2 Procent kleiner als die der Ausflußgeschwindigkeit entsprechende Fall- oder Geschwindigkeitshöhe.

Die Sprunghöhe wird aber auch schon dadurch etwas vermindert, daß das zurückfallende Wasser dem aufsteigenden hindernd in den Weg tritt, wenn dasselbe genau senkrecht emporspringt. Um dies zu verhindern, giebt man dem aufsteigenden Strahle eine kleine Abweichung von der Vertikalen, obgleich dadurch die Steighöhe ebenfalls etwas herabgezogen wird. Ist der Neigungswinkel des Strahles bei seinem Austritte aus der Mündung $= \alpha$, so hat man die Steighöhe $s =$ nur $\frac{v^2}{2g}\, sin\, \alpha^2$, z. B. für einen Steigwinkel α von 80 Grad, oder für 10 Grad Abweichung des Strahles von der Vertikalen, ist

$$s = 0{,}985^2 . \frac{v^2}{2g} = 0{,}970 . \frac{v^2}{2g}.$$

Fig. 24.

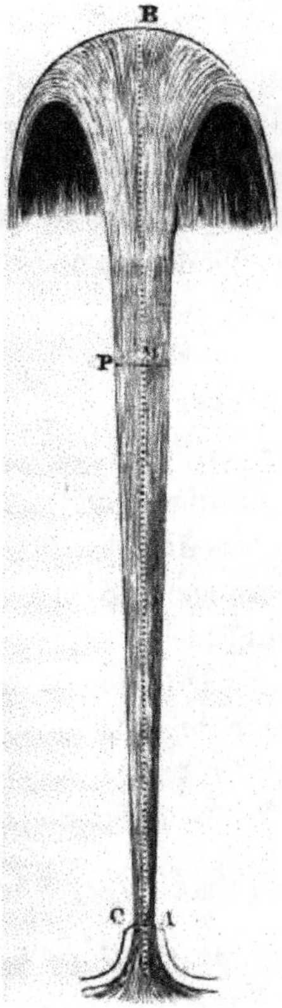

Da die Geschwindigkeit des Wassers im aufsteigenden Strahle allmälig abnimmt, so muß dagegen der Querschnitt desselben nach oben immer mehr und mehr zunehmen, also der ganze Strahl gleichsam einen Stamm mit von unten nach oben zunehmender Stärke bilden. Auch muß umgekehrt bei einem von oben nach unten gerichteten Strahle, so lange derselbe ein Continuum bildet und nicht von der umgebenden Luft zerrissen wird, einen von oben nach unten an Stärke abnehmenden stabförmigen Körper, die sogenannte Cataracte, bilden. Man kann die Form dieses Körpers besonders gut an einem aufsteigenden Strahle AB, Fig. 24, beobachten und das gesetzmäßige Zu- oder Abnehmen seiner Stärke, der Lehre des freien Falles zu Folge, auf folgende Weise finden. Es sei der Querschnitt des Strahles an der Ausmündnng A, $= F$ und die Geschwindigkeit des Wassers an dieser Stelle $= v$, dagegen sei in einem Vertikalabstande $AM = x$, der Querschnitt $= Y$ und die Geschwindigkeit $= w$. Dann gelten die bekannten Formeln

$$x = \frac{v^2}{2g} - \frac{w^2}{2g} \text{ und } Fv = Yw,$$

woraus sich die neue Gleichung

$$x = \left[1 - \left(\frac{F}{Y}\right)^2\right] \frac{v^2}{2g}, \text{ oder umgekehrt}$$

$$\left(\frac{F}{Y}\right)^2 = 1 - \frac{2gx}{v^2} \text{ bestimmt.}$$

Ist der Querschnitt der übrigens nach innen zu genau abgerundeten Mündung ein kreisförmiger vom Halbmesser r, und dagegen der Halbmesser MP im Abstande x, $= y$, so haben wir

$$\frac{Y}{F} = \frac{\pi y^2}{\pi r^2} = \frac{y^2}{r^2}, \text{ und daher}$$

$$\left(\frac{r}{y}\right)^4 = 1 - \frac{2gx}{v^2}, \text{ oder}$$

$$y = \frac{r}{\sqrt[4]{1 - \frac{2gx}{v^2}}}.$$

Diese Formel ist jedoch nur annähernd richtig und verliert ihre Giltigkeit in der Nähe des Gipfels B, wo die Wassertheilchen in parabolischen Bahnen ihre rückgängige Bewegung antreten, gänzlich. **Ueber** den Widerstand, welchen die Luft dem springenden Strahl entgegensetzt, wird das Nähere angegeben in der Ingenieur- und Maschinenmechanik, Bd. I, §. 370.

§. 13. Prüfung der theoretischen Grundformel ($v = \sqrt{2gh}$) durch Messung der Coordinaten der Strahlenaxe.

Mit größerer Genauigkeit läßt sich der Geschwindigkeitscoefficient bestimmen, wenn man den Wasserstrahl schief aufsteigen läßt, und Messungen der Coordinaten des Strahles vornimmt. Für einem aus der Mündung A, Fig. 25, horizontal austretenden Strahl AB hat man bei der Ausflußgeschwindigkeit v den horizontalen Weg oder die Sprungweite BC

Fig. 25.

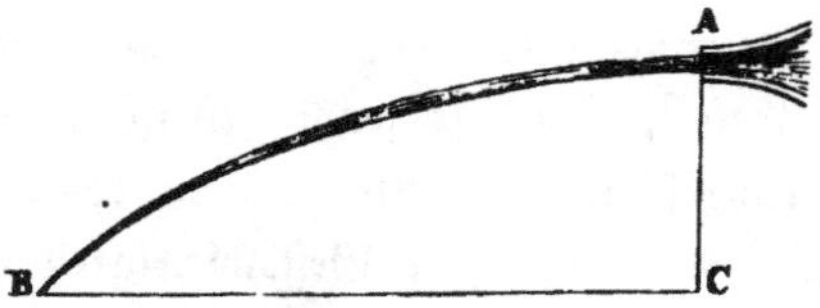

in der Zeit t: $x = vt$, und entsprechende Sprunghöhe $AC = y = \frac{gt^2}{2}$; eliminirt man aus beiden Gleichungen die Zeit t, so erhält man die Formel

$$y = \frac{gx^2}{2v^2},$$

und daher umgekehrt, für die den Coordinaten x und y entsprechende Ausflußgeschwindigkeit

$$v = \sqrt{\frac{gx^2}{2y}} = x\sqrt{\frac{g}{2y}}.$$

Da man es aber nicht immer in seiner Gewalt hat, die Axe des Mundstückes genau horizontal zu richten, so ist es besser, gleich im Voraus auf die Anwendung eines horizontal ausströmenden Strahles Verzicht zu leisten und dafür die Gestalt der Axe dieses Strahles mittelst dreier Punkte in derselben zu bestimmen. Um hierbei den Strahl unter beliebigen Winkeln aufsteigen lassen zu können, ist die Anwendung einer Kropfröhre AB, Fig. 26, nöthig, welche mit zwei Kopfscheiben BB und CC versehen ist, um einerseits ein Mundstück M an dieselbe anschrauben und andererseits dieselbe in eins der drei Löcher F_1, F_2, F_3 des Hauptreservoirs (Fig. 1) einsetzen zu können. Bei der inneren Weite der Futterringe von 5 Centimeter kann man der Kropfröhre nicht mehr als 3½ Centimeter Durchmesser geben, wiewohl es zweckmäßiger ist, sie so weit wie möglich zu machen; um aber wenigstens den Widerstand in dieser Röhre so viel wie möglich herabzuziehen, soll die Mündungsweite von M dann mindestens 1 Centimeter nicht übertreffen. Da man diese Kropfröhre um die Axe ihrer Einmündung CC beliebig drehen kann, so ist es auch möglich, der Axe der Ausmündung, und folglich auch der des Strahles, jede beliebige Neigung auf- oder abwärts zu geben.

Fig. 26.

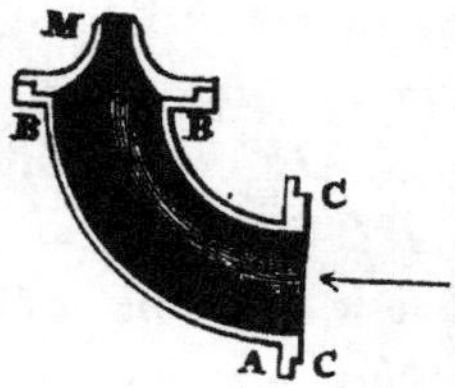

Zur Ausmittelung der Gestalt der Strahlencurve kann man drei Lothe, wie z. B. XY in Fig. 5, Seite 7, anwenden, welche man von einem horizontal liegenden Stab VW herabhängen läßt. Es ist bequem, wenn man diese drei Lothe in gleichen Horizontalabständen von einander aufhängt und zweckmäßig, wenn man bei diesem Versuche das Wasser unter constantem Drucke ausfließen läßt. Zu dem letzteren Zwecke führt man entweder dem Hauptreservoir so viel Wasser zu, daß ein Theil desselben ununterbrochen wieder über der Kopffläche desselben abfließt, oder man regulirt den Zufluß des Wassers durch einen Hahn in der Art, daß der Wasserspiegel im Kopfstücke AB des Hauptreservoirs mit einer der Zeigerspitzen in demselben in Berührung bleibt. Hierzu kann man sich des Hahnes Q in der bekannten Communicationsröhre $M_1 M_2$, Fig. 6, bedienen, wenn man dieselbe einerseits in die Vorlage RS und andererseits in das obere Loch F_1 des Hauptreservoirs einsetzt, und nun das Wasser mittelst $M_1 M_2$ aus der Vorlage dem Hauptreservoir zuführt.

Die Formel zur Berechnung der Ausflußgeschwindigkeit aus den gemessenen Coordinaten der Strahlencurve wird wie folgt gefunden.

Es sei der Horizontalabstand $HR = AN$ der beiden äußersten Lothe HA und RL, Fig. 27, von einander $= x$, also der Horizontalabstand $OH = OR = MA = MN$ des mittleren Lothes OK von den beiden andern, $= \frac{x}{2}$. Ferner seien die Längen dieser drei Lothe in der Reihenfolge z, z_1 und z_2, und zwar $HA = z$, $OK = z_1$ und $RL = z_2$.

Fig. 27.

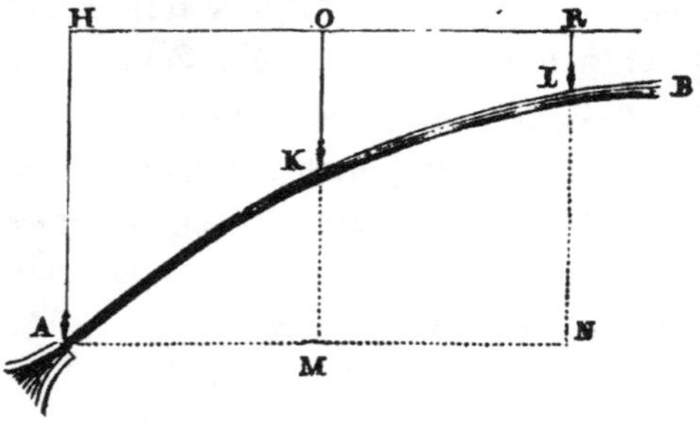

Dann haben wir die Höhe des mittleren Punktes K der Strahlencurve AB über dem Anfangspunkt A derselben:

$$KM = OM - OK = y_1 = z - z_1,$$

und die Höhe des Endpunktes über demselben Punkte L:

$$LN = RN - RL = y_2 = z - z_2.$$

Nehmen wir nun noch an, daß der Strahl bei A unter dem Winkel α ansteigt, so läßt sich seine Geschwindigkeit v in die horizontale Geschwindigkeit $v \cos \alpha$ und in die vertikale Geschwindigkeit $v \sin \alpha$ zerlegen, und ist endlich t die Zeit, innerhalb welcher das Wasser den Weg AK zurücklegt, so haben wir den einfachsten Lehren der Phoronomie zu Folge,

$$AM = \frac{x}{2} = v \cos \alpha \,.\, t \text{ und } KM = y_1 = v \sin \alpha \,.\, t - \frac{g t^2}{2},$$

so daß durch Elimination von t:

$$y_1 = \frac{1}{2} x \tang \alpha - \frac{g x^2}{8 v^2 \cos \alpha^2} = \frac{1}{2} x \tang \alpha - \frac{g x^2}{8 v^2}(1 + \tang \alpha^2)$$

und ebenso

$$y_2 = x \tang \alpha - \frac{g x^2}{2 v^2}(1 + \tang \alpha^2) \text{ folgt.}$$

Hiernach ist denn

$$\frac{x \tang \alpha - y_2}{\frac{1}{2} x \tang \alpha - y_1} = 4,$$

und folglich für den gesuchten Neigungswinkel α:

$$\tang \alpha = \frac{4 y_1 - y_2}{x}.$$

Setzt man diesen Werth in die Gleichung für y_2, so folgt:

$$\frac{gx^2}{2v^2}\left[1+\left(\frac{4y_1-y_2}{x}\right)^2\right]=4y_1-y_2-y_2=4y_1-2y_2,$$

woraus sich endlich für die Ausflußgeschwindigkeit der Ausdruck

$$v=\sqrt{\frac{g\,[x^2+(4y_1-y_2)^2]}{4\,(2y_1-y_2)}},$$

und der entsprechende Geschwindigkeitscoefficient

$$\varphi=\frac{v}{\sqrt{2gh}}=\sqrt{\frac{x^2+(4y_1-y_2)^2}{8h\,(2y_1-y_2)}}\text{ ergiebt.}$$

Obgleich diese Formel nur für einen aufsteigenden Strahl entwickelt worden ist, so gilt sie doch auch für einen abwärts gerichteten Strahl; während dort die Ordinaten y_1 und y_2 positiv sind, hat man sie hier negativ zu nehmen, also

$$\varphi=\sqrt{\frac{x^2+(4y_1-y_2)^2}{8h\,(y_2-2y_1)}}\text{ zu setzen.}$$

Für die Druckhöhe h hat man natürlich die Tiefe des Anfangspunktes A unter dem Wasserspiegel einzusetzen.

Folgende zwei Versuche sind z. B. mit dem bekannten conoidischen Mundstück (Fig. 22) angestellt worden.

1. Das conoidische Mundstück saß im oberen Loche F_1 des Hauptreservoirs, und das Wasser floß unter einer constanten Druckhöhe $h = 0{,}207$ Meter aus. Die Entfernung der drei Lothe von einander war $x = 2 \,.\, 0{,}25 = 0{,}50$ Meter, und die Längen der Lothe, bis zur Strahlaxe gemessen, waren folgende:

$$z = 0{,}220,\; z_1 = 0{,}331 \text{ und } z_2 = 0{,}601 \text{ Meter.}$$

Folglich ist hiernach

$$y_1 = z_1 - z = 0{,}111 \text{ und } y_2 = z_2 - z = 0{,}381 \text{ Meter,}$$

und der entsprechende Geschwindigkeitscoefficient

$$\varphi=\sqrt{\frac{0{,}5^2+(0{,}444-0{,}381)^2}{8\,.\,0{,}207\,(0{,}381-0{,}222)}}$$

$$=\sqrt{\frac{0{,}25+0{,}0040}{1{,}656\,.\,0{,}159}}=0{,}982.$$

2. Dasselbe Mundstück saß im mittleren Loche des Hauptreservoirs, und es floß das Wasser unter der constanten Druckhöhe $h = 0{,}512$ Meter aus. Die Entfernung der drei Lothe von einander betrug $x = 2 \,.\, 0{,}30 = 0{,}60$ Meter, und die Längen der Lothe bis Mitte des Strahles gerechnet, waren folgende

$$z = 0{,}0565,\; z_1 = 0{,}1190 \text{ und } z_2 = 0{,}2745 \text{ Meter.}$$

Hiernach ist

$$y_1 = z_1 - z = 0{,}0625 \text{ und } y_2 = z_2 - z = 0{,}2180 \text{ Meter, und}$$

$$\varphi = \sqrt{\frac{0{,}6^2 + (0{,}250 - 0{,}218)^2}{8 \,.\, 0{,}512\,(0{,}218 - 0{,}125)}}$$

$$= \sqrt{\frac{0{,}3610}{4{,}096 \,.\, 0{,}093}} = 0{,}974.$$

Diesen Messungen zu Folge weicht also der mittlere Geschwindigkeitscoefficient $\varphi = 0{,}978$ nicht ansehnlich von dem oben durch Wassermessung gefundenen Werthe $\varphi = 0{,}971$ dieses Coefficienten ab.

Viertes Kapitel.

Die Versuche über Contraction der Wasserstrahlen beim Ausflusse durch Mündungen in dünnen ebenen und conischen Wänden.

---

§. 14. Die Contraction der Wasserstrahlen beim Ausflusse des Wassers durch Mündungen in einer dünnen ebenen Wand.

Wenn das Wasser durch eine Mündung in einer dünnen ebenen Wand ausfließt, so tritt unter übrigens gleichen Umständen dadurch eine bedeutende Verminderung der Ausflußmenge ein, daß die einzelnen Wassertheilchen nicht in parallelen, sondern in convergenten Richtungen durch die Mündung hindurch gehen und dadurch einen zusammengezogenen oder contrahirten Wasserstrahl bilden. Ist die Mündung nicht zu klein, so kann man, vielfältigen Messungen zu Folge, annehmen, daß die stärkste Zusammenziehung des Strahles in einem Abstande von der Mündung statt finde, welcher gleich ist der halben Mündungsweite, und daß der kleinste Querschnitt des zusammengezogenen Wasserstrahles nahe zwei Drittel (0,64) von dem der Mündung, folglich, wenn diese kreisrund ist, der kleinste Durchmesser des contrahirten Strahles Vierfünftel (0,8) von dem Durchmesser der Mündung ist. Ist demnach F der Inhalt des Querschnittes der Mündung und F_1 der Inhalt vom kleinsten Querschnitte des contrahirten Wasserstrahles, so hat man annähernd $F_1 = (0{,}8)^2 F = 0{,}64\, F$.

Man nennt das Verhältniß $\frac{F_1}{F}$ zwischen dem kleinsten Querschnitt des Wasserstrahles und dem der Mündung den Contractionscoefficienten und bezeichnet ihn durch α. Die Contraction der Wasserstrahlen hat ihren Grund darin, daß nicht allein das Wasser ausfließt, welches sich unmittelbar über oder vor der Mündung befindet, sondern daß auch das zur Seite der Mündung befindliche Wasser zum Ausfluß gelangt. Es findet dem zu Folge schon im Innern des Gefäßes eine Convergenz der Bewegungsrichtungen der Wassertheilchen statt, und es ist die Contraction des Wasserstrahles nichts weiter als die Folge der Fortsetzung dieser Bewegungen außerhalb des Gefäßes. Man kann sich von dieser Bewegung der Wassertheilchen im Innern des Ausflußgefäßes am besten überzeugen, wenn man trübes Wasser zu den Versuchen verwendet, dasselbe aus dem Hauptreservoir mittelst einer weiten gläsernen Röhre der Mündung in der dünnen ebenen Wand zuführt, und die Bewegung der in diesem Wasser schwimmenden festen Theilchen mittelst eines Mikroscopes verfolgt. Zur Bildung des trüben Wassers kann man fein gestoßenes Ziegelmehl verwenden.

Fig. 28.

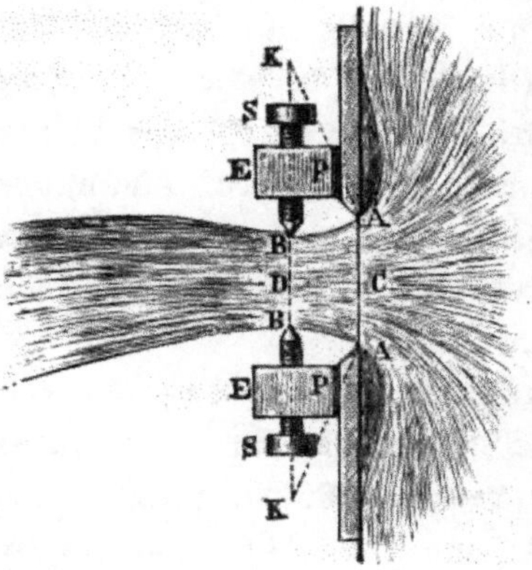

Ist die Mündung kreisrund, so bildet der contrahirte Wasserstrahl einen Rotationskörper, dessen Erzeugungslinie als ein Kreisbogen AB, Fig. 28, angesehen werden kann. Bezeichnen wir den Durchmesser der Mündung, d. i. $AA = 2\,CA$, durch d, so haben wir den kleinsten Durchmesser des Strahles

$$BB = 2\,DB = d_1 = 0{,}8\,d;$$

ferner den Abstand des kleinsten Querschnittes von der Mündungsebene,

$$CD = 0{,}5\,.\,AA = 0{,}5\,.\,d,$$

und endlich den gesuchten Halbmesser der kreisbogenförmigen Erzeugungslinie

$$KA = KB = a = \frac{d^2 + (d - d_1)^2}{4\,(d - d_1)} = \frac{d^2 + (0{,}2\,d)^2}{4\,.\,0{,}2\,d} = \frac{1{,}04\,d}{0{,}8} = 1{,}3\,d.$$

Durch Mündungen, welche nach dieser Gestalt des contrahirten Strahles geformt sind, fließt das Wasser ohne Contraction und mit einer Geschwindigkeit aus, welche 96 bis 98 Procent der theoretischen Geschwindigkeit ist. (Vergl. §. 10.)

Sehr eigenthümliche Gestalten haben die Wasserstrahlen, welche durch drei-, vier- oder mehrseitige Mündungen in der dünnen Wand strömen. Auffallend ist hierbei die Verdrehung der Wasserstrahlen, vermöge welcher in einem gewissen Abstande von der Mündung stets der Mitte einer Seite der Mündung ein Eck des Strahlenquerschnittes entspricht. So bildet z. B. der durch eine reguläre dreiseitige Mündung *AAA*, Figur 29, fließende Strahl in einem gewissen Abstande einen regulären dreistrahligen Stern *BBB*, dessen Spitzen *B*, *B*, *B* über den Mittelpunkten der Seiten *AA*, *AA*, *AA* liegen. Eben so giebt eine reguläre vierseitige Mündung *AAAA*, Figur 30, einen regulären vierstrahligen Stern *BBBB*, eine reguläre fünfseitige Figur, einen regulären fünfstrahligen Stern u. s. w.

Fig. 29.

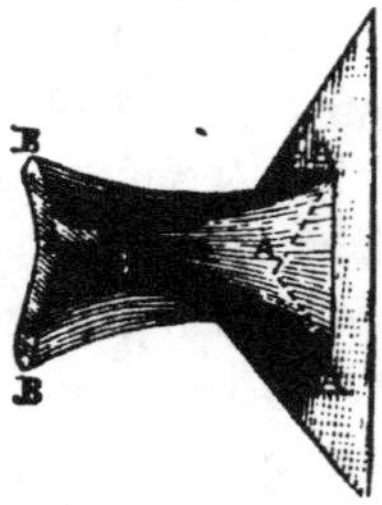

Fig. 30.

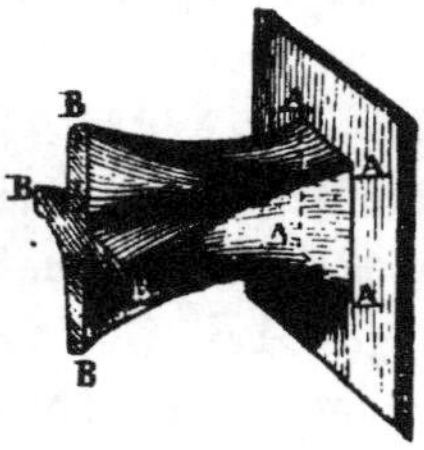

Mit dieser Veränderlichkeit der Gestalt des Querschnittes der Wasserstrahlen ist auch eine Veränderlichkeit im Inhalte desselben verbunden; es nimmt der Querschnitt eines Wasserstrahles auf einer gewissen Distanz allmälig ab, und auf einer folgenden wieder allmälig zu u. s. w. In Folge dieser Veränderlichkeit ist jeder Strahl aus Blättern oder Rippen zusammengesetzt, deren Dimensionen sich mit dem Abstande von der Mündung stetig verändern und dabei Knoten und Bäuche bilden, wie man sie z. B. sehr ähnlich an Cacteen beobachten kann.

Beim Ausflusse durch eine rectanguläre Mündung *AABB*, Fig. 31, bildet der Querschnitt des Wasserstrahles in einem kleinen Abstande von der Mündung ein Kreuz, *CCDD*, und nimmt in einem größeren Abstande die Gestalt eines Rechteckes *EE* an, dessen längere Seiten rechtwinklig gegen die längeren Seiten der Mündung stehen. Es erhält hierbei der Strahl eine schwertförmige Gestalt, und es fällt die Höhe oder Breite dieses Schwertes um so größer aus, je breiter und niedriger oder je höher und dünner die rectanguläre Mündung ist.

Fig. 31.

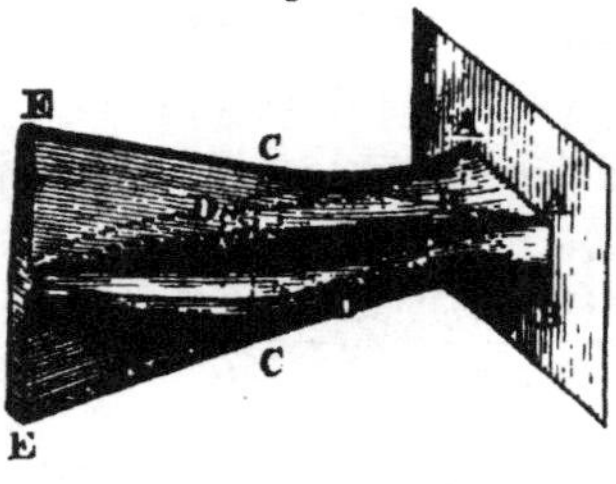

In größeren Entfernungen verliert natürlich in Folge des Luftwiderstandes der Wasserstrahl seine gesetzmäßige Gestalt, und zwar um so eher, je kleiner die Ausflußgeschwindigkeit ist.

Wäre beim Ausflusse des Wassers durch Mündungen in der dünnen Wand die effective Geschwindigkeit an der Stelle der stärksten Contraction der theoretischen Geschwindigkeit $v = \sqrt{2gh}$ gleich, so würde, da sich im kleinsten Querschnitte $F_1 = \alpha F$ des contrahirten Wasserstrahles die Wassertheilchen in parallelen Richtungen neben einander bewegen, das effective Ausflußquantum pr. Sec.:

$$Q_1 = F_1 v = \alpha F \sqrt{2gh} = \alpha Q \text{ sein, und also}$$

$$\alpha = \frac{Q_1}{Q} \text{ gesetzt werden können.}$$

Vielfältige Messungen haben aber gezeigt, daß diesem nicht ganz so ist, und daß auch hier ein kleiner Geschwindigkeitsverlust statt hat, vermöge dessen die effective Geschwindigkeit v_1 1 bis 3 Procent kleiner ausfällt als die theoretische Geschwindigkeit, so daß also

$$v_1 = 0{,}97 \sqrt{2gh} \text{ bis } 0{,}99 \sqrt{2gh} \text{ ist.}$$

Es entspricht also dem Ausflusse durch eine Mündung in einer dünnen ebenen Wand ein Geschwindigkeitscoefficient

$$\varphi = 0{,}97 \text{ bis } 0{,}99\,,$$

und es ist sonach die effective Ausflußmenge

$$Q_1 = F_1 v_1 = \alpha F \varphi v = \alpha \varphi F \sqrt{2gh} = \alpha \varphi Q;$$

also das Product aus dem Contractionscoefficienten und dem Geschwindigkeitscoefficienten:

$$\alpha \varphi = \frac{Q_1}{Q}\,,$$

d. i. gleich dem Verhältnisse des effectiven Ausflußquantum zum theoretischen.

Man nennt das Verhältniß $\frac{Q_1}{Q}$ der effectiven Wassermenge $Q_1 = F_1 v_1$ zur theoretischen Wassermenge $Q = Fv$, den Ausflußcoefficienten, und wir bezeichnen denselben in der Folge durch μ. Hiernach ist also

1. $\mu = \alpha \varphi$, und umgekehrt

2. $\varphi = \frac{\mu}{\alpha}$, so wie

3. $\alpha = \frac{\mu}{\varphi}$.

Wenn wir z. B. für den Ausfluß durch Mündungen in der dünnen ebenen Wand $\alpha = 0{,}64$ und $\varphi = 0{,}98$ setzen, so erhalten wir den entsprechenden Ausflußcoefficienten

$$\mu = \alpha\varphi = 0{,}64 \,.\, 0{,}98 = 0{,}6272.$$

Fließt das Wasser durch eine conoidische Mündung aus, welche die Contraction des Strahles verhindert, so hat man natürlich $F_1 = F$; folglich den Contractionscoefficienten

$$\alpha = \frac{F_1}{F} = 1, \text{ und den Geschwindigkeitscoefficienten}$$

$$\varphi = \frac{\mu}{\alpha} = \frac{\mu}{1} = \text{den Ausflußcoefficienten.}$$

Die Ausflußcoefficienten $\mu = \frac{Q_1}{Q}$ lassen sich nach den im §. 10 gegebenen Regeln und mit Hilfe der in den Figuren 5 und 6 abgebildeten Apparate leicht ermitteln. Hat man es nun mit dem Ausflusse in einem contrahirten Strahle zu thun, so läßt natürlich die Ermittelung von μ mittelst der cubischen Messung die beiden Faktoren φ und α desselben noch unbestimmt. Um diese zu finden, hat man entweder noch die effective Ausflußgeschwindigkeit v_1 oder den Querschnitt F_1 des contrahirten Strahles auszumitteln. Im ersten Falle findet man dann

$$\varphi = \frac{v_1}{v} = \frac{v_1}{\sqrt{2gh}} \text{ und } \alpha = \frac{\mu}{v}, \text{ und im zweiten}$$

$$\alpha = \frac{F_1}{F} \text{ und } \varphi = \frac{\mu}{\alpha}.$$

Die effective Ausflußgeschwindigkeit läßt sich durch das in §. 3. angegebene Verfahren aus der Gestalt der Axe des Wasserstrahles bestimmen, um hingegen den kleinsten Querschnitt F_1 des contrahirten Wasserstrahles zu finden, muß man den Wasserstrahl AB, Fig. 31, zwischen je zwei einander gegenüber liegenden Spitzen SB, SB fassen und den Abstand derselben von einander mittelst eines keilförmigen Meßstäbchens ausmitteln. Um diese Spitzen genau einstellen zu können, versieht man dieselben mit Schraubengewinden und steckt sie durch die Ansätze EP, EP, welche man auf das die Ausflußmündung AA enthaltende Blech PP aufgeschraubt hat.

Fig. 32.

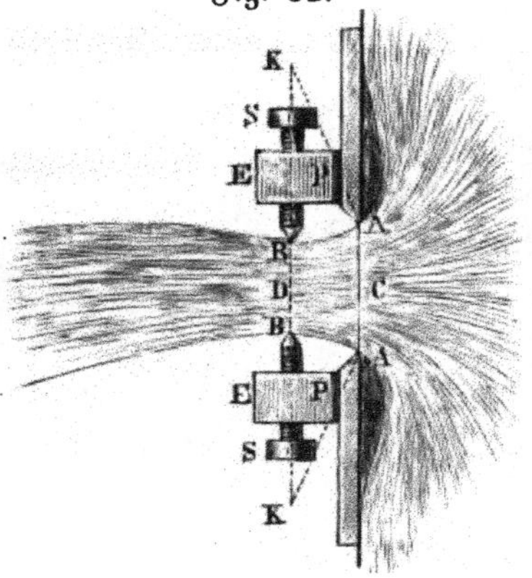

§. 15. **Versuche zur Bestimmung des Ausflußcoefficienten für den Ausfluß durch verschiedene Mündungen in der dünnen ebenen Wand.**

Um die Ausflußcoefficienten für den Ausfluß durch verschiedene Mündungen in der dünnen ebenen Wand unter verschiedenen Druckhöhen zu ermitteln, sind die bereits aus §. 10. bekannten Versuchsmethoden angewendet worden.

I. **Die kreisrunde Mündung** M **von 1 Centimeter Durchmesser,** ausgeschnitten in dem in Figur 33 abgebildeten Einsatzstück FF. Der Inhalt dieser Mündung ist $F = 0{,}7854$ Quadratcentimeter, wie bei dem conoidischen Mundstücke in §. 10.

Fig. 33.

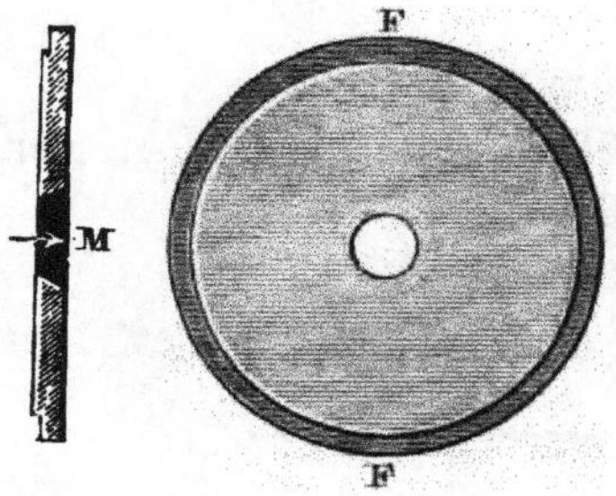

1. **Versuch unter constantem Drucke** mittelst des zusammengesetzten Apparates in Fig. 6.

Unter der Druckhöhe $h = 0{,}15$ Meter floß in der Zeit $t = 174{,}25$ Sec. das bekannte Wasservolumen $V = 0{,}015004$ Cubikmeter aus. Es ist folglich hiernach der Ausflußcoefficient (vergl. §. 10.)

$$\mu = \frac{43{,}130}{t\sqrt{h}} = \frac{111{,}37}{t} = \frac{111{,}37}{174{,}25} = 0{,}639.$$

2. **Versuche unter allmälig abnehmendem Drucke** mittelst des einfachen Apparates in Fig. 5. Für diese gilt nach §. 10 die Formel

$$\mu = \frac{718{,}88\,(\sqrt{h_1} - \sqrt{h_2})}{t},$$

wo h_1 die Druckhöhe am Anfang und h_2 die am Ende des Versuchs bezeichnet.

Die Ergebnisse dieser Versuche enthält folgende Tabelle, in welcher außer den bekannten Bezeichnungen noch h die mittlere Druckhöhe $\left(\frac{\sqrt{h_1} + \sqrt{h_2}}{2}\right)^2$ bedeutet.

h_1 Meter	h_2 Meter	$\sqrt{h_1} - \sqrt{h_2}$	h Meter	t Secunden	μ
0,1575	0,0375	0,2032	0,0872	225	0,649
0,4620	0,3420	0,0949	0,3998	109,25	0,624
0,9600	0,8400	0,06328	0,8990	73,75	0,617 .

Diesen Versuchen zu Folge nimmt während des Wachsens der Druckhöhe von circa 0,1 bis 0,9 Meter der Ausflußcoefficient beim Ausflusse durch Mündungen in der dünnen ebenen Wand von 0,649 bis 0,617 ab. Beim weitern Wachsen der Druckhöhe bleibt der Ausflußcoefficient μ ziemlich derselbe, so fand z. B. der Verfasser beim Ausflusse unter einer Druckhöhe h von 122,25 Meter diesen Coefficienten bei derselben Mündung, $\mu = 0{,}613$. (S. die Zeitschrift „der Civilingenieur", Erste Folge, Band 1, 1848.)

II. Eine kreisförmige Mündung, deren Inhalt F doppelt so groß ist als der der vorigen, deren Durchmesser also $d = \sqrt{2}\,.\,1 = 1{,}4142$ Centimeter ist.

1. Versuch unter constantem Drucke.

Hier war $h = 0{,}15$ Meter, $t = 88{,}75$ Sec., folglich hat man

$$\mu = \frac{111{,}37}{2\,.\,t} = \frac{55{,}68}{88{,}75} = 0{,}627\,.$$

2. Die Versuche unter allmälig abnehmendem Drucke gaben Folgendes:

$\sqrt{h_1} - \sqrt{h_2}$	h Meter	t Secunden	μ
0,2032	0,0872	115	0,635
0,0949	0,3998	$55\frac{1}{2}$	0,615
0,06328	0,8990	$37\frac{3}{4}$	0,603 .

III. Eine kreisförmige Mündung, deren Inhalt drei Mal so groß ist als der der ersten Mündung, deren Durchmesser folglich $d = \sqrt{3}\,.\,1 = 1{,}73205$ Centimeter mißt.

1. Versuch unter constantem Drucke.

Hier war $h = 0{,}15$ Meter und $t = 59{,}07$ Sec., folglich ist

$$\mu = \frac{111{,}37}{3\,.\,t} = \frac{37{,}12}{59{,}07} = 0{,}628\,.$$

2. Die Versuche unter allmälig abnehmendem Drucke führten auf Folgendes:

$\sqrt{h_1} - \sqrt{h_2}$	h Meter	t Secunden	μ
0,2032	0,0872	76,66	0,635
0,0949	0,3998	36,71	0,619
0,06328	0,8990	25,61	0,592 .

IV. Eine kreisförmige Mündung vom Durchmesser $d = 2$ Centimeter, also vom vierfachen Inhalte der ersteren.

1. Der Versuch unter constantem Drucke gab bei $h = 0,15$ Meter, $t = 44$ Secunden, folglich

$$\mu = \frac{111,36}{4t} = \frac{27,84}{44} = 0,633.$$

3. Die Versuche unter veränderlichem Drucke gaben Folgendes:

h Meter	t Secunden	μ
0,0872	57,75	0,632
0,3998	27,75	0,615
0,8990	18,50	0,615 .

Aus den letzteren Versuchsreihen ersieht man von Neuem, daß der Ausflußcoefficient bei kleinem Drucke größer ist als bei größerem Drucke, außerdem weisen sie noch nach, daß diese Coefficienten bei der kleineren Mündung größer ausfallen als bei der größeren.

V. Die kleinere quadratische Mündung M (Fig. 34) von der Seitenlänge $s = 0,88622$ Centimeter, also von dem Inhalte $F = s^2 = 0,7854$ Quadratcentimeter gleich dem der kreisförmigen Mündung I. (Fig. 33)

Fig. 34.

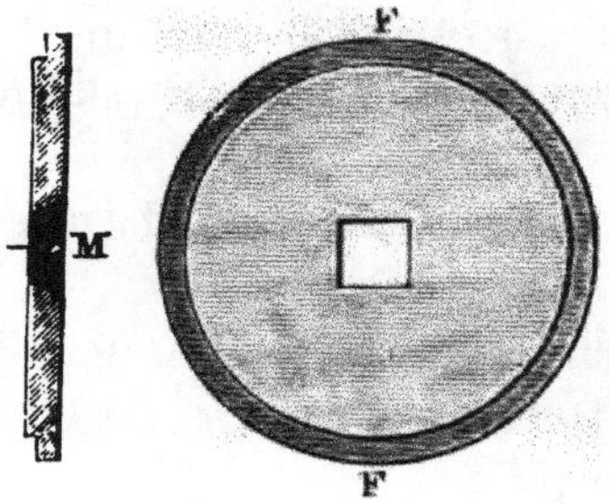

1. Versuch unter constantem Drucke.

Die Druckhöhe, bis Mitte der Mündung gemessen, war $h = 0,14557$ Meter, und die Ausflußzeit $t = 170,75$ Sec., folglich ist

$$\mu = \frac{43,130}{t\sqrt{h}} = \frac{43,130}{170,75\sqrt{0,14557}} = 0,662.$$

2. Versuche unter veränderlichem Drucke gaben Folgendes:

h Meter	t Secunden	μ
0,0872	212	0,689
0,3998	$109\frac{1}{2}$	0,623
0,8990	$73\frac{1}{2}$	0,619

VI. Die größere quadratische Mündung von der Seitenlänge $s = 2$ Centimeter, also dem Inhalte $F = 4$ Quadratcentimeter = 0,0004 Quadratmeter.

1. Versuch unter constantem Drucke.

Die Druckhöhe war $h = 0{,}15$ Met., und die Ausflußzeit $t = 34{,}47$ Sec., folglich ist

$$\mu = \frac{0{,}0033875}{F t \sqrt{h}} = \frac{8{,}4688}{t\sqrt{h}} = 0{,}634\,.$$

2. Versuche unter veränderlichem Drucke. Hier ist

h Meter	t Secunden	μ
0,0872	45,56	0,630
0,3998	21,70	0,617
0,8990	14,47	0,617 .

VII. Eine rectanguläre Mündung M, Fig. 35, deren Weite von 1,2533 Centimeter doppelt so groß ist als ihre Höhe von 0,6266 Centimeter, und deren Inhalt gleich ist dem der kreisförmigen in I, und der quadratischen in V.

Fig. 35.

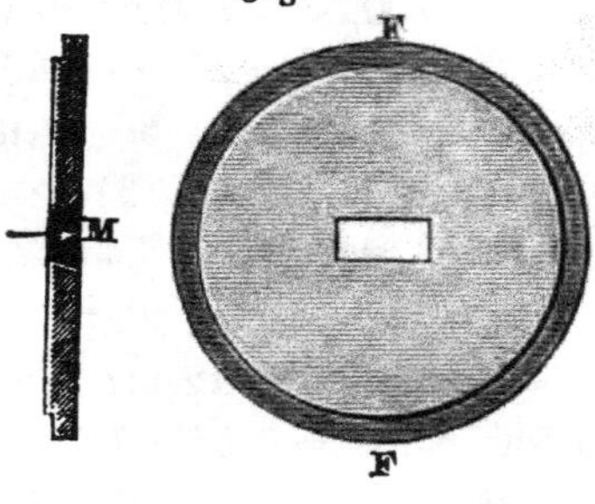

1. Versuch unter constantem Drucke in der Vorlage.

Es war die Druckhöhe $h = 0{,}1469$ M., u. die Zeit $t = 168{,}84$ Sec., folglich ist

$$\mu = \frac{43{,}130}{t\sqrt{h}} = 0{,}666\,.$$

2. Bei den Versuchen unter veränderlichem Drucke ergab sich Folgendes:

h Meter	t Secunden	μ
0,0872	217,1	0,673
0,3998	107,0	0,638
0,8990	72,9	0,596 .

VIII. Eine trianguläre Mündung M, Fig. 36, von der Seitenlänge $s = 1,3468$ Centimeter, und dem Inhalte der Mündungen unter I, V und VII.

Fig. 36.

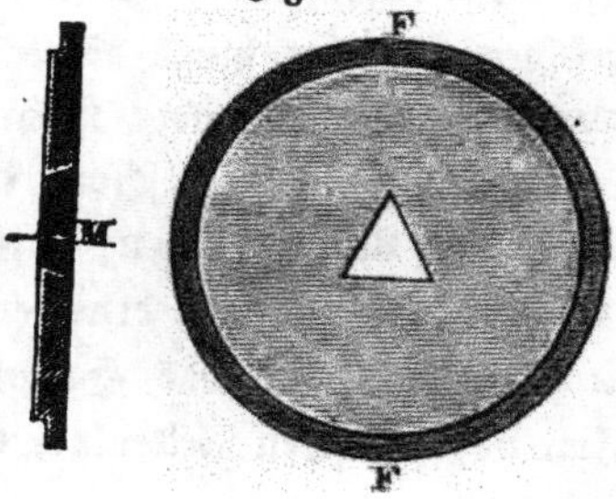

1. Ausfluß unter der constanten Druckhöhe $h = 0,1438$ Meter, die Ausflußzeit war $t = 170,1$ Sec., folglich ist

$$\mu = \frac{43,130}{t\sqrt{h}} = 0,669\,.$$

2. Bei den Ausflußversuchen mit veränderlichem Drucke wurde Folgendes gefunden.

h in Meter	t in Secunden	μ
0,0872	217,85	0,671
0,3998	105,42	0,647
0,8990	71,41	0,608

Aus den vorstehenden Ergebnissen der Versuche über den Ausfluß durch kleine drei- und vierseitige Mündungen ist zu ersehen, daß hier die Ausflußcoefficienten bei kleinem Drucke bedeutend größer ausfallen als beim Ausflusse durch kreisrunde Mündungen. Nur bei größeren Mündungen scheint keine bedeutende Verschiedenheit statt zu finden, wie aus der Vergleichung der Tabellen in IV und VI hervorgeht. Lange schmale rectanguläre Mündungen geben, andern Versuchen zu Folge, ein größeres μ als quadratische.

Bei sämmtlichen Versuchen fallen die Wasserstrahlen vollkommen krystallrein aus, und es ist an ihnen die Contraction nach dem Durchgange durch die Mündung sehr gut zu beobachten. Einen schönen Anblick gewähren insbesondere die in den Figuren 29, 30 u. 31 abgebildeten facettirten Strahlen beim Ausfluße durch drei- und vierseitige Mündungen (V bis VIII). Die Knoten und Bäuche längs der Strahlenaxe sind hierbei sehr gut zu beobachten; z. B. bei dem Strahle durch die dreiseitige Mündung war der Abstand der Knoten von einander

unter der Druckhöhe 0,0375 Meter, $a = 0,09$ Meter
" " " 0,4620 " $a = 0,18$ "
" " " 0,9600 " $a = 0,43$ " .

Jedenfalls deutet diese Veränderlichkeit in der äußeren Gestalt des Strahles bei verschiedenen Druckhöhen oder Ausflußgeschwindigkeiten auch auf eine entsprechende Veränderlichkeit der Contraction und Contractionscoefficienten hin.

Mittelst springender Strahlen aus kreisrunden Mündungen in der ebenen dünnen Wand lassen sich auch die Geschwindigkeitscoefficienten mit großer Genauigkeit bestimmen, da dieselben auf eine lange Strecke ihre runde Gestalt behalten. Strahlen durch drei-, vier- oder mehrseitige Mündungen werden wegen ihrer großen Ausbreitung schon in mäßigem Abstande von der Mündung durch die Luft zerrissen, und lassen sich deshalb zur Bestimmung dieses Coefficienten nicht gut benutzen. Zur Erzeugung von springenden Strahlen dient die in das Hauptreservoir einzusetzende weite Röhre AB, Fig. 37, in deren Seitenloch C

Fig. 37.

dann das Mundstück D einzuschrauben ist. Ließ man den Strahl nahe senkrecht emporsteigen, so fiel die Steighöhe bei einer Druckhöhe von $\frac{1}{2}$ Meter um 2 und bei einer solchen von 1 Meter um $2\frac{1}{2}$ Proc. kleiner aus als die letztere.

§. 16. **Versuche über den Ausfluß durch größere rectanguläre Mündungen in der ebenen dünnen Wand unter sehr kleinem Drucke, so wie auch durch Wandeinschnitte oder sogenannte Ueberfälle.**

Zu den Versuchen über den Ausfluß unter sehr kleinem Drucke und über den durch Wandeinschnitte, wurden zwei in Fig. 38 und Fig. 39 abgebildete Messingplatten $EEFF$ verwendet, wovon die eine eine quadratische Mündung M von $a = 3$ Centimeter Seitenlänge hatte, und die andere eine Mündung M von $b = 5$ Centimeter Weite und $a = 2$ Centimeter Höhe enthielt. Damit der Strahl ganz frei ausfließe, ist es nöthig, daß die Seiten der Mün-

Fig. 38.

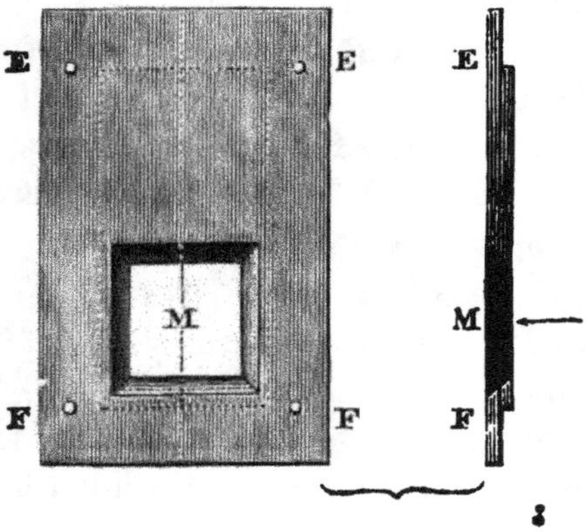

dungen nach außen zu bedeutend abgeschrägt werden, wie auch aus den Figuren zu ersehen ist. Diese Mündungsbleche sind an das obere größere Loch in der Vorlage anzusetzen und mittelst vier Schrauben an dieser zu befestigen. Die Versuche wurden natürlich mittelst des in Figur 6 abgebildeten zusammengesetzten Ausflußapparates unter constantem Drucke ausgeführt.

Fig. 39.

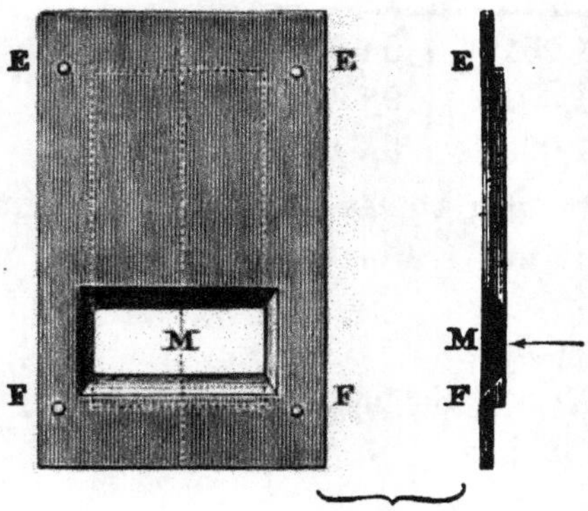

I. Versuche mit der quadratischen Mündung im dünnen Bleche. Hier ist

$$F = a^2 = (0{,}03)^2 = 0{,}0009 \text{ Quadratmeter},$$

und daher die Formel

$$\mu = \frac{0{,}0033875}{Ft\sqrt{h}} = \frac{3{,}764}{t\sqrt{h}}$$

in Anwendung zu bringen.

Die unter drei verschiedenen Druckhöhen angestellten Versuche haben auf Folgendes geführt. Es bedeutet h die Druckhöhe über der Mitte der Mündung.

h Meter	t Secunden	Ausflußcoefficient μ
0,07508	21,75	0,631
0,04508	28,35	0,625
0,02008	44,50	0,597 .

Bei Anwendung der aus §. 7 bekannten genaueren Formel IV, wonach das Wasserquantum pr. Sec.

$$Q = \left(1 - \frac{a^2}{96h^2}\right)\mu F\sqrt{2gh} \text{ ist, hat man}$$

$$\mu = \frac{0{,}0033875\left(1 + \frac{a^2}{96h^2}\right)}{Ft\sqrt{h}} = \frac{3{,}764}{t\sqrt{h}}\left(1 + \frac{a^2}{96h^2}\right)$$

zu setzen, wobei a die Mündungshöhe = 0,03 Meter bezeichnet.

Es ist dann

h Meter	$1+\frac{a^2}{96h^2}$	μ
0,07508	1,0017	0,632
0,04508	1,0046	0,628
0,02008	1,0233	0,611 .

Bei noch kleinerem Drucke ging die Ausflußmündung in einen Wandeinschnitt oder Ueberfall über. Ein Versuch mit diesem gab Folgendes:

Die Druckhöhe über der Schwelle:

$h_1 = 0,0275$ Meter; die Ausflußzeit $t = 63$ Sec.

Für diese Ausflußmündung ist nach §. 7, VIII.

$$Q = \frac{2}{3}\mu F\sqrt{2gh_1} \text{ daher}$$

$$\mu = \frac{3}{2}\cdot\frac{0,0033875}{Ft\sqrt{h_1}} = \frac{0,0050813}{Ft\sqrt{h_1}}.$$

Nun ist aber $F = bh = 0,03 \,.\, 0,0275 = 0,000825$, daher folgt der Ausflußcoefficient für diesen Ueberfall

$$\mu = \frac{0,0050813}{0,000825\,.\,63\,.\,\sqrt{0,0275}} = 0,590\,.$$

II. Versuche mit der rectangulären Mündung im dünnen Bleche. Hier ist

$$F = ab = 0,02\,.\,0,05 = 0,0010 \text{ Quadratmeter,}$$

daher gilt die Formel

$$\mu = \frac{0,0033875}{Ft\sqrt{h}} = \frac{3,3875}{t\sqrt{h}},$$

oder genauer, bei sehr kleiner Druckhöhe h über der Mitte der Mündung

$$\mu_1 = \frac{3,3875}{t\sqrt{h}}\left(1+\frac{a^2}{96h^2}\right).$$

Aus den drei, unter verschiedenen Druckhöhen angestellten Versuchen ergab sich Folgendes:

h Meter	t Secunden	μ	$1+\frac{a^2}{96h^2}$	μ_1
0,0800	18,75	0,639	1,0007	0,639
0,0500	23,75	0,645	1,0017	0,646
0,0200	37,30	0,642	1,0104	0,649 .

Bei einem vierten Versuche unter einer noch kleineren Druckhöhe entstand der Ausfluß durch einen Wandeinschnitt oder Ueberfall. Es war hier die Druckhöhe über der Schwelle oder unteren Mündungskante: $h_1 = 0{,}0175$ Meter und die entsprechende Ausflußzeit $t = 73{,}1$ Sec., folglich hat man

$$F = bh_1 = 0{,}05 \,.\, 0{,}0175 = 0{,}000875 \text{ und}$$

$$\mu = \frac{0{,}0050813}{Ft\sqrt{h_1}} = \frac{0{,}0050813}{0{,}000875 \,.\, 73{,}1\sqrt{0{,}0175}} = 0{,}601.$$

Den vorstehenden Versuchen zu Folge sind die Ausflußcoefficienten für den Ausfluß unter kleinerem Drucke zwar größer als die unter größerem Drucke, jedoch scheint es, als wenn die Zunahme dieser Coefficienten bei sehr kleinen Druckhöhen aufhörte. Auffallend klein sind die Ausflußcoefficienten für die Wandeinschnitte oder Ueberfälle. Da bei so kleinen Druckhöhen nur ein kleiner Fehler in der Messung dieser Größe schon einen größern Einfluß auf das Resultat ausübt, so können natürlich die letzteren Versuche (in diesem Paragraphen) auf eine große Genauigkeit keinen Anspruch machen.

Für den Ausfluß aus einer gegebenen Mündung können wir, wenn k irgend eine lineare Größe bezeichnet

$$\mu = \sqrt{\frac{k}{h}} = \sqrt{k} \,.\, h^{-\frac{1}{2}}$$

setzen, und es ist hier, wenn man in Hinsicht auf μ und h differenzirt:

$$d\mu = -\sqrt{k} \,.\, \frac{1}{2} h^{-\frac{3}{2}} dh, \text{ folglich}$$

$$\frac{d\mu}{\mu} = -\frac{1}{2}\frac{dh}{h},$$

d. h. der procentale Fehler im Ausflußcoefficienten ist die negative Hälfte des entsprechenden procentalen Fehlers in der Druckhöhe. Wenn man also eine Druckhöhe $h = 2$ Centimeter um 1 Millimeter zu groß oder klein findet, so wird dadurch der Ausflußcoefficient um $\frac{d\mu}{\mu} = \frac{1}{2} \,.\, \frac{1}{20} = \frac{1}{40} = 2\frac{1}{2}$ Procent zu klein oder zu groß angegeben.

Für den Ueberfall ist hingegen

$$\mu = \sqrt{\left(\frac{k}{h}\right)^3} = k^{\frac{3}{2}} h_1^{-\frac{3}{2}}$$

zu setzen, so daß durch Differenziiren

$$d\mu = -\frac{3}{2} k^{\frac{3}{2}} \overline{h_1^{\frac{5}{2}}}\, dh_1 \text{ und}$$

$$\frac{d\mu}{\mu} = -\frac{3}{2} \cdot \frac{dh_1}{h_1},$$

also der procentale Fehler in dem Ausflußcoefficienten zwei und einhalbmal dem entgegengesetzten procentalen Fehler in der Druckhöhe gleich zu setzen ist. Wenn also z. B. die Druckhöhe über der Schwelle des Ueberfalles 2 Centimeter beträgt, und dieselbe um 1 Millimeter zu groß oder zu klein gefunden wird, so bestimmt sich dadurch der Ausflußcoefficient um

$$\frac{d\mu}{\mu} = -\frac{3}{2} \cdot \frac{1}{20} = -\frac{3}{40},$$

d. i. um $7\frac{1}{2}$ Procent zu klein oder zu groß.

§. 17. Versuche über den Ausfluß durch kreisförmige Mündungen in conischen Wänden.

Beim Ausflusse durch eine Mündung in der ebenen Wand oder in einer ebenen Fläche überhaupt, stellt sich die Axe des Strahles stets winkelrecht gegen diese Fläche, und es wird folglich hierbei das von der Seite nach der Mündung zu fließende Wasser beim Eintritt in den Strahl höchstens um einen Rechtwinkel abgelenkt. Befindet sich hingegen die Mündung an dem Zusammentritt mehrerer Ebenen oder ist dieselbe in einer krummen Fläche ausgeschnitten, so müssen sich die an den Mündungswänden hinfließenden Wassertheilchen bei ihrem Eintritt in den Strahl um schiefe Winkel ablenken, und es wird folglich die Contraction größer oder kleiner, also der Contractionscoefficient kleiner oder größer ausfallen, je nachdem die ebenen Mündungswände oder die krumme Mündungsfläche ihre Axe, und also auch die Axe des Strahles, unter einem stumpfen oder unter einem spitzen Winkel schneiden. In der Regel wird man es nur mit Mundstücken zu thun haben, welche die Formen von regelmäßigen Pyramiden, geraden Kegeln oder anderen Rotationskörpern besitzen, und deren Mündungsebenen Abstumpfungsflächen dieser Körper bilden. Bei dem Ausflusse durch solche Mundstücke fällt natürlich die Axe des Strahles mit der Symmetrie-Axe des Mundstückes zusammen, und es bildet folglich auch der Strahl einen symmetrischen und nach Befinden einen Rotationskörper. Wird die Mündung von irgend einer Rotationsfläche gebildet, so kann man durch ihren Umfang eine gerade Kegelfläche legen, welche diese Mündungsfläche rings herum berührt, und deshalb auch dieselbe Contraction geben muß wie das conoidische Mundstück.

Aus diesem Grunde ist denn auch der Ausfluß durch Mündungen in conischen Wänden von besonderer Wichtigkeit. Im Voraus läßt sich behaupten, daß bei dem Ausflusse durch eine Mündung in einer conischen Wand, welche nach außen convergirt, die Contraction kleiner, und daß beim Ausflusse durch eine Mündung in einer conischen Wand, welche nach außen, d. i. in der Bewegungsrichtung des Strahles, divergirt, die Contraction größer ist als beim Ausflusse durch eine gleiche Mündung in der ebenen Wand.

Versuche, welche ich hierüber an kreisrunden Mündungen von 2 Centimeter Durchmesser unter Druckhöhen von 1 bis 10 Fuß angestellt habe, haben die in folgender Tabelle aufgeführten Ausflußcoefficienten (μ) gegeben. Die entsprechenden Contractionscoefficienten (α) sind jedenfalls noch 1 bis 3 Procent größer. In dieser Tabelle bedeutet δ den Winkel, um welchen die Seiten der conischen Mündungswand von ihrer Axe abweichen, um welche also auch die gänzlich von der Seite her zufließenden Wassertheilchen bei ihrem Eintritte in den Strahl in ihrer Bewegungsrichtung abgelenkt werden.

Bei einer Mündung in der ebenen Wand ist $\delta = 90^0$, bei einer Mündung in der conisch convergenten Wand ist $\delta < 90^0$ und bei einer solchen in einer conisch divergenten Wand $\delta > 90$ Grad. Läßt man die conische Wand in eine cylindrische übergehen, so bildet das Mundstück eine sogenannte innere Ansatzröhre (mit scharfer Kante), dann ist $\delta = 180^0$ oder wenigstens beinahe 180 Grad und daher die Contraction am stärksten, der Contractionscoefficient also ein Minimum. Versuche mit größeren Mündungen geben den entsprechenden Ausflußcoefficienten $\mu = 0{,}53$. Damit der Ablenkungswinkel $= 0$ werde, muß man der Mündungswand nahe an der Mündung ebenfalls eine cylindrische Gestalt geben, um aber die Störungen beim Eintritt des Wassers in dieses Mundstück, so wie auch alle Bewegungshindernisse in demselben möglichst herabzuziehen, ist es nöthig, dieses Mundstück nach innen zu allmälig weiter zu machen, ihm also die Form des schon aus §. 10 bekannten und in Figur 22 abgebildeten conoidischen Mundstückes zu geben. Damit auch bei den übrigen conisch convergenten Mundstücken die Störungen und Bewegungshindernisse so viel wie möglich vermieden werden, sind dieselben bei ihrem Anschlusse an die Gefäßwand abzurunden. Um eine Vergleichung der Ausflußcoefficienten (μ_1) für verschiedene Convergenzwinkel unter einander und ohne Hinsicht auf die Druckhöhe und die Mündungsweite zu erhalten; hat man in der dritten Horizontalreihe der folgenden Tabelle den Ausflußcoefficienten (μ) für die Mündung in der ebenen Wand = Eins gesetzt, und hiernach die für solche in anderen Wänden proportional verändert.

Contractionsscala.

δ	180°	157½°	135°	112½°	90°	67½°	45°	22½°	11¼°	5¾°	0°
μ_1	0,541	0,546	0,577	0,606	0,632	0,684	0,753	0,902	0,924	0,949	0,966
$\frac{\mu_1}{\mu}$	0,856	0,864	0,913	0,959	1,000	1,082	1,191	1,427	1,462	1,502	1,529

Mittelst der Experimentirapparate in Fig. 5 und Fig. 6 sind folgende hierauf Bezug habende Versuche angestellt worden.

Fig. 40.

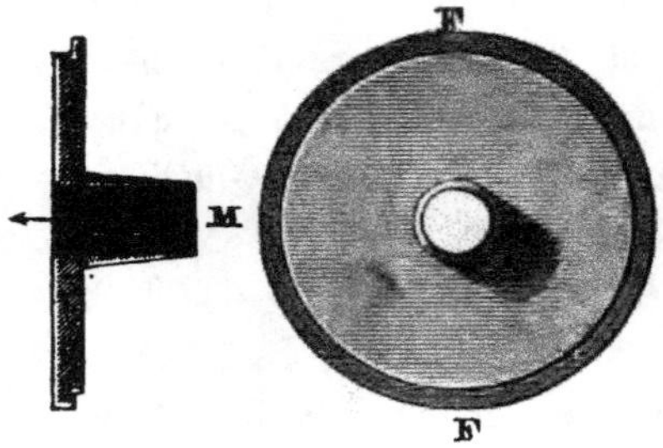

I. Versuche über die **Maximalcontraction** oder den **Ausfluß durch eine innere Ansatzröhre** M, Fig. 40, von 1 Centimeter innerem Durchmesser.

1. Ein **Versuch unter constantem Drucke**.

Es war $h = 0{,}15$ Meter und $t = 198\frac{1}{2}''$, folglich ist hiernach

$$\mu_1 = \frac{111{,}36}{t} = \frac{111{,}36}{198{,}5} = 0{,}561.$$

2. Drei Versuche unter **veränderlichem** Drucke gaben nach der Formel

$$\mu_1 = \frac{718{,}88\,(\sqrt{h_1} - \sqrt{h_2})}{t}$$ Folgendes:

$\sqrt{h_1} - \sqrt{h_2}$	h Meter	t Secunden	μ_1
0,1692	0,0872	212,75	0,574
0,0949	0,3998	123,5	0,552
0,06328	0,8990	83	0,548 .

Diesen Versuchen zu Folge nimmt auch bei der Maximalcontraction der Ausfluß- und folglich auch der Contractionscoefficient bedeutend zu, wenn die Druckhöhe sehr klein wird. Da zur Erzielung einer scharfen Eintrittskante die äußere Gestalt der Röhre nicht ganz cylindrisch, sondern noch ein wenig conisch ist, so sind allerdings die gefundenen Coefficienten noch ein wenig zu groß.

Der Strahl, welchen ein solches Mundstück giebt, ist schön krystallrein und es fällt seine große Contraction sehr in die Augen. Man muß bei diesem Ausfluße so viel wie möglich die Berührung des ausfließenden Wassers mit der inneren Röhrenwand vermeiden, und deshalb die Mündung anfangs mit einem Korkstöpsel verschließen, und diesen nach innnen in das Reservoir hineinstoßen, wenn der Ausfluß beginnen soll. Hat sich der Strahl bereits an die innere Röhrenwand angelegt, so muß man ihn mittelst eines feinen Stäbchens oder mittelst eines Federmessers, welches man einige Mal schnell an der inneren Röhrenwand herumführt, von dieser lostrennen, wenn der Versuch gelingen soll. Füllt das ausfließende Wasser die innere Ansatzröhre aus, so erhält man einen ganz unscheinbaren zerrissenen und stark pulsirenden Strahl. Um das Entstehen desselben zu verhindern, darf man die Röhre nicht sehr lang machen, oder muß man dieselbe innen conisch divergent gestalten, was ohnedies nöthig ist, damit sich bei kleiner Druckhöhe der Strahl nicht unten anlegt.

Fig. 41.

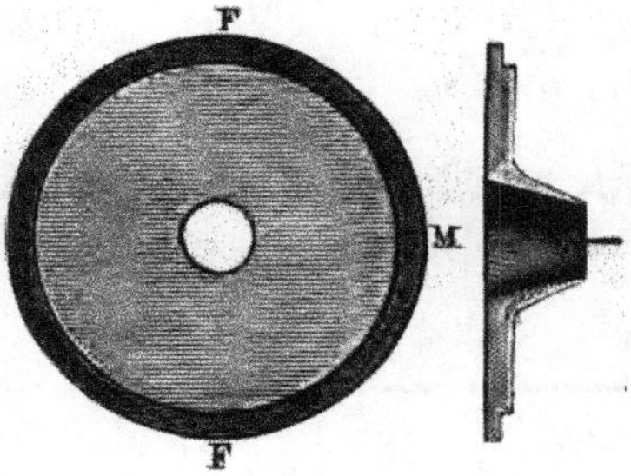

II. Versuche über den Ausfluß durch eine Mündung in einer conisch divergenten Wand, Fig. 41, von 1 Centimeter Durchmesser mit dem Ablenkungswinkel $\delta = 135^0$ oder dem Divergenzwinkel $2\delta = 270$ Grad.

1. Ein Versuch unter constantem Drucke.

Es war $h = 0{,}15$ Meter und $t = 190{,}25$ Sec.; folglich ist

$$\mu_1 = \frac{111{,}36}{t} = \frac{111{,}36}{190{,}25} = 0{,}585.$$

2. Versuche unter veränderlichem Drucke gaben nach der Formel

$$\mu_1 = \frac{718{,}88\left(\sqrt{h_1} - \sqrt{h_2}\right)}{t}$$ Folgendes:

$\sqrt{h_1} - \sqrt{h_2}$	h Meter	t Secunden	μ_1
0,2032	0,0872	247,25	0,591
0,0949	0,3998	119,50	0,571
0,06328	0,8990	81,75	0,557 .

III. Versuche über den Ausfluß durch eine Mündung in der conisch convergenten Wand, Figur 42, von 1 Centimeter Durchmesser mit dem Ablenkungswinkel $\delta = 45^0$, also mit dem Convergenzwinkel $2\delta = 90$ Grad.

Fig. 42.

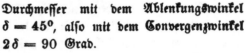

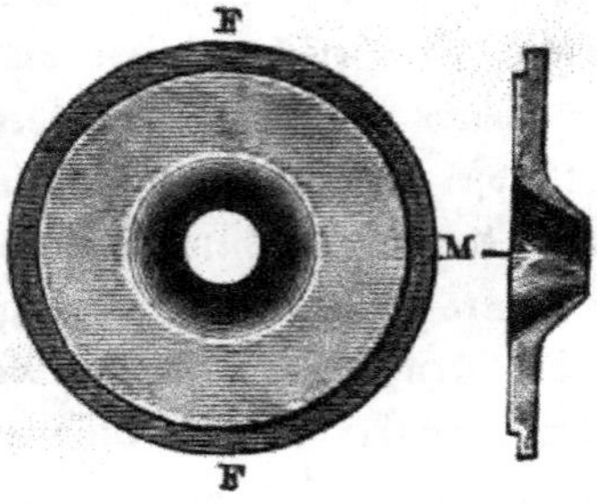

1. Ein Versuch unter constantem Drucke gab $h = 0,15$ Meter und $t = 140,5$ Sec., folglich

$$\mu_1 = \frac{111,36}{140,5} = 0,793.$$

2. Die drei Versuche bei veränderlichem Drucke führten auf Folgendes:

h Meter	t Secunden	μ_1
0,0872	183,25	0,797
0,3998	86,75	0,786
0,8990	58,0	0,784 .

Mittelst der Mittelwerthe von diesen verschiedenen Coefficienten läßt sich mit Benutzung der Mittelwerthe aus §. 10 und §. 15 folgende Zusammenstellung machen.

δ	180^0	135^0	90^0	45^0	0^0
μ_1	0,558	0,576	0,632	0,790	0,971
$\frac{\mu_1}{\mu}$	0,882	0,911	1	1,250	1,536 .

Die Uebereinstimmung dieser Zahlenwerthe mit denen in der obigen größeren und genauer bestimmten Contractionsscala ist eine recht leidliche.

Fünftes Kapitel.

Versuche über den Ausfluß des Wassers durch kurze Ansatzröhren.

---

§. 18. Ausfluß durch kurze cylindrische und conische Ansatzröhren.

Fließt das Wasser mit gefülltem Querschnitte durch eine Mündung in einer dicken Wand oder durch eine kurze Ansatzröhre aus, so ist dessen Geschwindigkeit kleiner als beim Ausflusse durch Mündungen in der dünnen oder nach außen abgeschrägten Wand. Dieser Verlust an Geschwindigkeit hat darin seinen Grund, daß der Wasserstrahl in einem kurzen Abstande von der Einmündung in Folge der Capillarität oder Adhäsion des Wassers an der Röhrenwand plötzlich seine Contraction verliert, also den größeren Querschnitt der Röhre annimmt, und folglich auch eine plötzliche Geschwindigkeitsveränderung erleidet. Ist F_1 der Querschnitt des contrahirten Wasserstrahles, v_1 die Geschwindigkeit des Wassers in demselben, und dagegen F der Querschnitt der Röhre und v die Ausflußgeschwindigkeit des Wassers aus der Röhre, so hat man die Ausflußmenge

$$Q = F_1 v_1 = Fv, \text{ und folglich } v_1 = \frac{Fv}{F_1}.$$

Einem bekannten Grundgesetze der Mechanik zu Folge (S. des Verfassers Ingenieur- und Maschinenmechanik, Bd. I, §. 275) entsteht beim Zustammenstoße zweier Massen M und M_1 ein auf die Formveränderung dieser Massen verwendeter Arbeitsverlust L, welcher, wenn c und c_1 die durch dieses Zusammentreffen herbeigeführten Geschwindigkeitsveränderungen bedeuten, durch die Formel

$$L = \frac{1}{2} Mc^2 + \frac{1}{2} M_1 c_1^2 \text{ auszudrücken ist.}$$

Diese Formel findet bei dem Ausflusse des Wassers durch Röhren ihre unmittelbare Anwendung, da hier jedes Wassertheilchen des contrahirten Wasserstrahles mit einer größeren Geschwindigkeit v_1 gegen das voraus fließende, die Röhre vollkommen ausfüllende Strahlstück stößt, und hierbei plötzlich die Geschwindigkeit v des letzteren anzunehmen genöthigt wird. Hierbei ist also der Geschwindigkeitsverlust des stoßenden

Körpers: $c_1 = v_1 - v$ und dagegen der des gestoßenen: $c = v - v = 0$, folglich der hieraus entspringende Arbeitsverlust

$$L = \frac{1}{2} M_1 c_1^2 = \frac{1}{2} (v_1 - v)^2 M_1 \text{ oder}$$

$$= \frac{(v_1 - v)^2}{2g} \cdot G,$$

wenn G das Gewicht der stoßenden Wassermasse M_1 bezeichnet.

Verstehen wir unter L den Arbeitsverlust pr. Sec., so ist natürlich auch $G = Q\gamma$ das Gewicht der pr. Sec. ausfließenden Wassermenge; und da nun das unter der Druckhöhe $h_1 = \frac{(v_1 - v)^2}{2g}$ ausfließende Wasserquantum Q das Arbeitsvermögen

$$h_1 Q\gamma = \frac{(v_1 - v)^2}{2g} Q\gamma$$

besitzt, so können wir folglich auch den Verlust an Druckhöhe, welcher diesem Zusammenstoß des Wassers in einer Ansatzröhre entspricht:

$$h_1 = \frac{(v_1 - v)^2}{2g} = \left(\frac{F}{F_1} - 1\right)^2 \frac{v^2}{2g} \text{ setzen.}$$

Dieser Verlust an Druckhöhe oder an der lebendigen Kraft des ausfließenden Wassers hat seinen Grund darin, daß nicht alles Wasser direct durch die Röhre $AABB$, Fig. 43, fließt, sondern daß der Theil des Wassers, welcher den Umfang des contrahirten Strahles $ADDA$ bildet, bevor er sich an die Röhrenwand bei EE anschließt, erst von dem übrigen Wasserkörper $EBBE$ in den Raum $CEEC$ zurückgedrängt wird und daselbst in eine in der Figur durch ein Paar Spiralcurven angedeutete wirbelnde Bewegung geräth, wobei er allmälig in das Innere des contrahirten Strahles eindringt und einen Theil seiner lebendigen Kraft verliert. Ueber dieses Zurückfließen und Wirbeln des Wassers kann man sich leicht Rechenschaft ablegen, wenn man sich der ersten Grundformel der Hydraulik (S. §. 5, I) erinnert, welcher zu Folge der Druck des langsamer fließenden Wasserkörpers $EBBE$ um $\frac{(v_1^2 - v^2)}{2g}\gamma$ größer ist als der Druck des contrahirten Wasserstrahles, und folglich

Fig. 43.

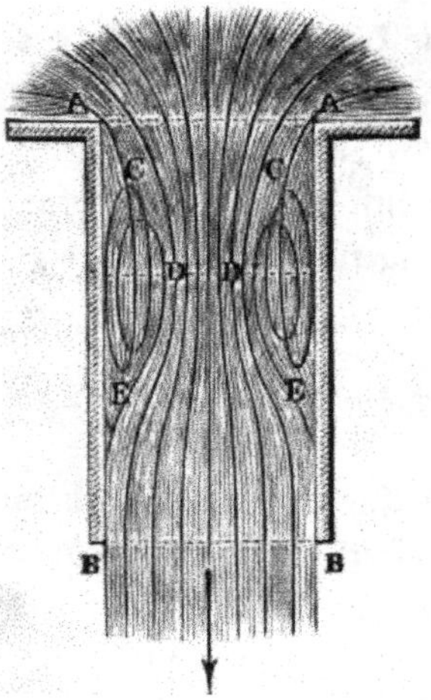

auch als der Druck in dem Raume CE zwischen ihm und der Röhrenwand. Diese wirbelnde Bewegung läßt sich leicht an trübem Wasser beobachten, wenn man dasselbe durch eine gläserne Ansatzröhre fließen läßt.

Zieht man von der ganzen Druckhöhe h, welche natürlich von der Oberfläche des Wassers bis Mitte der Ausmündung zu messen ist, die verlorene Druckhöhe $h_1 = \left(\frac{F}{F_1} - 1\right)^2 \frac{v^2}{2g}$ ab, so bleibt die Druckhöhe übrig, welche auf die Erzeugung der Ausflußgeschwindigkeit v verwendet wird. Es ist folglich

$$\frac{v^2}{2g} = h - h_1 \text{ oder } \frac{v^2}{2g} + h_1 = h\text{, also}$$

$$\left[1 + \left(\frac{F}{F_1} - 1\right)^2\right]\frac{v^2}{2g} = h,$$

und daher die theoretische Formel für die Ausflußgeschwindigkeit des Wassers durch kurze Ansatzröhren folgende

$$v = \sqrt{\frac{2gh}{1 + \left(\frac{F}{F_1} - 1\right)^2}}.$$

Bei einer prismatischen oder cylindrischen Ansatzröhre $AABB$ wie II, Figur 44, ist der Querschnitt F der Röhre überall derselbe und der Querschnitt $F_1 = \alpha F$, wenn α den Contractionscoefficienten für den Ausfluß durch die Mündung in der dünnen ebenen Wand bezeichnet, daher hat man hier einfach

Fig. 44.

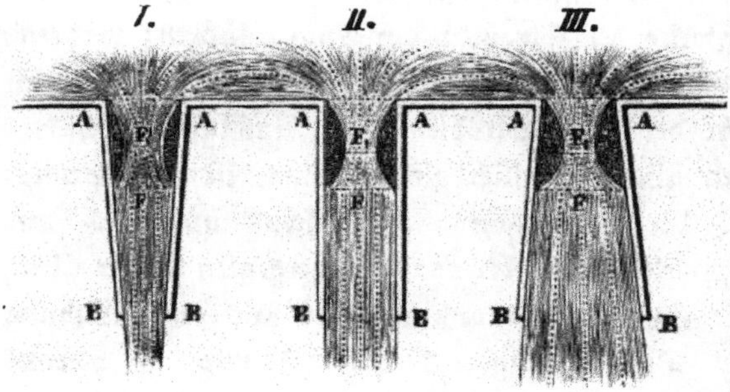

$$v = \sqrt{\frac{2gh}{1 + \left(\frac{1}{\alpha} - 1\right)^2}}.$$

Bei den conischen Ansatzröhren $AABB$ in I und III, Fig. 44, ist der Querschnitt variabel; er nimmt bei der conisch convergenten Röhre in I von der Einmündung AA nach der Ausmündung BB zu allmälig ab, und wird dagegen bei der conisch divergenten Röhre in III allmälig größer. Bezeichnen wir hier den Querschnitt AA der Einmündung durch F_0, so haben wir den kleinsten Querschnitt des contrahirten Wasserstrahles $F_1 = \alpha F_0$, und es ist der anfängliche Querschnitt des die Röhre ausfüllenden Strahlstückes: $F < F_0$ oder $F > F_0$, je nachdem die Ansatzröhre in der Bewegungsrichtung des Strahles convergirt oder divergirt. Im ersteren Falle ist also $\frac{F}{F_1} = \frac{F}{\alpha F_0}$, kleiner als $\frac{1}{\alpha}$ und im zweiten dagegen größer als $\frac{1}{\alpha}$, folglich $\left(\frac{F}{F_1} - 1\right)^2$ im ersteren Falle größer, und dagegen im zweiten Falle kleiner als $\left(\frac{1}{\alpha} - 1\right)^2$, und endlich $\sqrt{\frac{2gh}{1 + \left(\frac{F}{F_1} - 1\right)^2}}$ im ersteren Falle wieder größer und im zweiten wieder kleiner als $\sqrt{\frac{2gh}{1 + \left(\frac{1}{\alpha} - 1\right)^2}}$; es fließt also das Wasser durch conisch convergente Röhren mit größerer und dagegen durch conisch divergente Röhren mit kleinerer Geschwindigkeit aus als durch prismatische oder cylindrische Ansatzröhren.

Dieser Unterschied in den Ausflußgeschwindigkeiten läßt sich am besten durch die Sprungweite der Strahlen vor Augen führen; während der Strahl, welchen eine conisch convergente Ansatzröhre liefert, eine Sprungweite hat, welche der eines Strahles beim Ausflusse durch eine Mündung in der dünnen Wand ziemlich gleich kommt, ist die Sprungweite des Strahles aus der cylindrischen Röhre schon ansehnlich und endlich die des Strahles, welcher aus der conisch divergenten Röhre fließt, sehr viel kleiner als die Sprungweite des Strahles aus der Mündung in der dünnen Wand. Die Störung des Strahles und die hieraus erwachsende Verminderung der Ausflußgeschwindigkeit, macht sich aber auch noch auf eine andere Weise bemerklich. Während die Strahlen, welche durch Mündungen in der dünnen Wand oder durch kurze nach innen gut abgerundete Mundstücke fließen, ein Continuum bilden und vollkommen durchsichtig oder krystallrein sind, erscheinen die Strahlen aus wenig conisch convergenten Röhren etwas trübe, oder wie mit einem feinen Flor überzogen, sind ferner die Strahlen aus cylindrischen Röhren fast ganz und endlich die Strahlen conisch divergenter Röhren gänzlich undurchsichtig; während ferner der Ausfluß des Wassers durch conisch convergente und cylindrische Röhren ruhig und stetig erfolgt, geht dagegen der Ausfluß durch cylindrische, und noch mehr durch conisch divergente Röhren mehr pulsirend oder stoßweise vor sich. Mit der Divergenz der Röhre wächst aus leicht begreiflichem Grunde auch das Pulsiren und die Discontinuität des Strahles, wobei das Wasser in großen Tropfen durch die Mündung ausgeworfen wird.

§. 19. Geschwindigkeits- und Widerstandscoefficienten für den Ausfluß durch kurze Ansatzröhren.

Die im Vorstehenden behandelten Erscheinungen und Verhältnisse beim Ausflusse durch kurze Ansatzröhren treten natürlich nur dann ein, wenn das Wasser mit gefülltem Querschnitte BB aus der Röhre ausfließt. Um dies zu bewirken, ist aber nicht allein nöthig, daß man dem Wasser durch kurze Verschließung der Röhre von außen Gelegenheit gebe, sich an die Röhrenwand anzuschließen, sondern auch erforderlich, daß die Röhre nicht zu kurz, und daß wenn dieselbe conisch divergent ist, der Divergenzwinkel derselben nicht zu groß sei. Cylindrische Ansatzröhren müssen bei kleinen Ausflußgeschwindigkeiten 2 bis 3 mal und bei großen Geschwindigkeiten 4 bis 5 mal so lang als weit gemacht werden, wenn das Wasser mit vollkommen gefülltem Querschnitte und in parallelen Fäden aus demselben ausfließen soll; conisch convergente Röhren kann man wenig kürzer machen, wogegen conisch divergente Röhren noch länger anzuwenden sind, damit sie einen vollen Ausfluß geben.

Setzen wir in der obigen Formel für die Ausflußgeschwindigkeit des Wassers durch cylindrische Röhren aus §. 14, $\alpha = 0,64$ ein, so erhalten wir für diese Geschwindigkeit folgenden Ausdruck:

$$v = \sqrt{\frac{2gh}{1+\left(\frac{1}{0,64}-1\right)^2}} = \frac{0,64\sqrt{2gh}}{\sqrt{(0,64)^2+(0,36)^2}} = 0,872\sqrt{2gh}.$$

Diesem zu Folge wäre also der Geschwindigkeitscoefficient für den Ausfluß durch kurze cylindrische Ansatzröhren: $\varphi = 0,872$; da aber nicht allein der schon contrahirte Strahl theils nicht ganz die theoretische Geschwindigkeit hat, theils auch durch die Reibung des uncontrahirten Strahltheiles an der Röhrenwand ein Theil der lebendigen Kraft des Wassers verloren geht, so fällt die effective Ausflußgeschwindigkeit v_1 des Wassers noch etwas kleiner als $0,872\sqrt{2gh}$ aus, und man erhält im Mittel

$$v_1 = 0,815\sqrt{2gh},$$

so daß, da hier beim Austritt aus der Röhre keine weitere Contraction statt hat, also $\alpha = 1$ (vergleiche §. 14, Nr. 1, 2 und 3) ist, für den Ausfluß durch kurze cylindrische Ansatzröhren der mittlere Werth des Ausfluß- und Geschwindigkeitscoefficienten

$$\mu = \alpha\varphi = \varphi = 0{,}815$$

gesetzt werden kann.

Bei conisch convergenten Ansatzröhren ist, wie wir aus dem Obigen ersehen haben, die Ausflußgeschwindigkeit, und folglich auch der Geschwindigkeitscoefficient größer; es wächst der letztere mit der Größe des Convergenzwinkels und nähert sich bei einem Convergenzwinkel von 50 Grad schon dem Maximalwerthe von 0,98 bis 0,99. Da aber hier auch noch eine Contraction des Strahles bei seinem Austritte aus der Röhre statt hat, so ist $\alpha < 1$ und daher auch

$$\mu = \alpha\varphi < \varphi, \text{ jedoch stets}$$
$$\mu > 0{,}815,$$

d. i. der Ausflußcoefficient beim Ausflusse durch eine kurze conisch convergente Ansatzröhre stets größer als beim Ausflusse durch eine kurze cylindrische Ansatzröhre. Bei einem Convergenzwinkel von circa 12 Grad erreicht dieser Coefficient sein Maximum von 0,955.

Bei conisch divergenten Ansatzröhren ist nicht allein der Geschwindigkeitscoefficient φ kleiner als der Geschwindigkeitscoefficient (0,815) für cylindrische Ansatzröhren, sondern auch der Ausflußcoefficient $\mu = \alpha\varphi$, obgleich hier das Wasser in divergirenden Fäden aus der Röhre heraustritt.

Fließt das Wasser durch eine von diesen Ansatzröhren, ohne sich an die Innenwand derselben anzulegen, so bleibt natürlich die Röhre ohne alle Wirkung auf den Strahl und es fließt folglich das Wasser wie durch eine Mündung in der dünnen ebenen Wand aus, wobei der mittlere Geschwindigkeitscoefficient $\varphi = 0{,}98$ und der Contractionscoefficient $\alpha = 0{,}64$, also der Ausflußcoefficient

$$\mu \text{ nur} = 0{,}64 \cdot 0{,}98 = 0{,}627 \text{ ist.}$$

Bei dem Ausflusse durch Röhren hat man übrigens nie außer Acht zu lassen, daß bei der Berechnung der Ausflußmenge

$$Q = \mu F \sqrt{2gh}$$

für F nie der Inhalt des Querschnitts der Einmündung AA, sondern stets der des Querschnitts der Ausmündung BB einzusetzen ist, weil das ausfließende Wasser erst an der Ausmündung den äußeren Druck annimmt (vergl. II in §. 5). In diesem Sinne ist es auch zu nehmen, wenn oben behauptet wird, daß für conisch convergente Röhren μ größer und für conisch divergente Röhren μ kleiner ist als für cylindrische Ansatzröhren, wofür wir oben den mittleren Werth 0,815 angegeben haben. Hiernach ist nun auch leicht zu ermessen, daß bei gleichem Querschnitte in der Einmündung die conisch divergente Ansatzröhre mehr Wasser abtragen kann als die conisch convergente Röhre, wiewohl durch diese das Wasser schneller ausfließt als durch jene. Kommt es darauf an, das Wasser mit einer möglichst großen lebendigen Kraft oder Geschwindigkeit aus einem Reservoir abzuleiten, so soll man eine conisch convergente Röhre anwenden, beabsichtigt man aber durch eine gegebene Mündung in der Wand des Ausflußreservoirs eine möglichst große Wassermenge abzuführen, so ist die Anwendung einer conisch divergenten Röhre nöthig.

Ist v die effective Ausflußgeschwindigkeit und φ der Geschwindigkeitscoefficient, so hat man die entsprechende theoretische Geschwindigkeit $= \frac{v}{\varphi}$; während nun zur Erzeugung der einen Geschwindigkeit die Höhe $\frac{v^2}{2g}$ erfordert wird, ist zur Erzeugung der anderen die Druckhöhe

$$\frac{1}{2g}\left(\frac{v}{\varphi}\right)^2 = \frac{v^2}{2g\varphi^2}$$

nöthig, und ziehen wir daher die erstere von der letzteren ab, so erhalten wir denjenigen Theil der Druckhöhe, welcher auf die Ueberwindung der Nebenhindernisse oder Widerstände in dem Ausflußapparat verwendet wird, und welchen wir in der Folge die entsprechende Widerstandshöhe nennen wollen. Hiernach ist also die dem Geschwindigkeitscoefficienten φ entsprechende Widerstandshöhe

$$h_1 = \frac{v^2}{2g\varphi^2} - \frac{v^2}{2g} = \left(\frac{1}{\varphi^2} - 1\right)\frac{v^2}{2g}.$$

Ebenso soll in der Folge das Verhältniß $\frac{h_1}{\frac{v^2}{2g}}$ der Widerstandshöhe h_1 zur Geschwindigkeitshöhe $\frac{v^2}{2g}$ des ausfließenden Wassers der Widerstandscoefficient genannt und durch ζ bezeichnet werden, weshalb wir also

$$\zeta = \frac{1}{\varphi^2} - 1, \text{ so wie umgekehrt,}$$

$$\varphi = \frac{1}{\sqrt{1+\zeta}} \text{ zu setzen haben.}$$

Für den Geschwindigkeitscoefficienten $\varphi = 0{,}98$, welcher Mündungen in der dünnen Wand zukommt, ist z. B. der entsprechende Widerstandscoefficient

$$\zeta = \left(\frac{1}{0{,}98}\right)^2 - 1 = 0{,}040\,,$$

und für den Geschwindigkeitscoefficienten $\varphi = 0{,}815$, wie er im Mittel kurzen cylindrischen Ansatzröhren zukommt, hat man

$$\zeta = \left(\frac{1}{0{,}815}\right)^2 - 1 = 0{,}5055\,.$$

Während also im ersten Falle durch den Widerstand des Mundstückes nur 4 Procent der lebendigen Kraft oder der Geschwindigkeitshöhe verloren gehen, erfordert der Widerstand in der kurzen cylindrischen Ansatzröhre $50\frac{1}{2}$ Procent der Geschwindigkeitshöhe des ausfließenden Wassers zu seiner Ueberwindung.

§. 20. **Versuche zur Bestimmung der Geschwindigkeits- und Widerstandscoefficienten für den Ausfluß durch kurze cylindrische Ansatzröhren.**

Um die Geschwindigkeits- oder Ausflußcoefficienten für kurze cylindrische Mundstücke auszumitteln, sind die oben bereits mehrfach angegebenen Ausflußversuche bei constantem und bei allmälig abnehmendem Drucke angestellt worden.

I. Versuche mit der in Fig. 45 abgebildeten **kurzen cylindrischen Ansatzröhre** von 1 Centimeter Weite und 3 **Centimeter Länge.**

Fig. 45.

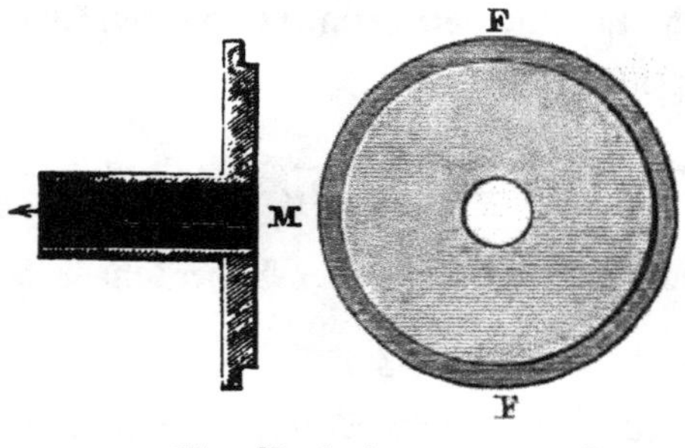

Der Querschnitt dieser Röhre ist also wieder $F = 0{,}7854$ Quadratcentimeter, und ebenso sind die Druckhöhen wieder dieselben wie bei den Versuchen in §. 15 mit den Mündungen in der dünnen ebenen Wand, folglich sind auch die Berechnungen dieser Versuche die nämlichen.

1. Ein Versuch unter **constantem Drucke.**

Unter der Druckhöhe $h = 0{,}15$ Meter floß das bekannte Wasservolumen $V = 0{,}015004$ Cubikmeter in der Zeit $t = 136$ Sec. aus; es ist folglich hier der Geschwindigkeits- oder Ausflußcoefficient (S. §. 15, I, 1.)

$$\varphi = \mu = \frac{111{,}36}{t} = \frac{111{,}36}{136} = 0{,}819$$

und der entsprechende Widerstandscoefficient

$$\zeta = \frac{1}{\varphi^2} - 1 = \left(\frac{1}{0,819}\right)^2 - 1 = 0,491.$$

2. Die Versuche unter allmälig abnehmendem Drucke nach den Formeln

$$\varphi = \mu = \frac{718,88\,(\sqrt{h_1} - \sqrt{h_2})}{t}$$

$$h = \left(\frac{\sqrt{h_1} + \sqrt{h_2}}{2}\right)^2 \text{ und } \zeta = \frac{1}{\varphi^2} - 1$$

berechnet, gaben folgende Resultate:

h_1 Meter	h_2 Meter	$\sqrt{h_1} - \sqrt{h_2}$	h Meter	t Secunden	$\varphi = \mu$	ζ
0,1575	0,0375	0,2032	0,0872	182	0,803	0,552
0,4620	0,3420	0,0949	0,3998	$83\frac{1}{2}$	0,817	0,498
0,9600	0,8400	0,06328	0,8990	55	0,827	0,462 .

Diesen Versuchen zu Folge nimmt der Ausflußcoefficient für die kurze cylindrische Ansatzröhre mit der Druckhöhe oder Ausflußgeschwindigkeit etwas zu, und folglich die Widerstandscoefficienten entsprechend ab.

II. Versuche mit einer kurzen cylindrischen Ansatzröhre mit abgerundeter Einmündung.

Durch eine Abrundung der scharfen Kanten an der Einmündung der cylindrischen Ansatzröhre, wie z. B. an dem in Figur 46 abgebildeten Mundstück vorkommt kann man der wirbelnden Bewegung des Wassers entgegen wirken und folglich die effective Ausflußgeschwindigkeit der theoretischen bedeutend näher bringen, so wie die Widerstandshöhe ansehnlich herabziehen, wie auch aus folgenden Versuchen hervorgeht.

Fig. 46.

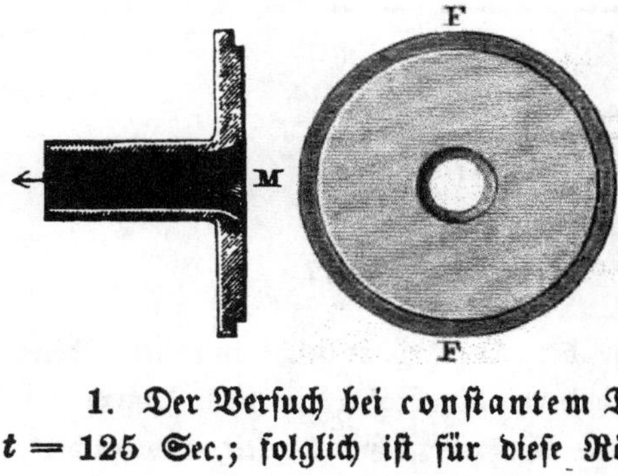

1. Der Versuch bei constantem Drucke gab für $h = 0,15$ Meter, $t = 125$ Sec.; folglich ist für diese Röhre

$$\varphi = \mu = \frac{111,36}{t} = \frac{111,36}{125} = 0,891 \text{ und}$$

$$\zeta = \frac{1}{\varphi^2} - 1 = 0,260.$$

2. Die Versuche bei allmälig abnehmendem Drucke gaben Folgendes:

h Meter	t Secunden	$\varphi = \mu$	ζ
0,0872	164,25	0,889	0,264
0,3998	74,25	0,919	0,185
0,8990	48,75	0,933	0,148 .

Es sind also hier die Ausflußcoefficienten viel größer und folglich die Widerstände viel kleiner als bei kurzen cylindrischen Ansatzröhren ohne Abrundung. Hierauf deutet auch schon der ruhige und sehr helle Strahl hin.

III. Versuche mit einer weiteren kurzen cylindrischen, innen schwach abgerundeten Ansatzröhre von der Weite $d = 1{,}414$ Centimeter und der dreifachen Länge, also $l = 3\,d = 4{,}24$ Centimeter. Der Querschnitt dieser Röhre war also doppelt so groß als der der vorigen.

1. Für den Ausfluß unter constantem Drucke ist $h = 0{,}15$ Meter und $t = 61{,}5$ Sec., folglich

$$\varphi = \mu = \frac{111{,}36}{2\,.\,t} = \frac{111{,}36}{123} = 0{,}905, \text{ und daher}$$

$$\zeta = \frac{1}{\varphi^2} - 1 = 0{,}221\,.$$

2. Die Ausflußversuche unter allmälig abnehmendem Drucke gaben Folgendes:

h Meter	t Secunden	$\varphi = \mu$	ζ
0,0872	82,75	0,901	0,233
0,3998	37,75	0,922	0,176
0,8990	24,75	0,938	0,137 .

Wenn die innere Stirnfläche der Ansatzröhre nicht mit der Ebene der Gefäßwand zusammenfällt, sondern die Röhre in das Innere der Gefäßwand eindringt, so bleibt die Ausflußgeschwindigkeit unverändert, so bald die Breite der Stirnfläche nicht unter 5 Millimeter herabgeht. Eine kurze cylindrische Ansatzröhre, wie in Fig. 47, deren Axe schief gegen die Gefäßwand steht und rechtwinklig gegen ihre Seitenfläche *aa* steht, giebt daher denselben Ausflußcoefficienten, wie die kurze Ansatz=

röhre in Fig. 45, deren innere Stirnfläche in die Ebene der Gefäßwand fällt und rechtwinkelig auf der Axe steht, so bald die Stirnfläche nicht zu schmal ist, sondern eine, mindestens dem Röhrenhalbmesser gleiche Breite hat.

Fig. 47.

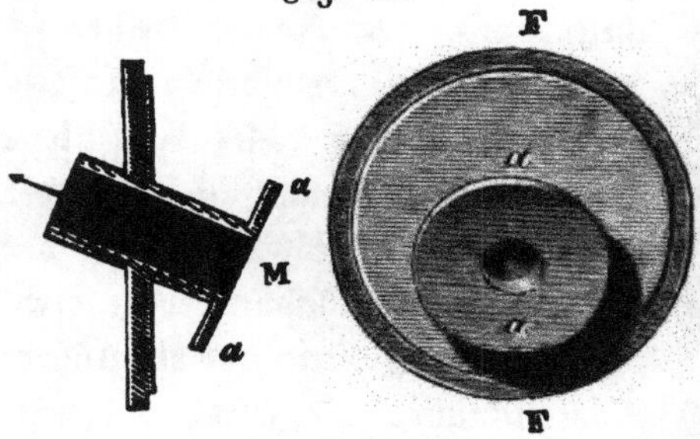

IV. Versuche mit der in Figur 47 abgebildeten *schiefen Ansatzröhre mit rechtwinkeliger Stirnfläche*.

Die Weite dieser Röhre betrug wieder 1 Centimeter, die Länge derselben das Dreifache und die Breite der inneren Stirnfläche maß ebenfalls 1 Centimeter.

1. Der Versuch unter *constantem Drucke* gab $h = 0{,}15$ Meter und $t = 137{,}25$ Sec., folglich ist

$$\varphi = \mu = \frac{111{,}36}{137{,}25} = 0{,}811 \text{ und } \zeta = 0{,}519$$

2. Die Versuche unter *veränderlichem Drucke* gaben Folgendes:

h Meter	t Secunden	$\varphi = \mu$	ζ
0,0872	180	0,816	0,518
0,3998	84	0,812	0,516
0,8990	56	0,812	0,515 .

Es sind also diesen Versuchen zu Folge die Erfahrungszahlen φ und ζ für diese schiefen Ansatzröhren nahe dieselben wie für die rechtwinkeligen Ansatzröhren. Während bei dem letzteren das Mittel aus vier Versuchswerthen von $\varphi = 816$ ist, hat man hier dasselbe $= 0{,}812$ gefunden

Ganz anders sind natürlich die Verhältnisse beim Ausflusse durch eine kurze cylindrische Röhre M, Fig. 48, mit seiner schiefern Axe, welche um einen gewissen Winkel δ von der Normalen zur Eintrittsebene abweicht. Hier stößt das Wasser gleich beim Eintritt in die Röhre gegen die längere Seite der Röhrenwand, wobei auf der gegenüberliegenden Seite eine bedeutende

Fig. 48.

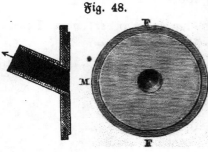

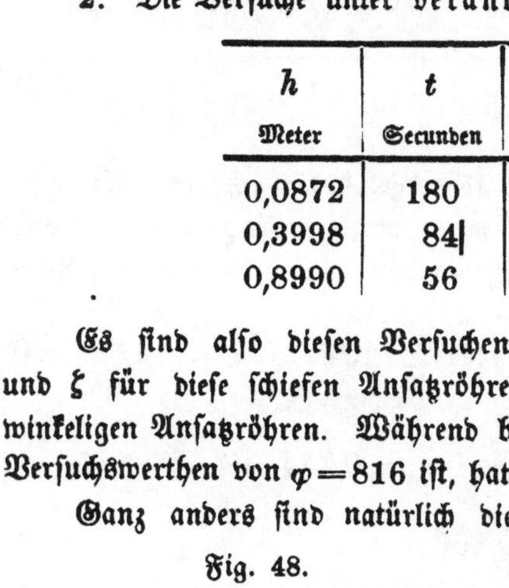

Contraction und dieser entsprechend, ein bedeutender Wirbel entsteht, wenn das Wasser mit gefülltem Querschnitte ausfließt. Es ist daher zu erwarten, daß der Ausflußcoefficient für solche Röhren kleiner ist als für gerade cylindrische Ansatzröhren, und daß dieser Coefficient um so mehr abnimmt, je größer die Abweichung der Röhrenaxe von der Normalen zur Mündungsebene wird. Das stärkere Pulsiren und die größere Discontinuität des Strahles deuten auch auf einen größeren Widerstand in der Röhre hin. Andere Versuche im größeren Maßstabe ausgeführt, gaben Folgendes (S. des Verfassers Ingenieur- und Maschinenmechanik, Bd. I, §. 360).

Fig. 48.

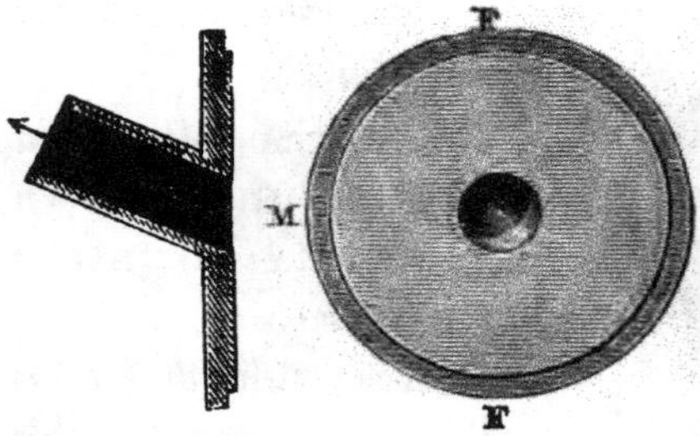

Axenabweichung δ in Graden	0	20	40	60
Ausflußcoefficient μ	0,815	0,782	0,747	0,719
Widerstandscoefficient ζ	0,505	0,635	0,794	0,937.

V. Versuche mit der in Fig. 48 abgebildeten schiefen Ansatzröhre von der Weite $d = 1$ Centimeter mittlere Länge $l = 3d$ und mit dem Axenwinkel oder der Abweichung der Röhrenaxe von dem Perpendikel zur Einmündungsebene, $\delta = 25$ Grad.

1. Der Versuch unter constanter Druckhöhe $h = 0{,}15$ Centimeter gab $t = 149{,}67$ Sec., folglich ist hiernach

$$\mu = \frac{111{,}36}{t} = \frac{111{,}36}{149{,}67} = 0{,}744 \text{ und}$$

$$\zeta = \frac{1}{\mu^2} - 1 = 0{,}806.$$

2. Die Ergebnisse der Versuche unter veränderlichem Drucke sind folgende:

Mittlere Druckhöhe h	Zeit t	μ	ζ
0,0872	200,75	0,728	0,888
0,3998	90,75	0,752	0,769
0,8990	60	0,758	0,740.

Der mittlere Werth von μ ist hiernach $= 0{,}7455$, während durch Interpolation die obige Tabelle auf $\mu = 0{,}772$ führt. Die Abweichung hat ihren Grund vorzüglich in der Verschiedenheit von dem Dimensionsverhältnisse $\frac{l}{d}$. Das Wasser floß bei den Versuchen in divergenten Fäden aus, woraus folgt, daß die Röhre noch zu kurz, und vielleicht l statt $3d$, $4d$ zu machen gewesen wäre.

Bei den Versuchen mit den schiefen Mundstücken in Fig. 47 und Fig. 48 hat man natürlich nicht außer Acht zu lassen, daß die Druckhöhe stets bis Mitte der Ausmündung zu nehmen ist, daß also dieselbe größer oder kleiner ausfällt, je nachdem diese Mündung nach unten oder nach oben gerichtet ist. Bei den obigen Versuchen stand sie zur Seite, weshalb die Druckhöhen dieselben waren wie für die gerade cylindrische Ansatzröhre.

§. 21. Versuche zur Bestimmung der Ausflußcoefficienten für kurze conische Ansatzröhren.

Ueber den Ausfluß durch conische Ansatzröhren sind nur folgende Versuche angestellt worden.

I. Versuche mittelst der in Fig. 49 abgebildeten kurzen conisch convergenten Ansatzröhre.

Diese Röhre hatte einen äußeren Durchmesser d von 1 Centimeter,

Fig. 49.

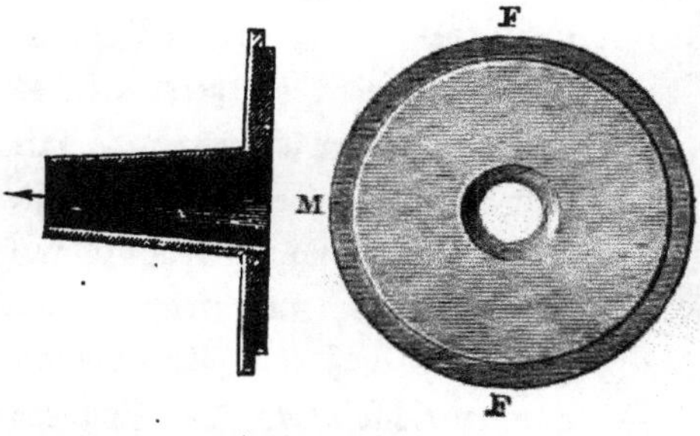

also den gewöhnlichen Inhalt der Ausmündung von 0,7854 Quadratcentimeter; ihr innerer Durchmesser d_1 aber betrug 1,52 Centimeter und ihre Länge $l = 3{,}7$ Centimeter; es ist folglich für ihren Convergenzwinkel δ,

$$tang. \frac{\delta}{2} = \frac{d_1 - d}{2l} = \frac{1{,}52 - 1{,}00}{7{,}4} = 0{,}07027\,,$$

und hiernach

$$\delta = 8^0,\ 2'.$$

1. Ein Versuch unter constantem Drucke gab $h = 0{,}15$ Meter und $t = 120{,}5$ Sec., es ist folglich

$$\mu = \frac{111{,}36}{120{,}5} = 0{,}924\,.$$

2. Die Versuche unter abnehmendem Drucke gaben Folgendes:

h Meter	t Secunden	μ
0,0872	156,5	0,933
0,3998	71,75	0,951
0,8990	47,75	0,953 .

Der mittlere Werth für μ ist hiernach 0,940; während den Versuchen D'Aubuisson's zu Folge für $h = 3$ Meter, bei einer solchen Röhre von 1,55 Centimeter äußerer Weite und $7^0, 52'$ Convergenz $\mu = 0,930$ ist (S. Ingenieur- und Maschinen-Mechanik, Bd. I, §. 363).

Um die Geschwindigkeitscoefficienten und hieraus wieder den Widerstandscoefficienten zu berechnen, müßte man noch Strahlenmessungen vornehmen. D'Aubuisson findet aus dem Verhältnisse der Sprungweite zur Sprunghöhe (S. §. 12) für die letzte Röhre $\varphi = 0,932$, wonach sich $\zeta = 0,151$ bestimmt.

II. Versuche mittelst der in Fig. 50 abgebildeten conisch convergenten Ansatzröhre mit einer schwachen inneren Abrundung.

Dieses Mundstück ist ebenfalls 1 Centimeter in der Ausmündung weit; sein Durchmesser in der Einmündung beträgt aber 2 Centimeter und die entsprechende Länge 3,3 Centimeter. Außerdem ist es aber noch in der Einmündung mit dem Radius 1 Centimeter und in der Ausmündung mit dem Radius 2 Centimeter, und zwar so abgerundet, daß die Contraction ganz verschwindet. Der Convergenzwinkel berechnet sich zu 20^0.

Fig. 50.

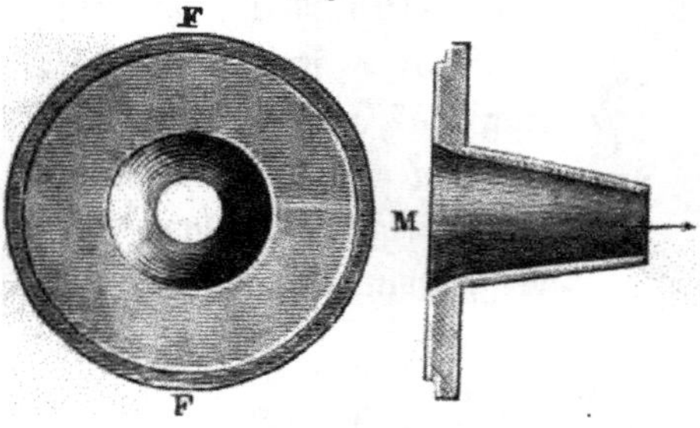

1. Der Versuch unter constantem Drucke gab

$h = 0,15$ Meter, $t = 118$ Sec., und hiernach

$\varphi = \mu = 0,944$ und $\zeta = 0,123$.

2. Durch die Versuche unter abnehmendem Drucke wurde Folgendes gefunden:

h Meter	t Secunden	μ	ζ
0,0872	152,75	0,956	0,093
0,3998	70,75	0,964	0,075
0,8990	47	0,968	0,067

Es kommt also der Ausfluß- oder Geschwindigkeitscoefficient dieser Röhre schon sehr nahe dem des conoidischen Mundstückes in §. 10.

III. Versuche mittelst des in Fig. 51 abgebildeten conisch-divergenten Mundstückes.

Fig. 51.

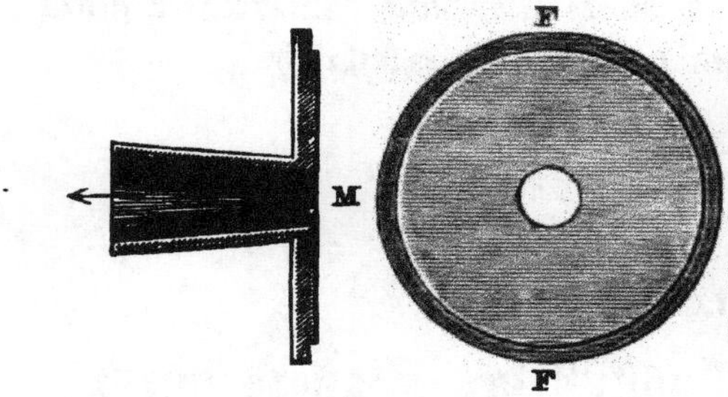

Die Weite der Ausmündung dieses Mundstückes betrug $d = 1{,}5$ Centimeter, die der Einmündung $d_1 = 1$ Centimeter, und die Länge der Röhre $l = 3{,}75$ Centimeter; hiernach ist für den Divergenzwinkel δ:

$$tang.\ \frac{1}{2}\delta = \frac{d - d_1}{2l} = \frac{0{,}5}{7{,}5} = \frac{1}{15} = 0{,}0667; \text{ folglich}$$

$$\delta = 7^0, 38'.$$

Der Strahl war ganz besenförmig und konnte nur bei der größten Ruhe in vollem Ausfluß erhalten werden. Bei der geringsten Erschütterung trennte er sich von der Röhre und nahm wieder seine contrahirte Form und sein krystallreines Ansehen an.

Der Mündungsquerschnitt ist hier:

$$F = \frac{(1{,}5)^2 \pi}{4} = \frac{9}{4} . 0{,}7854 = 1{,}76715 \text{ Quadratcentimeter.}$$

1. Der Versuch unter constantem Drucke gab $h = 0{,}15$ Meter und $t = 117{,}75$ Sec., folglich ist hier

$$\mu = \frac{4 . 111{,}36}{9 . 117{,}75} = \frac{445{,}44}{1059{,}75} = 0{,}420.$$

2 Die gewöhnlichen Versuche bei abnehmendem Drucke gaben folgende Resultate:

h Meter	t Secunden	μ
0,0872	155	0,419
0,3998	72,75	0,417
0,8990	48,5	0,444 .

Diese kleinen Werthe des Ausflußcoefficienten sind dem zerrissenen Ansehen und dem starken Pulsiren des Strahles ganz entsprechend.

Um durch eine conisch divergente Röhre möglichst viel Wasser aus einer gegebenen Mündung im Reservoir zu ziehen, muß man dieselbe noch mit einem besondern conoidischen Einmündungsstück versehen, welches die Contraction des eintretenden Strahles verhindert.

Kurze parallelepipedische und andere prismatische Ansatzröhren geben nahe dieselben Ausflußcoefficienten u. s. w. wie cylindrische.

Sechstes Kapitel.

Versuche über den Ausfluß des Wassers durch lange Röhren.

§. 22. Die Klebrigkeit und der Reibungswiderstand des Wassers in Röhren.

Das Wasser fließt nicht durch alle Stellen eines und desselben Querschnittes einer Röhre mit einer und derselben Geschwindigkeit hindurch, sondern es haben diejenigen Wassertheilchen, welche der Röhrenwand näher fließen, eine kleinere und die, welche der Röhrenwand entfernter sind, eine größere Geschwindigkeit. Diese Verschiedenheit der Ausflußgeschwindigkeiten in einem und demselben Querprofile hat ihren Grund in der Klebrigkeit des Wassers an sich und in seiner Adhäsion an der Röhrenwand. Man kann den Wasserkörper in einer Röhre mit einem Baumstamm vergleichen; so wie dieser aus einer Reihe über einander liegender Jahresringe besteht, eben so ist das fließende Wasser in einer Röhre aus lauter Schalen zusammengesetzt, welche einander ringförmig umschließen. Die äußere dieser Schalen ist mit der Röhrenwand in Berührung und wird durch diese in Folge ihrer Attraction an der Mitbewegung ganz verhindert, die übrigen Schalen hängen durch die Cohäsion oder Klebrigkeit mit einander zusammen, so daß sich die eine nicht bewegen kann, ohne den Bewegungszustand der andern zu alteriren. In Folge dessen kann sich denn auch die folgende Wasserschale an der die Röhrenwand mit einem Ueberzug umgebenden äußeren Schale nur ganz langsam hin bewegen, und dagegen die dritte Schale schon eine größere, die vierte eine noch größere Geschwindigkeit u. s. w. annehmen. Es besteht also der fließende Wasserkörper in einer Röhre aus sich einander einhüllenden röhrenförmigen Schalen, welche sich mit verschiedenen Geschwindigkeiten so über einander weg bewegen, daß der innere cylindrische oder prismatische Kern die größte Geschwindigkeit besitzt, und die übrigen um so weniger Geschwindigkeit haben, je entfernter sie von der Mitte abstehen oder je näher sie der Röhrenwand sind. Es kann folglich bei der Bewegung des Wassers in einer Röhre, nur von einer mittleren Geschwindigkeit v die Rede sein, bei welcher durch einen gegebenen Querschnitt F dieselbe Wassermenge Q hindurchströmt als bei den verschiedenen Geschwindigkeiten an den verschiedenen Stellen dieses Querschnittes, welche sich also durch den bekannten Ausdruck $v = \frac{Q}{F}$ bestimmt. Der Widerstand, welchen in Folge dieses Zusammenhangs der Wassertheilchen unter einander und mit der Röhrenwand, das Wasser im Ganzen bei seiner Bewegung durch die Röhre zu überwinden hat, und welchen man meist den Reibungswiderstand des Wassers, angemessener aber den Klebrigkeitswiderstand des Wassers nennt, hängt von der materiellen Beschaffenheit der Röhre nicht ab, da sich das Wasser nicht an der Röhre, sondern die Wasserschalen unter einander und ins Besondere an der äußersten Wasserschale rieben, welche die Röhrenwand benetzt und überzogen hat. Ist die Röhrenwand glatt, so giebt sie unter übrigens gleichen Verhältnissen denselben Reibungswiderstand, sie mag aus Eisen, Messing, Glas oder Holz bestehen. Anders ist das natürlich, wenn die Röhrenwand rauh ist; durch die ungesetzmäßigen Vorsprünge und Vertiefungen einer rauhen Wand wird das Wasser von seiner geradlinigen Bewegungsrichtung abgelenkt und in eine schlangenförmige oder gar wirbelnde Bewegung gesetzt, wobei natürlich besondere Verluste an lebendiger Kraft entstehen, welche natürlich, mit der Stärke der Rauhigkeit oder mit der Anzahl und Größe der Erhöhungen und Vertiefungen wächst. Wir setzen in der Folge immer eine ganz glatte Röhrenwand voraus, und haben daher auf die materielle Verschiedenheit der Röhrenwand nicht weiter Rücksicht zu nehmen. Wesentlich verschieden ist der

Reibungswiderstand des Wassers von der Reibung fester Körper unter einander, besonders dadurch, daß er gar nicht von der Größe des Druckes abhängig ist, während die letztere bekanntlich mit dem Druck direct proportional wächst. Ob also das Wasser unter einem Drucke von 1 Centimeter, oder unter einem solchen von 1 Atmosphäre oder unter 10 Atmosphären ausfließt, seine Reibung ist unter übrigens gleichen Verhältnissen, und namentlich bei einer und derselben Geschwindigkeit, eine und dieselbe.

Einen wesentlichen Einfluß auf die Größe des Reibungswiderstandes des Wassers übt dagegen die Größe der Berührungsfläche mit der Röhrenwand und die Größe der Geschwindigkeit des Wassers aus; vielfachen Erfahrungen zu Folge, wächst diese Reibung gerade im Gegensatze zur Reibung fester Körper, wie die Berührungsfläche und nahe zu wie das Quadrat der mittleren Wassergeschwindigkeit oder wie die sogenannte Geschwindigkeitshöhe.

Ist d die Weite und l die Länge einer cylindrischen Röhre, und fließt das Wasser mit der mittleren Geschwindigkeit v durch dieselbe, so hat man folglich das proportionale Maß des Reibungswiderstandes in dieser Röhre:

$$\pi d . l . \frac{v^2}{2g} \gamma .$$

Um diesen Widerstand ist also der mittlere Druck des Wassers im Querschnitt $F = \frac{\pi d^2}{4}$ im Anfang größer als der mittlere Druck im Querschnitte F am Ende der Röhre; folglich hat man das Maß des Verlustes am Druck für die Flächeneinheit des Querschnittes F:

$$p = \frac{\pi d . l}{F} . \frac{v^2}{2g} \gamma = \frac{4 \pi d l}{\pi d^2} . \frac{v^2}{2g} \gamma = 4 \frac{l}{d} \frac{v^2}{2g} \gamma ,$$

und das Maß des entsprechenden Verlustes an Druckhöhe k:

$$\frac{p}{\gamma} = 4 . \frac{l}{d} \frac{v^2}{2g} .$$

Nach Einführung eines durch Versuche zu bestimmenden Reibungswiderstandscoefficienten ζ hat man folglich diesen Druckhöhenverlust selbst:

1. $$k = \zeta \frac{l}{d} . \frac{v^2}{2g} \text{ und umgekehrt:}$$

2. $$v = \sqrt{\frac{2gk}{\zeta} \frac{d}{l}} .$$

Wenn also der Reibungscoefficient ζ bekannt ist, so läßt sich folglich mit Hilfe der ersteren Formel aus der Länge l, der Weite d und der mittleren Geschwindigkeit v des Wassers in der Röhre die Druckhöhe k oder den Druck $p = k\gamma$ finden, welchen das Wasser bei seiner Bewegung durch die Röhre verliert. Und ist dagegen die Druckhöhe k bekannt, welche zur Fortleitung des Wassers durch die Röhre verwendet wird, so kann man aus ihr und aus den bekannten Dimensionen d und l der Röhrenleitung durch die zweite Formel die mittlere Geschwindigkeit des Wassers und hieraus wieder das Wasserquantum pr. Sec.

$$Q = \frac{\pi d^2}{4} . v \text{ berechnen.}$$

Ist die Röhre nicht cylindrisch, sondern hat sie einen rectangulären Querschnitt von der Breite b und der Höhe a, so hat man statt

$$\frac{1}{d} = \frac{1}{4} \frac{\pi d}{\pi d^2} = \frac{1}{4} . \frac{\text{Umfang}}{\text{Inhalt}} = \frac{1}{4} . \frac{2(a+b)}{ab} = \frac{a+b}{2ab}$$

einzusetzen, so daß hiernach

$$k = \zeta \frac{(a+b)\, l}{2ab} \frac{v^2}{2g} \text{ folgt.}$$

Ist die Röhre conisch, so hat natürlich das durchfließende Wasser in verschiedenen Abständen von der Ein- oder Ausmündung verschiedene Geschwindigkeiten und also auch verschiedene Drücke; es läßt sich aber nach §. 368, Bd. I, der Ingenieur- und Maschinenmechanik,

$$k = \frac{1}{8} \zeta \left[1 - \left(\frac{d}{d_1}\right)^4\right] cotg. \frac{\delta}{2} . \frac{v^2}{2g}$$

setzen, wenn d den Durchmesser und v die mittlere Geschwindigkeit in der Ausmündung, d_1 den Durchmesser der Einmündung und δ den Convergenzwinkel der Röhre bezeichnet.

Führt man $tang. \frac{\delta}{2} = \frac{d_1 - d}{2l}$ ein, so erhält man auch

$$k_{,} = \frac{1}{4} \zeta \left(1 + \frac{d}{d_1}\right) \left[1 + \left(\frac{d}{d_1}\right)^2\right] \frac{l}{d_1} . \frac{v^2}{2g},$$

und folglich, sehr richtig, für cylindrische Röhren, wo $d_1 = d$ ist, wieder

$$k = \zeta \frac{l}{d} . \frac{v^2}{2g}.$$

Für eine conische Röhre, bei welcher die Weite d am Ende die Hälfte der Weite d_1 am Anfang ist, hat man hiernach

$$k = \tfrac{1}{4} \cdot \zeta \cdot \tfrac{3}{2} \cdot \tfrac{5}{4} \cdot \frac{l}{2d} . \frac{v^2}{2g} = \tfrac{15}{64} \zeta \frac{l}{d} . \frac{v^2}{2g},$$

und umgekehrt, für eine conische Röhre, welche am Ende noch ein Mal so viel Weite hat als am Anfang, für welche also $d_1 = \frac{1}{2} d$ ist, hat man hingegen

$$k = \frac{1}{4} . \zeta . 3 . 5 . \frac{l}{{}^1\!/_2 d} . \frac{v^2}{2g} = \frac{15}{2} \zeta \frac{l}{d} . \frac{v^2}{2g}.$$

§. 23. **Ableitung des Wassers aus einem Reservoir durch lange Röhren.**

Die Reibungshöhe des fließenden Wassers in einer Röhre läßt sich auch leicht berechnen, wenn man die Druckhöhen h_1 und h_2 des Wassers am Anfange und am Ende der Röhre in senkrecht aufgesetzten Röhren oder sogenannten Piezometern beobachtet. Liegt die Röhre horizontal und ist sie cylindrisch oder prismatisch, so hat man

$$h_1 - h_2 = k = \zeta \frac{l}{d} \frac{v^2}{2g}.$$

Hat die Röhre aber am Anfang die Weite d_1 und ist die Geschwindigkeit des Wassers daselbst v_1 und der Piezometerstand h_1, und besitzt hingegen die Röhre am Ende die Weite d, und sind die Geschwindigkeit und der Piezometerstand des Wassers daselbst v und h_2, so hat man

$$h_1 + \frac{v_1^2}{2g} - \left(h_2 + \frac{v^2}{2g}\right) = k, \text{ oder}$$

$$h_1 - h_2 + \left[\left(\frac{d}{d_1}\right)^4 - 1\right] \frac{v^2}{2g} = k = \zeta \frac{l}{d} \frac{v^2}{2g}.$$

Entnimmt die Röhre AB, Fig. 52, das Wasser aus einem Reservoir HOC, in welchem das Wasser als in Ruhe befindlich angenommen

Fig. 52.

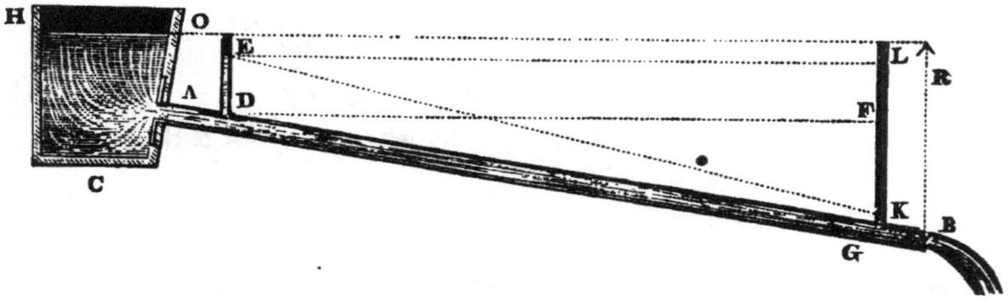

werden kann, so wird die Druckhöhe $BR = h$ oder die senkrechte Tiefe der Mitte der Ausmündung B unter dem Wasserspiegel HO, nicht allein auf die Ueberwindung des Reibungswiderstandes in der Röhre, sondern auch auf die Erzeugung der Geschwindigkeit v und auf die Ueberwindung des Widerstandes beim Eintritt in die Röhre oder im Mundstück A verwendet.

Diesem zu Folge ist also

$$h = \frac{v^2}{2g} + \zeta_0 \frac{v^2}{2g} + \zeta \frac{l}{d} \frac{v^2}{2g}\text{, oder}$$

I. $$h = \left(1 + \zeta_0 + \zeta \frac{l}{d}\right) \frac{v^2}{2g},$$

wenn ζ_0 den aus §. 20 oder 21 zu nehmenden Widerstandscoefficienten des Einmündungsstückes bezeichnet, d, l und ζ aber wieder die Weite, Länge und den Reibungscoefficienten der Röhre AB bezeichnen.

Umgekehrt ist daher

II. $$v = \sqrt{\frac{2gh}{1 + \zeta_0 + \zeta \frac{l}{d}}}.$$

Diese Formeln behalten ihre Giltigkeit, die Röhre mag söhlig, fallend oder steigend geführt sein, und sie behalten auch ihre Richtigkeit, wenn das Wasser in einem zweiten Reservoir unter Wasser ausfließt, nur ist dann die Druckhöhe h von Wasserspiegel zu Wasserspiegel zu nehmen.

Fließt das Wasser durch ein besonderes Mundstück B aus, welches eine andere Weite d_1 hat als die Röhre, so fällt natürlich auch die Ausflußgeschwindigkeit v_1 anders aus als die Geschwindigkeit v in der Röhre. Setzen wir noch voraus, daß das Wasser in einem cylindrischen Strahle durch das Ausmündungsstück strömt, und daß der Widerstandscoefficient dieses Mundstückes $= \zeta_1$ sei, so haben wir

$$h = \frac{v^2}{2g} + \zeta_0 \frac{v^2}{2g} + \zeta \frac{l}{d} \frac{v^2}{2g} + \frac{v_1^2 - v^2}{2g} + \zeta_1 \frac{v_1^2}{2g}$$

$$= \left(\zeta_0 + \zeta \frac{l}{d}\right) \frac{v_2}{2g} + (1 + \zeta_1) \frac{v_1^2}{2g}\text{, oder da}$$

$$Q = \frac{\pi d^2}{4} v = \frac{\pi d_1^2}{4} v_1\text{, oder } d^2 . v = d_1^2 v_1\text{, also}$$

$$v = \left(\frac{d_1}{d}\right)^2 v_1 \text{ ist,}$$

III. $$h = \left[1 + \zeta_1 + \left(\zeta_0 + \zeta \frac{l}{d}\right)\left(\frac{d_1}{d}\right)^4\right] \frac{v_1^2}{2g},$$

und umgekehrt,

$$\text{IV.} \qquad v_1 = \sqrt{\frac{2gh}{1 + \zeta_1 + \left(\zeta_0 + \zeta\frac{l}{d}\right)\left(\frac{d_1}{d}\right)^4}}.$$

Man ersieht aus der letzten Formel, daß die Ausflußgeschwindigkeit, und folglich auch die Ausflußmenge, unter übrigens gleichen Verhältnissen um so größer ausfällt, je weiter die Röhre gemacht wird.

Auch ist, wenn h_1 den einen Piezometerstand DE, h_2 den andern Piezometerstand GK und a das Gefälle FG des Röhrenstückes DG

Fig. 52.

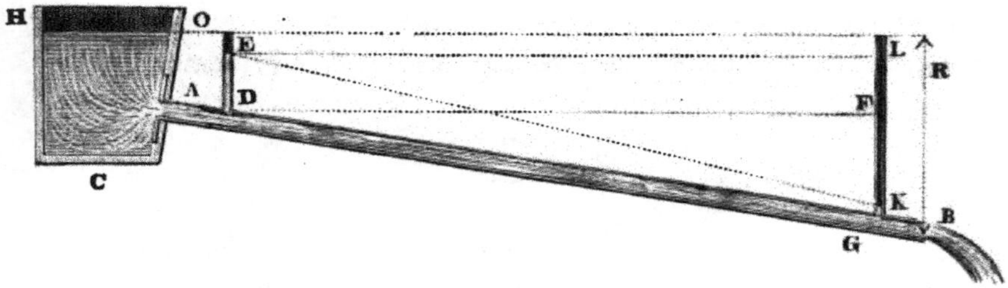

(Fig. 52) zwischen beiden Piezometern bezeichnet, das ganze Reibungsgefälle für eine fallende oder steigende Röhre

$$k = KL = DE + FG - KG = h_1 + a - h_2,$$

also

$$\text{V.} \qquad h_1 - h_2 + a = \zeta\frac{l}{d}\frac{v^2}{2g}, \text{ und umgekehrt,}$$

$$\text{VI.} \qquad v = \sqrt{\frac{2g(h_1 - h_2 + a)}{1 + \zeta\frac{l}{d}}}.$$

Was endlich noch den Reibungscoefficienten ζ der Bewegung des Wassers in Röhren anlangt, so ist dieser nicht ganz constant, sondern er nimmt zu, wenn die Geschwindigkeit des Wassers eine kleinere wird. Vielfältigen Versuchen zu Folge (s. die Ingenieur- und Maschinenmechanik, Bd. I, §. 365) ist ziemlich genau

$$\zeta = \varkappa + \frac{\beta}{\sqrt{v}},$$

wo $\varkappa$ und β constante Erfahrungszahlen bedeuten, zu setzen. Aus einer Reihe von 63 Versuchen hat der Verfasser für Metermaß $\varkappa = 0{,}01439$ und $\beta = 0{,}0094711$ gewonnen, wonach also für dieses Maß

$$\zeta = 0{,}01439 + \frac{0{,}0094711}{\sqrt{v}},$$

oder für alle Maßsysteme

$$\zeta = 0,01439 + \frac{0,0094711}{\sqrt{0,81}} \sqrt{\frac{g}{v}}$$

$$= 0,01439 + 0,0030241 \sqrt{\frac{g}{v}} \text{ zu setzen ist.}$$

Mit Hilfe der ersteren Formel ist folgende Tabelle für das Metermaß berechnet worden.

v	0,1	0,2	0,3	0,4	0,5	0,6	0,7	0,8	0,9 Met.
ζ	0,0443	0,0356	0,0317	0,0294	0,0278	0,0266	0,0257	0,0250	0,0244
v	1,0	1,2	1,5	2,0	3,0	5,0	10,0	20,0	50,0
ζ	0,0239	0,0230	0,0221	0,0211	0,0199	0,0186	0,0174	0,0165	0,0157

Man ersieht hiernach, daß der Reibungscoefficient für kleine Geschwindigkeiten bedeutend größer ist als für mittlere Geschwindigkeiten, und daß bei großen Geschwindigkeiten ζ nur langsam abnimmt. Es ist hiernach für $v = 0,1$ Meter, $\zeta = 0,0443$
$v = 1,0$ „ , $\zeta = 0,0239$
$v = 10,0$ „ , $\zeta = 0,0174$.

Einer Röhrenleitung, welche z. B. hundert mal so lang als weit, für welche also $\frac{l}{d} = 100$ ist, entspricht also im ersten Falle eine Reibungshöhe, welche 4,43 mal so groß ist als die Geschwindigkeitshöhe $\frac{v^2}{2g}$ des durchfließenden Wassers, im zweiten aber nur die Reibungshöhe 2,39 mal und im dritten die Reibungshöhe 1,74 mal die Geschwindigkeitshöhe. Nun sind aber die Geschwindigkeitshöhen für diese drei Geschwindigkeiten, der Formel $\frac{v^2}{2g} = 0,051\, v^2$ zu Folge:

0,00051 Meter, 0,051 Meter und 5,1 Meter;

folglich hat man die entsprechenden Reibungshöhen

0,00226 Meter, 0,1219 Meter und 8,874 Meter.

Fließt das Wasser aus einem Reservoir, wo es vorher still stand, so hat man hierzu noch die einfachen Geschwindigkeitshöhen zu addiren, um die vollständigen Druckhöhen zu erhalten, wenn es sonst weiter keine Hindernisse in der Leitung giebt. Es sind also die Druckhöhen folgende:

0,00277 Meter, 0,1729 Meter, 13,974 Meter.

Mündet endlich die Röhre ohne alle Abrundung in das Reservoir ein, so ist noch der Widerstand, welchen der Wirbel beim Eintritt in die Röhre verursacht, und der nach §. 19, 0,505 der Geschwindigkeitshöhe ist, zu überwinden; deshalb kommen also noch die Höhen

0,0002575 Meter, 0,02575 Meter und 2,575 Meter

hinzu, so daß nun die vollständigen Druckhöhen

0,00303 Met., 0,1986 Met. und 16,549 Meter sind.

§. 24. Versuche über den Ausfluß des Wassers durch eine lange Glasröhre.

Die Glasröhre, welche zu den folgenden Versuchen über den Ausfluß des Wassers zur Bestimmung des Reibungscoefficienten ζ verwendet wurde, ist in Fig. 53 im Längendurchschnitt, und in der Mitte, wegen Ersparniß des Raumes, abgebrochen dargestellt.

Fig. 53.

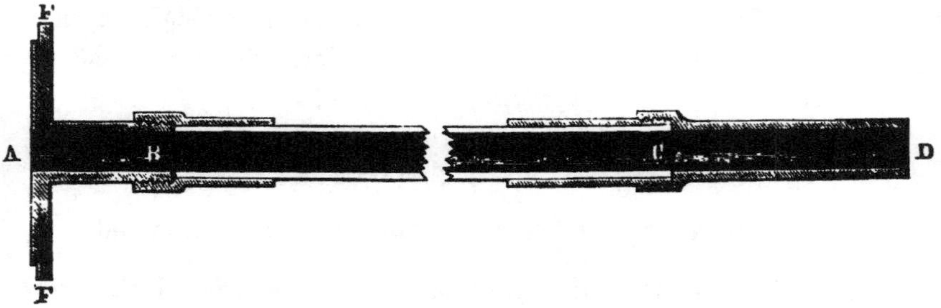

Diese Röhre ist an beiden Enden B und C in Messing gefaßt, und läßt sich mit dem einen Ende B an eine kurze cylindrische Ansatzröhre AB mit oder ohne Abrundung (siehe Fig. 45 und 46) anschrauben, wogegen an das andere Ende C wieder ein besonderes kurzes cylindrisches Messingmundstück CD anzuschrauben ist. Um den Widerstand dieser beiden Mundstücke AB und CD kennen zu lernen und von dem Widerstande der ganzen Röhre abziehen zu können, hat man außer den Versuchen mit der ganzen Röhre AD auch noch Versuche mit der bloßen Verbindung der beiden Röhrenstücke AB und CD angestellt. Mittelst dieser Röhre wurden sowohl Versuche unter veränderlichem als auch unter constantem Drucke ausgeführt. Im ersteren Falle verband man dieselbe mittelst des Mundstückes $FABF$ auf die gewöhnliche Weise mit dem

Hauptreservoir Fig. 1; im zweiten Falle hingegen setzte man die Röhre in die Vorlage *RS*, Fig. 54 ein, welcher aus dem Hauptreservoir mittelst des Rohres *MF* Wasser zugeführt wurde. Um diese Röhre *AB* zu stützen und ihr nach Befinden eine wagrechte Lage zu geben, legte man sie noch auf den verschiebbaren Querarm *W* eines Gestelles *TW* auf.

Fig. 54.

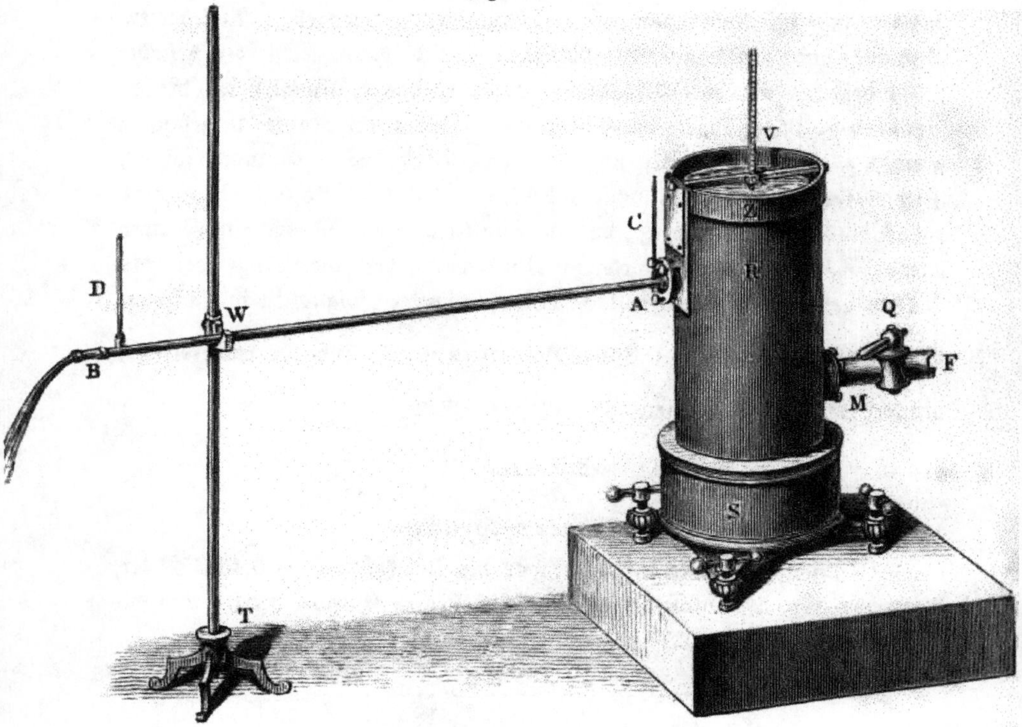

Damit die Druckhöhe mit Sicherheit angegeben werden könne, ist es am Besten, der Röhre ein kleines Ansteigen zu geben, weil dann bei verschlossenem Hahne *Q* das Wasser in der Röhre nur eben bis zur Sohle der Ausmündung reicht, wenn der Ausfluß beendigt ist. Wenn man daher den Zeiger *VZ* so weit herabläßt, daß seine Spitze den Wasserspiegel im Reservoir berührt, so erhält man denjenigen Wasserstand, bei welchem die Druckhöhe nur noch 2 bis 3 Millimeter, d. i. diejenige Höhe beträgt, um welche in Folge der Capillarität der Wasserspiegel an der Ausmündung über der Sohle der letzteren steht. Die ganze Druckhöhe während eines Ausflußversuches ist dann nur der Weg, um welchen der Zeiger gehoben wird, plus die Capillarität von 2 bis 3 Millimeter, insofern nämlich während des Versuches durch Stellung des Hahnes dafür gesorgt wird, daß der Wasserspiegel nur eben die Spitze des Zeigers berührt.

Die Weite der beiden messingenen Mundstücke AB und CD war genau 1 Centimeter; die Glasröhre konnte, aber da sie nie vollkommen cylindrisch zu erlangen ist, nicht genau von dieser Weite angewendet werden. Um die mittlere Weite derselben zu finden, wurde sie mit Wasser angefüllt; und dann diese Wassermenge gewogen. Aus diesem Gewichte und der Länge der Röhre ließ sich dann leicht der gesuchte Durchmesser der Röhre berechnen. Es wog das Füllwasser der Röhre sammt dem Glase, worin dasselbe beim Entleeren der Röhre aufgefangen wurde, = 254,6 Gramm, und das leere Glas 169,0 Gramm, folglich ist das Gewicht des Füllwassers 254,6 — 169,0 = 85,6 Gramm und das Volumen V desselben, da ein Cubikcentimeter Wasser ein Gramm wiegt, = 85,6 Cubikcentimeter. Nun war aber die Länge der mit Wasser gefüllten Glasröhre: l = 100 Centimeter, folglich ist ihr mittlerer Querschnitt $F = \frac{V}{l} = 0{,}856$ Quadratcentimeter und der entsprechende mittlere Röhrendurchmesser

$$d = \sqrt{\frac{4F}{\pi}} = 1{,}044 \text{ Centimeter.}$$

I. Versuche unter constantem Drucke.

1) Bei dem einen Versuche war die Druckhöhe $h = 0{,}111$ Meter, die Höhe der ausgeflossenen Wasserschicht, $s = 0{,}0854$ Meter und die Ausflußzeit $t = 194{,}25$ Sec. Hieraus folgt nach §. 11,

$$\mu = \frac{359{,}44 \, . \, s}{t\sqrt{h}} = \frac{359{,}44 \, . \, 0{,}0854}{t\sqrt{h}} = \frac{30{,}697}{194{,}25\sqrt{0{,}111}} = 0{,}4743,$$

der entsprechende Widerstandscoefficient

$$\zeta_1 = \frac{1}{\mu^2} - 1 = 3{,}445, \text{ und zwar bei der Geschwindigkeit}$$

$$v = \frac{Gs}{Ft} = \frac{0{,}12504 \, . \, 0{,}0854}{0{,}00007854\, t} = \frac{135{,}96}{t} = 0{,}700 \text{ Meter.}$$

2) Bei dem zweiten Versuche war $h = 0{,}061$ Meter, s blieb 0,0854 Meter und t betrug 273,3 Sec.

Hiernach ist

$$\mu = \frac{30{,}697}{t\sqrt{h}} = \frac{30{,}697}{273{,}3\sqrt{0{,}061}} = 0{,}4548 \text{ und}$$

$\zeta_1 = 3{,}836$, und zwar bei der Geschwindigkeit

$$v = \frac{Gs}{Ft} = \frac{135,96}{273,3} = 0,497 \text{ Meter.}$$

II. Versuche unter veränderlichem Drucke.

Die Versuche wurden unter den gewöhnlichen Verhältnissen angestellt, und gaben Folgendes:

h_1	h_2	h	t	μ	ζ_1	v Meter
0,1575	0,0375	0,0872	295	0,495	3,078	0,648
0,4620	0,3420	0,3998	131,5	0,519	2,716	1,453
0,9600	0,8400	0,8990	83,33	0,546	2,207	2,293.

Um nun noch den Widerstand, welchen die beiden Messingstücke, nämlich das abgerundete Ein- und das einfache cylindrische Ausmündungsstück verursachen, in Abzug bringen zu können, sind noch Versuche mit einer Zusammensetzung aus beiden Stücken angestellt worden, wobei sich Folgendes ergeben hat:

h	t	μ	ζ_0	v Meter
0,0872	178,9	0,817	0,499	1,068
0,3998	78,5	0,869	0,324	2,434
0,8990	51	0,892	0,257	3,746.

Da die Geschwindigkeiten, für welche die letzten Coefficienten bestimmt sind, von denjenigen abweichen, für welche man die Widerstandscoefficienten der ganzen Röhre ermittelt hat, so muß man die abzuziehenden Widerstände für das letzte zusammengesetzte Mundstück erst durch Interpolation finden.

Es ist hiernach für $v = 0,700$ Meter:

$$\zeta_0 = 0,499 + \left(\frac{0,499 - 0,324}{2,434 - 1,068}\right)(1,068 - 0,700)$$

$$= 0,499 + \frac{0,175 . 0368}{1,366} = 0,499 + 0,047 = 0,546,$$

ferner für $v = 0,497$ Meter

$$\zeta_0 = 0,499 + \frac{0,175\,(1,068 - 0,497)}{1,366} = 0,499 + 0,073 = 0,572,$$

für $v = 0,648$ Meter

$$\zeta_0 = 0,499 + \frac{0,175 . 0,420}{1,366} = 0,499 + 0,054 = 0,553,$$

für $v = 1{,}453$ Meter

$$\zeta_0 = 0{,}499 - \frac{0{,}175 \,.\, 0{,}385}{1{,}366} = 0{,}499 - 0{,}049 = 0{,}450\,,$$

und für $v = 2{,}293$ Meter

$$\zeta_0 = 0{,}499 - \frac{0{,}175 \,.\, 1{,}225}{1{,}366} = 0{,}499 - 0{,}157 = 0{,}342\,.$$

Zieht man nun diese reducirten Coefficienten von dem entsprechenden Coefficienten ζ_1 für die ganze Röhre ab und multiplicirt man die Reste durch das Verhältniß $\frac{d}{l} = \frac{1{,}044}{100} = 0{,}01044$ der Röhrenweite zur Röhrenlänge, so erhält man aus diesen fünf Versuchen folgende Coefficienten:

v Meter	ζ_1	ζ_0	$\zeta_1 - \zeta_0$	$\zeta = \frac{d}{l}(\zeta_1 - \zeta_0)$	ζ nach der Haupt-Tabelle
0,700	3,445	0,546	2,899	0,0303	0,0257
0,497	3,836	0,572	3,264	0,0341	0,0278
0,648	3,078	0,553	2,525	0,0274	0,0262
1,453	2,716	0,450	2,266	0,0237	0,0213
2,293	2,207	0,342	1,865	0,0195	0,0207.

Vergleicht man die letzten beiden Columnen, von welcher die eine unsere Versuchswerthe und die andere die berechneten oder aus Versuchen in größerem Maßstabe abgeleiteten Reibungscoefficienten enthält, mit einander, so sieht man, daß unsere Versuche meist etwas größere Werthe liefern.

§. 25. Versuche über die Bewegung des Wassers durch eine engere und eine weitere lange Messingröhre.

Die erste der zu diesen Versuchen dienenden Messingröhren *BC*, Fig. 55, wurde mit demselben Einmündungsstück *AB* und mit demselben Ausmündungsstück *CD* wie die Glasröhre bei den Versuchen in §. 24 ausgerüstet, auch wurden die Versuche selbst genau so ausgeführt, wie die Versuche mit der Glasröhre. Um die Theorie einer weitern Prüfung zu unterwerfen, waren am Anfange und am Ende der Hauptröhre *BC* Messingröhrchen *E* und *G* angebracht, auf welche noch engere, als Piezometer dienende Glasröhrchen aufgesetzt werden konnten. Die Differenz der Wasserhöhen in diesen Piezometern gab dann die Reibungswiderstandshöhe in der Röhre innerhalb beider Röhrchen unmittelbar an. Die Weite der Piezometerröhrchen betrug 4 Millimeter. Um die mittlere Weite der Leitungsröhre zu ermitteln, wurde

Fig. 55.

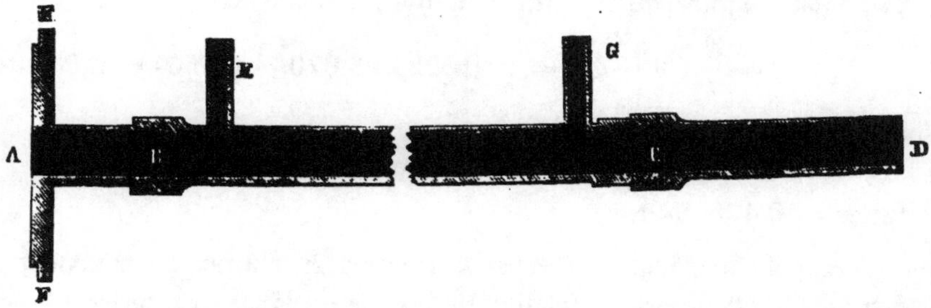

wie bei der langen Glasröhre verfahren, nämlich dieselbe mit Wasser gefüllt, und das Füllwasser gewogen. Es betrug das Gewicht dieses Wassers 82,1 Kilogr., und die Länge der Röhre $l = 100$ Centimeter, folglich der Querschnitt der Röhre, $F = 0{,}821$ Quadratcentimeter, und der entsprechende mittlere Durchmesser $d = 1{,}0224$ Centimeter. Die Entfernung der beiden Piezometer von einander war nur 97 Centimeter.

I. Versuche bei horizontaler oder wenig aufsteigender Röhre.

1) Versuche unter constantem Drucke.

a) Bei einer Druckhöhe $h = 0{,}111$ floß in der Zeit $t = 203^1/_3$ Sec., eine Wasserschicht von der Höhe $s = 0{,}0854$ Meter ab.

Es ist hiernach (s. I., 1 des vorigen Paragraphen)

$$\mu = \frac{30{,}697}{203{,}3 \sqrt{0{,}111}} = 0{,}4531 \text{ und } \zeta_1 = 3{,}870;$$

die entsprechende Geschwindigkeit:

$$v = \frac{135{,}96}{203{,}3} = 0{,}669 \text{ Meter.}$$

b) Bei einer Druckhöhe $h = 0{,}0610$ Meter, und der vorigen Ausflußmenge war $t = 284{,}5$ Sec.

Hiernach ist

$$\mu = \frac{30{,}697}{284{,}5 \sqrt{0{,}0610}} = 0{,}4368 \text{ und } \zeta_1 = 4{,}240;$$

die entsprechende Geschwindigkeit:

$$v = \frac{135{,}96}{284{,}5} = 0{,}478 \text{ Meter.}$$

Zieht man von den vorstehenden Widerstandscoefficienten die gehörig reducirten Widerstandscoefficienten der Mundstückverbindung ab, und multiplicirt man beide Werthe mit $\frac{d}{l} = \frac{1,0224}{100} = 0,010224$, so erhält man folgende Werthe für den Röhrenreibungscoefficienten:

$$\zeta = \frac{d}{l}(\zeta_1 - \zeta_0) = 0,010224\,(3,870 - 0,550) = 0,03394,$$

für $v = 0,669$ Meter; und

$$\zeta = 0,010224\,(4,240 - 0,575) = 0,03747,$$

für $v = 0,478$ Meter.

Die Röhrenlänge vom ersten Piezometer E bis zur Ausmündung D betrug 104 Centimeter, folglich ist die dieser Länge zugehörige Widerstandshöhe, nach der Formel

$$k = \zeta \frac{l}{d} \frac{v^2}{2g}$$

für den ersten Versuch:

$$k = 0,03394 \cdot \frac{104}{1,0224} \cdot \frac{0,669^2}{2g} = 0,0788 \text{ Meter},$$

und für den zweiten

$$k = 0,03747 \cdot \frac{104}{1,0224} \cdot \frac{0,478^2}{2g} = 0,0444 \text{ Meter}.$$

Der Piezometerstand war im ersten Falle $z = 9,85$ Centimeter und im zweiten $z = 6,15$ Centimeter, und als die Röhrenmündung und der Hahn (Q) verschlossen war, $z_0 = 8,00$ Centimeter; nun betrug aber die Druckhöhe im letztern Falle 6,10 Centimeter, es war folglich das Ansteigen der Röhre vom Piezometer bis zur Ausmündung $h_0 = 8,00 - 6,10 = 1,9$ Centimeter, und die Widerstandshöhe im ersten Falle:

$$k = z - h_0 = 9,85 - 1,90 = 7,85 \text{ Centim.} = 0,0785 \text{ Meter},$$

und im zweiten:

$$k = 6,15 - 1,90 = 4,25 \text{ Centimeter} = 0,0425 \text{ Meter}.$$

Die Uebereinstimmung dieser Werthe mit dem obigen ist ganz befriedigend. Die Capillarität in der Piezometerröhre fällt ganz außer Betracht, da z und h_0 zugleich mit ihr behaftet sind.

2) Versuche unter allmälig abnehmendem Drucke.

Bei diesen Versuchen war statt des abgerundeten cylindrischen Mundstückes das schiefe cylindrische Mundstück in Fig. 47 aus §. 20, IV angewendet. Folgendes sind die durch diese Versuche erlangten Ergebnisse:

h_1	h_2	h	t	μ	ζ_1	v Meter
0,1575	0,0375	0,0872	340	0,430	4,417	0,562
0,4620	0,3420	0,3998	145¼	0,470	3,533	1,315
0,9600	0,8400	0,8990	94½	0,481	3,315	2,022.

Den obigen Versuchen in §. 20 zu Folge, ist der mittlere Widerstandscoefficient für das Einmündungsstück, $\zeta_0 = 0,516$; bringen wir daher denselben in Abzug, und multipliciren wir noch die erhaltenen Reste durch

$$\frac{d}{l} = \frac{1,0224}{105} = 0,009737,$$

so erhalten wir

für die Geschwindigkeiten v	0,562	1,315	2,022
die Reibungscoefficienten ζ	0,03798	0,02938	0,02725.

II. Versuche mit gegen den Horizont geneigter Röhre.

1) Die vorige Röhre stand durch das mittlere Loch mit dem Hauptreservoir (Fig. 1) in Verbindung, und dieselbe stieg unter dem Winkel von $14\frac{3}{4}^0$, oder um die Höhe von $28\frac{1}{2}$ Centimeter an. Es war $t = 305$ Sec. und

$$h_1 = 0,1725 \text{ Meter}, \sqrt{h_1} = 0,4153 \text{ und}$$

$$h_2 = 0,0525 \quad - \quad \sqrt{h_2} = 0,2291, \text{ folglich ist}$$

$$\mu = \frac{718,88(\sqrt{h_1} - \sqrt{h_2})}{t} = \frac{718,88 \,.\, 0,1862}{305} = 0,439,$$

$$\zeta_1 = 4,192, \ \zeta_1 - \zeta_0 = 3,676 \text{ und}$$

$$\zeta = \frac{1,0224}{105} \,.\, 3,676 = 0,03579, \text{ wobei}$$

$$v = 0,626 \text{ Meter betrug.}$$

2) Dieselbe Röhre war durch das untere Loch mit dem Hauptreservoir in Verbindung gesetzt und stieg um den Winkel von 17^0 oder um die Höhe von 33 Centimeter aufwärts. Es war $t = 133\frac{3}{4}$ Sec. und

$$h_1 = 0,5340 \text{ Meter}, \sqrt{h_1} = 0,7308, \text{ und}$$

$$h_2 = 0,4140 \quad = \quad \sqrt{h_2} = 0,6434, \text{ folglich ist}$$

$$\mu = \frac{718,88 \,.\, 0,0874}{133,75} = 0,469 \text{ und } \zeta_1 = 3,539,$$

ferner $\zeta_1 - \zeta_0 = 3{,}023$ und

$$\zeta = \frac{1{,}0224}{105} \,.\, 3{,}023 = 0{,}02944\,;$$

bei der Geschwindigkeit $v = 1{,}428$ Meter.

3) Diese Röhre communicirte durch das Mittelloch mit dem Hauptreservoir und fiel abwärts unter dem Winkel von 17°, oder um die Höhe von 33 Centimeter. Es war $t = 98^3/_4$ Sec. und

$$h_1 = 0{,}8900 \text{ Meter}, \ \sqrt{h_1} = 0{,}9434\,, \text{ und}$$
$$h_2 = 0{,}7700 \quad " \ , \ \sqrt{h_2} = 0{,}8775\,, \text{ folglich ist}$$
$$\mu = \frac{718{,}88 \,.\, 0{,}0659}{98{,}75} = 0{,}480\,, \ \zeta_1 = 3{,}345\,,$$
$$\zeta_1 - \zeta_0 = 3{,}345 - 0{,}516 = 2{,}829 \text{ und}$$
$$\zeta = \frac{1{,}0224}{105} \,.\, 2{,}829 = 0{,}02755\,,$$

wobei $v = 1{,}935$ Meter betrug.

Die Ergebnisse dieser Versuche bei geneigter Leitungsröhre stehen, wie in der folgenden Tabelle übersichtlich gemacht wird, mit der vorigen bei söhliger Röhre im besten Einklange; es hat also die Neigung der Röhre an und für sich, gar keinen Einfluß auf die Bewegung des Wassers in derselben. (Siehe hierüber einen Irrthum in Eytelwein's Hydraulik, 3. Aufl., Anhang, Fünfter Abschnitt.)

Vergleichungstabelle.

für die söhlige Röhre ζ	0,03798	0,02938	0,02725
für die geneigte Röhre ζ	0,03579	0,02944	0,02755 .

III. Andere Versuche bei horizontaler Röhre mit abgerundetem cylindrischen Mundstücke, unter constantem Drucke, bei überfließendem Wasser.

1) Die Röhre mündete durch das obere Loch in das Hauptreservoir ein, und das Wasser wurde in einem besonderen Gefäße, welches in K, Fig. 11, abgebildet ist, aufgefangen und darin mittelst des Zeigers L geaicht. Der Querschnitt dieses Gefäßes war $G = (0{,}2244)^2 . \pi = 0{,}1582$ Quadrat-Meter. In der Zeit $t = 300$ Sec. floß unter der Druckhöhe $h = 0{,}207$ Met., eine Wasserschicht von der Höhe $s = 0{,}1435$ Met. aus.

Hiernach ist

$$\mu = \frac{Gs}{Ft\sqrt{2g}} = \frac{0{,}1582 \,.\, 0{,}1435}{0{,}00007854 \,.\, 300 \,.\, 4{,}429} = 0{,}478,$$

$\zeta_1 = 3{,}375$, wobei $v = 0{,}964$ Meter betrug.

Der Widerstand der Verbindung des Ein- und Ausmündungsstückes war, gehörig reducirt, nach II des vorigen Paragraphen, $\zeta_0 = 0{,}499 + 0{,}013 = 0{,}512$ folglich ist $\zeta_1 - \zeta_0 = 3{,}375 - 0{,}521 = 2{,}863$, und der gesuchte Reibungscoefficient, da hier l nur $= 1$ Meter beträgt,

$$\zeta = \frac{1{,}0224}{1{,}00} \,.\, 2{,}863 = 0{,}02925.$$

Umgekehrt, ist die diesem Widerstandscoefficienten entsprechende Reibungshöhe bei 1,06 Meter Röhrenlänge (von der Ausmündung bis zum Piezometer gemessen)

$$k = \zeta \frac{l}{d} \frac{v^2}{2g} = 0{,}02925 \,.\, \frac{106}{1{,}0224} \,.\, \frac{0{,}964^2}{2g} = 0{,}1436 \text{ Meter.}$$

Das Piezometer zeigte in guter Uebereinstimmung die Höhe, nach Abzug der Capillarität,

$k = 0{,}1445$ Meter.

2) Die Röhre saß im unteren Loche des Hauptreservoirs, übrigens wurde der Versuch wie der vorige ausgeführt. Es war

$s = 0{,}1705$ Meter, $h = 1{,}01$ Meter und $t = 150$ Sec.,

wonach sich

$$\mu = \frac{Gs}{Ft\sqrt{2g}} = 0{,}514, \quad \zeta_1 = 2{,}780 \text{ und}$$

$v = 2{,}290$ Meter bestimmt.

Nun ist aber für die Verbindung des Ein- und Ausmündungsstückes $\zeta_0 = 0{,}343$, daher folgt der Reibungscoefficient

$$\zeta = 0{,}010224 \,.\, (2{,}780 - 0{,}343) = 0{,}02492.$$

Diesem Widerstandscoefficienten entspricht umgekehrt, bei der Röhrenlänge $l = 0{,}98$ Meter, die Reibungshöhe

$$k = \zeta \frac{l}{d} \frac{v^2}{2g} = 0{,}02492 \,.\, \frac{98}{1{,}0224} \,.\, \frac{2{,}290^2}{2g} = 0{,}638.$$

Der Piezometerstand in der Nähe der Einmündung war 0,741, und in der Nähe der Ausmündung, d. i. im Abstande von 0,98 Meter vom ersteren, war er 0,074; folglich ist hiernach die Reibungshöhe $0{,}741 - 0{,}074 = 0{,}667$ also etwas größer als die berechnete.

IV. Versuche mit einer weitern Messingröhre unter allmälig abnehmendem Drucke. Auf die oben angegebene Weise wurde gefunden, daß diese Röhre bei einer mittleren Länge l von 1,400 Meter Länge eine mittlere Weite von 1,4372 Centimeter hatte. Der Durchmesser der Ausmündung dieser Röhre betrug 1,4267 Centimeter. Es ist hiernach $F = 0{,}00015986$ Quadrat-Meter.

1) Die Röhre saß im oberen Loche des Hauptreservoirs und es war die Ausflußzeit $t = 142$ Sec.

Hiernach ist

$$\mu = \frac{2G(\sqrt{h_1}-\sqrt{h_2})}{Ft\sqrt{2g}} = 0{,}05646 . \left(\frac{\sqrt{h_1}-\sqrt{h_2}}{Ft}\right)$$

$$= 3532 . \left(\frac{\sqrt{h_1}-\sqrt{h_2}}{t}\right) = \frac{3532 . 0{,}20321}{142} = 0{,}505\text{, und}$$

$\zeta_1 = 2{,}933$, wobei

$$v = \frac{Q}{Ft} = \frac{94{,}68}{142} = 0{,}667 \text{ Meter betrug.}$$

Nun ist aber nach §. 20, III für das Einmündungsstück $\zeta_0 = 0{,}220$, daher folgt der Reibungscoefficient dieser Röhre für die so eben gefundene Geschwindigkeit

$$\zeta = \frac{d}{l}(\zeta_1 - \zeta_0) = \frac{1{,}4372}{140}(2{,}933 - 0{,}221)$$

$$= 1{,}4372 . \frac{2{,}712}{140} = 0{,}278 .$$

2) Die Röhre mündete durch das mittlere Loch in das Hauptreservoir, wobei $t = 64$ Sec. ausfiel. Es ist hiernach

$$\mu = 3532 \left(\frac{\sqrt{h_1}-\sqrt{h_2}}{t}\right) = \frac{3532 . 0{,}0949}{64} = 0{,}524 ,$$

und $\zeta_1 = 2{,}646$, wobei $v = 1{,}479$ Meter war; und endlich der gesuchte Reibungscoefficient

$$\zeta = 1{,}4372 \left(\frac{2{,}646 - 0{,}220}{140}\right) = 0{,}0249 .$$

3) Die Röhre stand durch das untere Loch mit dem Hauptreservoir in Verbindung, wobei sich $t = 41{,}5$ Sec. ergab.

Hiernach ist

$$\mu = 3532 \left(\frac{\sqrt{h_1}-\sqrt{h_2}}{t}\right) = \frac{3532 . 0{,}06328}{41{,}5} = 0{,}539 \text{ und}$$

$\zeta_1 = 2{,}448$, wobei $v = 2{,}282$, und der Reibungscoefficient

$$\zeta = \frac{1,4372\,(2,448 - 0,220)}{140} = 0,0229\,.$$

Vergleichen wir die in dem Vorstehenden gefundenen Reibungscoefficienten ζ mit denjenigen, welche in der Tabelle zu §. 23 angegeben sind, oder sich nach der Formel $\zeta = 0,01439 + \frac{0,0094711}{\sqrt{v}}$ berechnen lassen, so finden wir allerdings, daß die ersteren zum Theil bedeutend größer ausfallen als die letzteren. Der Grund hierin mag zum Theil darin liegen, daß die angewendeten Röhren nicht die erforderliche Glätte besaßen, er ist aber auch zum großen Theil darin zu suchen, daß überhaupt engere Röhren etwas größere Werthe für ζ geben als weitere, für welche die letztere Formel hauptsächlich berechnet ist. Aus dem letzteren Grunde stimmen auch die mittelst einer weiteren Messingröhre zuletzt gefundenen Werthe von ζ weit besser mit der Formel als die ersteren. Es ist hier

für v	0,667	1,479	2,282 Meter
ζ nach den Versuchen	0,0278	0,0249	0,0229
ζ nach der Formel	0,0260	0,0221	0,0207 .

Siebentes Kapitel.

Versuche über die partielle und über die unvollkommene Contraction der Wasserstrahlen.

§. 26. Die partielle Contraction der Wasserstrahlen.

Wenn das Wasser im Innern des Ausflußreservoirs nicht von allen Seiten her der Mündung in der dünnen ebenen Wand zuströmen kann, sondern durch eine Seitenwand, welche den Umfang der Mündung theilweise umschließt, davon zurückgehalten wird, so ist die Contraction des ausfließenden Wasserstrahles auch nur unvollständig oder partiell. In Folge der partiellen Contraction erhält der Strahl eine schiefe, von der Normale zur Mündungsebene abweichende Richtung, und es fällt der kleinste Querschnitt desselben größer aus als bei dem vollständig contrahirten Strahle, weshalb auch hier die Ausflußmenge unter übrigens ganz gleichen Verhältnissen eine größere ist als bei der vollständigen Contraction. Die partielle Contraction kommt am häufigsten bei rectangulären Mündungen, wie z. B. bei Schutzöffnungen vor, wenn z. B. die untere Kante derselben mit dem Boden oder eine ihrer Seitenkanten mit der einen Seitenwand des Gerinnes oder Ausflußreservoirs zusammenfällt. Mehrere andere Fälle, wobei partielle Contraction eintritt, sind

Fig. 56.

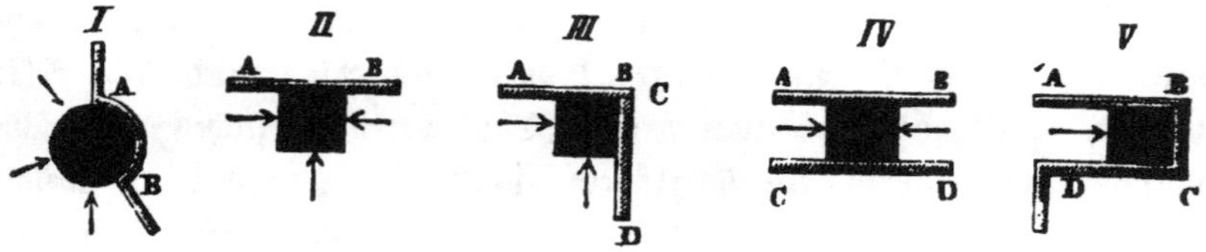

in Fig. 56, I bis V, abgebildet. Fig. 56, I, zeigt eine kreisrunde Mündung mit einer Einfassung AB, welche die Contraction des Wasserstrahles auf $^3/_8$ des Umfanges aufhebt; II zeigt eine quadratische Mündung mit einer ebenen Einfassung AB, wodurch die Contraction an einem Viertel des ganzen Mündungsumfanges verhindert wird; in III und IV ist die quadratische Mündung auf zwei Seiten von den Wänden AB und CD umgeben, so daß also nur noch auf der Hälfte ihres Umfanges Contraction statt hat, und in V ist endlich diese Mündung von den Blechen AB, BC und CD auf drei Seiten eingefaßt, so daß das Wasser nur von der einen Seite her der Mündung zufließen kann und also auch nur an einem Viertel des ganzen Mündungsumfanges Contraction eintritt. Die Ebene, in welcher der Strahl in Folge des einseitigen Zuströmens von der Normale zur Mündungsebene abgelenkt wird, geht stets durch die Mitte der Einfassung, hat also z. B. in I und II die Richtung des mittleren Pfeiles, und in III die der Diagonale zwischen beiden Pfeilen. Bei der symmetrischen Einfassung in IV findet gar keine Abweichung in der Richtung, wohl aber eine größere Ausbreitung des Strahles rechtwinklig zu beiden Einfassungsebenen AB und CD statt; bei der dreiseitigen Einfassung in V wird endlich der Strahl in der Richtung des Pfeiles, oder rechtwinklig gegen die mittlere Einfassungswand BC gedrängt.

Der Contractions- und folglich auch der Ausflußcoefficient nimmt mit dem Verhältnisse der Länge des eingefaßten Theiles zur Länge des ganzen Umfanges der Mündung zu. Ist ν dieses Verhältniß, μ_0 der Ausflußcoefficient für eine uneingefaßte Mündung, also bei vollständiger

Contraction des Strahles, und μ_ν der Ausflußcoefficient für partielle Contraction und dem Verhältnisse ν entsprechend, so kann man annähernd

$$\frac{\mu_\nu}{\mu_0} = 1 + \varkappa\nu, \text{ oder } \mu_\nu = (1 + \varkappa\nu).\mu_0$$

setzen, wobei $\varkappa$ einen anderweitigen Erfahrungscoefficienten bezeichnet.

Umfaßt die Einfassung einer kreisförmigen Mündung den Centriwinkel β^0, so hat man hier

$$\nu = \frac{\beta^0}{360^0}.$$

Sind dagegen bei einer rectangulären Mündung die beiden Seiten a und b, so hat man, je nachdem, 1) bloß a, oder 2) $a + b$, oder 3) $2\,a + b$ eingefaßt ist.

$$1)\quad \nu = \frac{a}{2(a+b)}, \text{ oder 2) } \nu = \frac{a+b}{2\,(a+b)} = \frac{1}{2}, \text{ oder 3) } \nu = \frac{2\,a+b}{2\,(a+b)}.$$

Nach den Versuchen von Bidone ist

für kleine kreisförmige Mündungen . . . . $\varkappa = 0{,}128$,

und für kleine quadratische Mündungen . . . . . . $\varkappa = 0{,}152$.

Der Verfasser fand dagegen

für kleine rectanguläre Mündungen . . . . $\varkappa = 0{,}134$,

und für größere von 0,2 Met. Breite und 0,1 Met. Höhe $\varkappa = 0{,}157$.

Mittelst unserer Ausflußapparate in Fig. 5 und 6 wurden nur an zwei quadratischen Mündungen Versuche über die partielle Contraction angestellt.

I. Versuche mit einer quadratischen Mündung M, Fig. 57, von $s = 0{,}8862$ Centimeter Seitenlänge, also von dem bekannten Inhalte $F = s^2 = (0{,}8862)^2 = 0{,}7854$ Quadratcentimeter, mit einer doppelten Einfassung a und b, welche die Hälfte des ganzen Umfanges einnimmt, so daß $\nu = \frac{1}{2}$ ausfüllt.

Fig. 57.

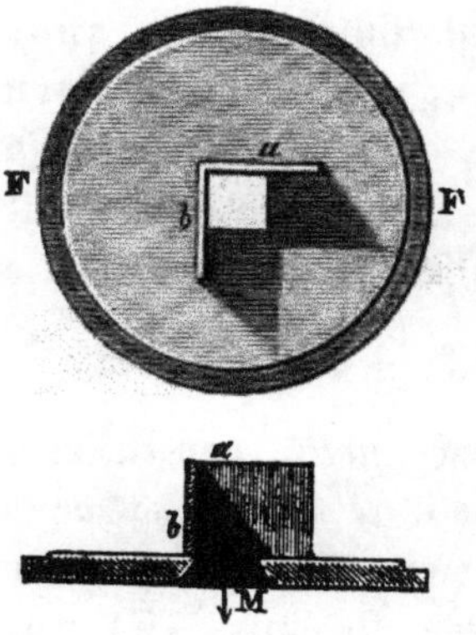

1) Ein Versuch unter constantem Drucke gab für $h = 0{,}15$ Meter die Ausflußzeit $t = 158{,}75$ Sec.

Hiernach ist der entsprechende Ausflußcoefficient (s. §. 15, I)

$$\mu_{\frac{1}{2}} = \frac{111{,}36}{t} = \frac{111{,}36}{158{,}75} = 0{,}701.$$

2) Durch die gewöhnlichen Versuche unter allmälig abnehmendem Drucke wurde mit Hilfe der Formel

$$\mu = \frac{718,88\,(\sqrt{h_1} - \sqrt{h_2})}{t}$$ Folgendes gefunden:

h_1 Meter	h_2 Meter	$\sqrt{h_1} - \sqrt{h_2}$	h Meter	t Secunden	$\mu_{\frac{1}{2}}$
0,1573	0,0375	0,2032	0,0872	206,25	0,708
0,4620	0,3420	0,0949	0,3998	99,25	0,687
0,9600	0,8400	0,06328	0,8990	66,25	0,687 .

Diese Werthe blieben fast unverändert, nachdem man das Mundstück um 90 Grad gedreht hatte, so daß die eine Einfassungswand (b) unten und die andere (a) zur Seite der Mündung zu liegen kam.

Das Mittel aus diesen Versuchswerthen ist

$$\mu_{\frac{1}{2}} = 0,696;$$

wogegen der mittlere Ausflußcoefficient für eine gleiche Mündung ohne Einfassung (s. §. 15, V)

$$\mu_0 = 0,648 \text{ gefunden wurde.}$$

Hiernach ist

$$\frac{\mu_{\frac{1}{2}}}{\mu_0} = \frac{0,696}{0,648} = 1,074;$$

die obige Formel mit dem Bidone'schen Versuchscoefficienten giebt aber

$$\frac{\mu_{\frac{1}{2}}}{\mu_0} = 1 + \varkappa v = 1 + 0,152 \,.\, 0,5 = 1,076;$$

folglich ist die Uebereinstimmung eine sehr große.

Fig. 58.

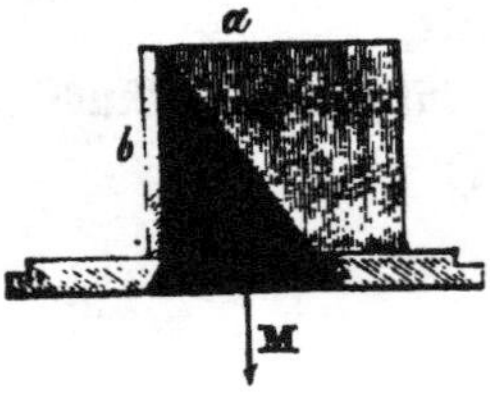

II. Versuche mit einer größeren quadratischen Mündung M, Fig. 58, von der Seitenlänge $s = 2$ Centimeter, also dem Inhalte $F = 4$ Quadratcentimeter, mit einer dreifachen Einfassung abc, wodurch also das Verhältniß v auf $\frac{3}{4}$ gesteigert wird.

1) Ein Versuch unter constantem Drucke, wobei die mittlere Einfassungswand unten, also die andern Wände a und c zur Seite der Mündung standen. Es war $h = 0,15$ Meter und $t = 31,9$ Sec., wonach sich (s. VI, §. 15)

$$\mu_{\frac{3}{4}} = \frac{8,4688}{t\sqrt{h}} = \frac{8,4688}{31,9\sqrt{0,15}} = 0,685 \text{ ergiebt.}$$

2) Die gewöhnlichen Versuche unter allmälig abnehmendem Drucke gaben folgende Resultate:

h Meter	t Secunden	$\mu_{\frac{3}{4}}$.
0,872	42,25	0,679
0,3998	19,80	0,676
0,8990	13,20	0,676.

Der Mittelwerth aus diesen vier Versuchsergebnissen ist

$$\mu_{\frac{3}{4}} = 0,679.$$

Nach §. 15, VI. ist aber für eine gleiche Mündung ohne Einfassung im Mittel $\mu_0 = 0,624$; folglich hat man hiernach

$$\frac{\mu_{\frac{3}{4}}}{\mu_0} = \frac{0,679}{0,624} = 1,088.$$

Nach Bidone's Formel wäre

$$\frac{\mu_{\frac{3}{4}}}{\mu_0} = 1 + 0,152 \,.\, 0,75 = 1,114,$$

und dagegen nach der des Verfassers

$$\frac{\mu_{\frac{3}{4}}}{\mu_0} = 1 + 0,134 \,.\, 0,75 = 1,101;$$

also in beiden Fällen die Uebereinstimmung weniger gut. Wegen der kleinen Beobachtungszeiten sind allerdings diese Versuche auch weniger genau.

Die Ausflußzeiten änderten sich entweder gar nicht oder nur sehr wenig, wenn man den Einfassungswänden durch Drehung des Mundstückes eine andere Lage gegeben, z. B. die mittlere Wand b nach oben gebracht hatte. Es ist leicht zu ermessen, daß diese Formel nur annähernd richtig sein kann, daß sie ihre Richtigkeit um so mehr verlieren muß, je größer das Verhältniß ν ist, und daß sie endlich gar keine Giltigkeit mehr hat, wenn ν nahe Eins ist, also das ganze Mundstück beinahe die Gestalt einer inneren Ansatzröhre annimmt. Bei den Versuchen mittelst beider Mundstücke ließ sich die Seitenabweichung des Strahles von der Normale zur Mündungsebene deutlich beobachten;

auch war bei den Versuchen mittelst des zweiten Mundstückes eine große Ausbreitung des Strahles parallel zur uneingefaßten Seite zu bemerken.

Durch äußere partielle Einfassung der Mündung wird die Contraction, und folglich auch die Ausflußmenge nicht verändert. Man beobachtet dies besonders an kurzen Gerinnen, welche man an Schutzöffnungen von außen angesetzt hat. Dieses Ausflußverhältniß ließ sich aber auch mittelst des letzten Mundstückes in Fig. 58 leicht erproben, da nur nöthig war, dasselbe umgekehrt in das Reservoir einzusetzen, so daß die Einfassungswände außen und zwar b unten und a und c zur Seite zu liegen kamen. Die hiermit angestellten Versuche sind folgende.

1. Ein Versuch unter constantem Drucke gab
   $h = 0{,}15$ Meter und $t = 34$ Sec., wonach
   $\mu = 0{,}644$ folgt.

2. Zwei Versuche unter abnehmendem Drucke gaben Folgendes:
   $h = 0{,}0872$, $t = 45{,}5$ Sec., $\mu = 0{,}631$
   $h = 0{,}3998$, $t = 21{,}56$ Sec., $\mu = 0{,}621$.

Diese Werthe von μ weichen von denen in §. 15, VI, für Mündungen ohne alle Einfassung nur wenig ab; es ist also hiernach die äußere Einfassung ohne Einfluß auf die Ausflußmenge.

Setzt man an die innen eingefaßte Mündung eine kurze cylindrische oder parallelepipedische Ansatzröhre, so stößt sich der schief eintretende Strahl an der Röhrenwand der Röhre und es wird dadurch ein Hinderniß erzeugt, welches den Gewinn an lebendiger Kraft in Folge der schwächeren Contraction des Strahles wieder aufhebt. S. des Verfassers Versuche über die unvollkommene Contraction des Wassers beim Ausflusse ꝛc. Leipzig 1843. Seite 147.

§. 27. Die unvollkommene Contraction der Wasserstrahlen.

Die Contraction der Wasserstrahlen beim Ausflusse durch Mündungen in einer dünnen Wand ist auch noch von der Größe dieser Wand abhängig. Seither haben wir vorausgesetzt, daß die Mündung nur einen kleinen Theil der Seiten- oder Bodenfläche des Ausflußreservoirs einnimmt, und daß folglich das Wasser vor dieser Fläche fast in Ruhe steht; es ist aber das Ausflußverhältniß ein ganz anderes, wenn, wie wir im Folgenden annehmen wollen, der Querschnitt der Mündung einen beträchtlichen Theil von der Fläche ausmacht, in welcher dieselbe ausgeschnitten ist. In diesem Falle fließt das Wasser der

Mündung mit einer Geschwindigkeit zu, welche zu der Ausflußgeschwindigkeit in einem gewissen Verhältnisse steht, welches man nicht als Null ansehen darf. In Folge dieser Zuflußgeschwindigkeit wird der ausfließende Wasserstrahl nicht so stark contrahirt, als wenn das Wasser der Mündung sehr langsam zufließt, und es fällt deshalb auch der Contractionscoefficient α größer aus, als in dem seither behandelten Falle. Wir unterscheiden deshalb beim Ausflusse durch Mündungen in der dünnen Wand

die vollkommene und

die unvollkommene Contraction der Wasserstrahlen von einander.

Während bei der unvollkommenen Contraction das Verhältniß $\nu = \frac{F}{G}$ des Mündungsquerschnittes F zum Inhalte G der Gefäßwand oder zum Querschnitte des der Mündung zufließenden Wasserkörpers ein endliches ist, fällt dasselbe bei der vollkommenen Contraction unendlich klein oder nahe Null aus. Bei dem Ausflusse aus einem Gefäße wie $ABCD$, Figur 59, ist z. B. die Contraction eine unvollkommene, weil der Querschnitt F der Mündung im Boden CD ein nicht unbedeutender Theil vom Inhalte G der Bodenfläche oder vom Querschnitte G des der Mündung zuströmenden Wasserkörpers ist; wäre aber das Gefäß prismatisch, wie z. B. ABC_1D_1, so würde vielleicht F einen verschwindenden Theil von der Bodenfläche C_1D_1 ausmachen, und dann hätte man es mit der vollkommenen Contraction zu thun.

Fig. 59.

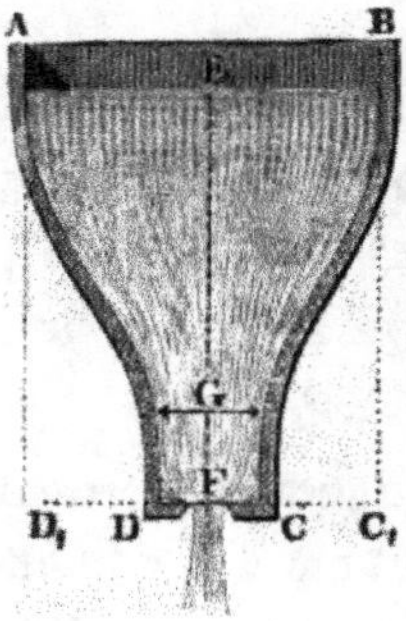

Während im ersteren Falle der Contractions- und folglich auch der Ausflußcoefficient veränderlich ist und mit dem Verhältnisse von $\nu = \frac{F}{G}$ wächst, ist derselbe im zweiten Falle ein bestimmter, und zwar der kleinste Grenzwerth von dem ersteren. Setzen wir den Ausflußcoefficienten, welcher dem Querschnittsverhältnisse $\nu = \frac{F}{G}$ entspricht, μ_ν, so können wir

$$\frac{\mu_\nu - \mu_0}{\mu_0} = f(\nu),$$

setzen, wobei $f(\nu)$ eine empirische Funktion von ν bedeutet. Aus einer großen Anzahl von Versuchen hat z. B. der Verfasser für den Ausfluß durch kreisförmige Mündungen

$$\frac{\mu_\nu - \mu_0}{\mu_0} = f(\nu) = 0,04564\ (14,821^\nu - 1)$$

gefunden, wonach sich folgende Tabelle berechnen läßt.

Die Correctionen der Ausflußcoefficienten für die unvollkommene Contraction beim Ausflusse durch kreisförmige Mündungen.

$\nu = \frac{F}{G}$	0,1	0,2	0,3	0,4	0,5	0,6	0,7	0,8	0,9	1,00
$\frac{\mu_\nu - \mu_0}{\mu_0}$	0,014	0,034	0,059	0,092	0,134	0,189	0,260	0,351	0,471	0,613

Der vorstehenden Tabelle zu Folge wird z. B. dann, wenn die Mündung $\frac{3}{10}$ von der Bodenfläche einnimmt, also $\nu = \frac{F}{G} = 0,3$ ist,

$$\frac{\mu_\nu - \mu_0}{\mu_0} = 0,059,$$

also der entsprechende Ausflußcoefficient

$$\mu_\nu = \mu_{0,3} = 1,059\ \mu_0$$

sein. Wäre nun der Ausflußcoefficient für dieselbe Mündung bei vollkommener Contraction oder bei einer sehr großen Bodenfläche $\mu_0 = 0,815$, so würde er für diesen Fall beinahe 6 Procent größer, d. i.

$\mu_{0,3} = 1,059 \cdot 0,815 = 0,863$ betragen.

Für rectanguläre Mündungen fallen diese Correctionen noch etwas anders aus. Das Nähere ist nachzusehen in „Weisbach's Versuchen über die unvollkommene Contraction des Wassers u. s. w. Leipzig 1843."

Wird das Wasser durch ein Seitenrohr DD aus einem Reservoir ABC, Fig. 60, der Mündung F zugeführt, so findet ebenfalls beim Ausflusse durch F unvollkommene Contraction statt, wenn $\frac{F}{G}$ nicht sehr klein ist, und es fließt deshalb durch diese Mündung mehr Wasser aus, als wenn sie unmittelbar in einer Seitenwand des Gefäßes angebracht wäre. Für den Ausfluß aus diesem Gefäße haben wir, wenn die Druckhöhe EH durch h, die Geschwindigkeit des Wassers im Seitenkanal DD durch v_0, die Ausflußgeschwindigkeit durch v, der Wider-

Fig. 60.

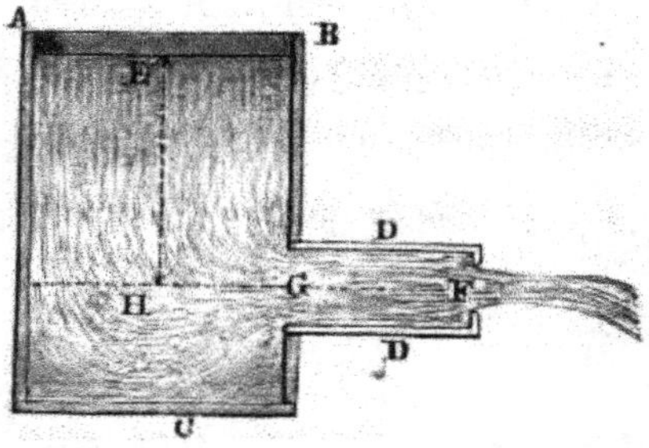

standscoefficient für den Eintritt in DD durch ζ_0 und der für den Ausfluß durch ζ bezeichnet wird.

$$h = \zeta_0 \frac{v_0^2}{2g} + (1 + \zeta) \frac{v^2}{2g}.$$

Ist nun aber der Contractionscoefficient für den Ausfluß durch F, α_ν, so haben wir noch

$$Q = Gv_0 = \alpha_\nu Fv, \text{ oder } v_0 = \frac{\alpha_\nu F}{G} v; \text{ daher}$$

$$h = \left[1 + \zeta + \zeta_0 \left(\frac{\alpha_\nu F}{G}\right)^2\right] \frac{v^2}{2g},$$

und umgekehrt

$$v = \sqrt{\frac{2gh}{1 + \zeta + \zeta_0 \left(\frac{\alpha_\nu F}{G}\right)^2}}, \text{ und}$$

$$Q = \alpha_\nu Fv = \alpha_\nu F \sqrt{\frac{2gh}{1 + \zeta + \zeta_0 \left(\frac{\alpha_\nu F}{G}\right)^2}}.$$

Nun ist aber noch $1 + \zeta = \frac{1}{\varphi^2}$, wenn φ den Geschwindigkeits-coefficienten und $\varphi \alpha_\nu = \mu_\nu$ den Ausflußcoefficient bezeichnet. Daher hat man auch

$$Q = \mu_\nu F \sqrt{\frac{2gh}{1 + \zeta_0 \left(\frac{\mu_\nu F}{G}\right)^2}}$$

$$= \mu_\nu F \sqrt{\frac{2gh}{1 + \zeta_0 (\mu_\nu \nu)^2}},$$

während dann, wenn die Mündung F unmittelbar im Umfang des Reservoirs säße,

$$Q = \mu_0 F \sqrt{2gh} \text{ oder schlechtweg } \mu F \sqrt{2gh} \text{ wäre.}$$

Es ist der Ausflußcoefficient μ_ν um so viel größer als der Ausflußcoefficient μ oder μ_0, daß trotz des Nenners $1 + \zeta_0 \left(\frac{\mu_\nu F}{G}\right)^2$, die erstere Wassermenge größer ausfällt als die andere. Für das obige Beispiel wo $\nu = \frac{F}{G} = 0{,}3$ und $\mu_\nu = \mu_{0,3} = 1{,}059$ und $\mu_0 = 0{,}863$ ist, hat man, wenn man noch nach §. 19, $= \zeta_0 = 0{,}505$ annimmt, im ersten Falle

$$Q = 1,059\,\mu F \sqrt{\frac{2gh}{1 + 0,505\,.\,(0,863\,.\,0,3)^2}}$$

$$= 1,059\,\mu F \sqrt{\frac{2gh}{1,0339}} = 1,041\,\mu F \sqrt{2gh}\,,$$

d. i. um 4,1 Procent größer als im zweiten Falle, beim Ausflusse mit vollkommener Strahlencontraction.

Die Wirkung der unvollkommenen Contraction macht sich auch bei dem Ausflusse durch kurze cylindrische oder andere Ansatzröhren ohne innere Abrundung bemerkbar, wie dasselbe auch aus der Formel

$$v = \sqrt{\frac{2gh}{1 + \left(\frac{1}{\alpha} - 1\right)^2}}$$

in §. 18 für die Ausflußgeschwindigkeit des durch kurze Ansatzröhren ausfließenden Wassers hervorgeht; da hier statt α ein größerer Werth α_ν als α_0 einzusetzen ist, so erhält man auch in

$$v = \sqrt{\frac{2gh}{1 + \left(\frac{1}{\alpha_\nu} - 1\right)^2}}$$

einen größeren Werth als durch

$$v = \sqrt{\frac{2gh}{1 + \left(\frac{1}{\alpha_0} - 1\right)^2}}.$$

Es giebt also auch eine kurze cylindrische Ansatzröhre mehr Ausflußquantum, wenn das Wasser mit unvollkommener Contraction in dieselbe eintritt, als wenn es mit vollkommener Contraction durch dieselbe fließt.

Für diese Röhren gilt, den oben citirten Versuchen des Verfassers zu Folge, die empirische Formel

$$\frac{\mu_\nu - \mu_0}{\mu_0} = 0,102\,\nu + 0,067\,\nu^2 + 0,046\,\nu^3;$$

wobei wieder ν das Verhältniß $\frac{F}{G}$ des Querschnittes F der Röhre zum Inhalte G der Wand, worin diese Röhre einmündet, ferner μ_0 den Ausflußcoefficienten für diese Röhre beim Eintritt des vollkommen contrahirten und μ_ν denselben Coefficienten beim Eintritt eines unvollkommen contrahirten Wasserstrahles bezeichnen. Nach dieser Formel ist folgende Tabelle berechnet worden.

Die Correctionen der Ausflußcoefficienten für die unvollkommene Contraction beim Ausflusse durch kurze cylindrische Ansatzröhren.

$\nu = \frac{F}{G}$	0,1	0,2	0,3	0,4	0,5	0,6	0,7	0,8	0,9	1,00
$\frac{\mu_\nu - \mu_0}{\mu_0}$	0,013	0,027	0,043	0,060	0,080	0,102	0,127	0,152	0,181	0,227

Hiernach findet man z. B. für den Ausfluß durch eine kurze cylindrische Ansatzröhre, welcher das Wasser durch eine doppelt so weite Röhre zugeführt wird, für welche also $\nu = \frac{F}{G} = \left(\frac{1}{2}\right)^2 = \frac{1}{4}$ ist, durch Interpolation

$$\frac{\mu_\nu - \mu_0}{\mu_0} = \frac{0,027 + 0,043}{2} = 0,035\text{, also}$$
$$\mu_\nu = 1,035\,\mu_0\,,$$

d. i. um $3^1/_2$ Procent größer als wenn die Röhre unmittelbar in das weite Reservoir einmündete.

Dieses Ausflußverhältniß tritt auch bei den in Fig. 61 abgebildeten Apparate ABC ein, aus welchem das Wasser erst durch eine weitere Röhre DD der engeren Röhre EE zugeführt wird. Auch hier haben wir, wenn wir uns wieder der oben bei den in Fig. 60 angewendeten Bezeichnungen bedienen, für die Druckhöhe

Fig. 61.

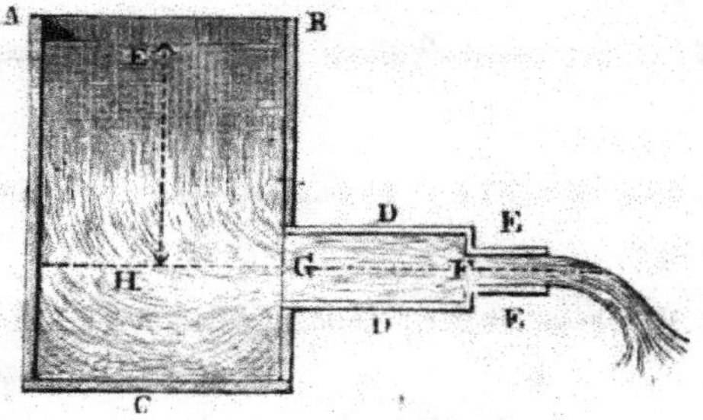

$$EH = h = \zeta_0 \frac{v_0^2}{2g} + (1 + \zeta)\frac{v^2}{2g}.$$

Nun ist aber hier $Q = Gv_0 = Fv$, daher ist

$$h = \left[1 + \zeta + \zeta_0 \left(\frac{F}{G}\right)^2\right]\frac{v^2}{2g}.$$

und die Ausflußgeschwindigkeit

$$v = \sqrt{\frac{2gh}{1 + \zeta + \zeta_0 \left(\frac{F}{G}\right)^2}},$$

oder wenn wir für

$$\frac{1}{1+\zeta} = (\mu_\nu)^2 \text{ einführen,}$$

$$v = \mu_\nu \sqrt{\frac{2gh}{1+\zeta_0\left(\frac{\mu_\nu F}{G}\right)^2}},$$

und ebenso das Ausflußquantum

$$Q = Fv = \mu_\nu F \sqrt{\frac{2gh}{1+\zeta_0\,(\mu_\nu \nu)^2}}, \text{ wogegen nur}$$

$$Q = \mu_0 F \sqrt{2gh}$$

wäre, wenn die Ansatzröhre EE unmittelbar in der Gefäßwand säße.

Für $\nu = \frac{1}{4}$, wo $\mu_\nu = 1{,}035\,\mu_0$ ist, haben wir z. B., wenn wir wieder für den Eintritt in die Röhre DD, den Widerstands-coefficienten $\zeta_0 = 0{,}505$ (S. § 19, Seite 82) setzen und die Reibung des Wassers in dieser Röhre außer Acht lassen, im ersten Falle

$$Q = 1{,}035\,\mu_0 \sqrt{\frac{2gh}{1+0{,}505\,.\,(1{,}035\,.\,0{,}25)^2}}$$

$$= 1{,}035\,\mu_0 \sqrt{\frac{2gh}{1{,}0339}} = 1{,}017\,\mu_0 \sqrt{2gh},$$

d. i. um 1,7 Procent mehr als im zweiten Falle, bei vollkommener Contraction.

§. 28. Versuche über den Ausfluß des Wassers bei unvollkommener Contraction.

Zu den Versuchen über die unvollkommene Contraction der Wasserstrahlen, wurde

I. Die weitere kurze cylindrische Ansatzröhre ABB aus III, §. 20 benutzt, und in deren Ausmündung entweder ein Mundstück C, Fig. 62, mit einer Mündung in der dünnen Wand, wie C, oder ein kurzes cylindrisches Mundstück CD, Fig. 63, eingesetzt. Die auf diese Weise erhaltenen zusammengesetzten Mundstücke wurden mittelst der Kopfscheibe FF auf die bekannte Weise in das Hauptreservoir eingesetzt, und die Versuche selbst bei allmälig abnehmendem Drucke angestellt.

Fig. 62.

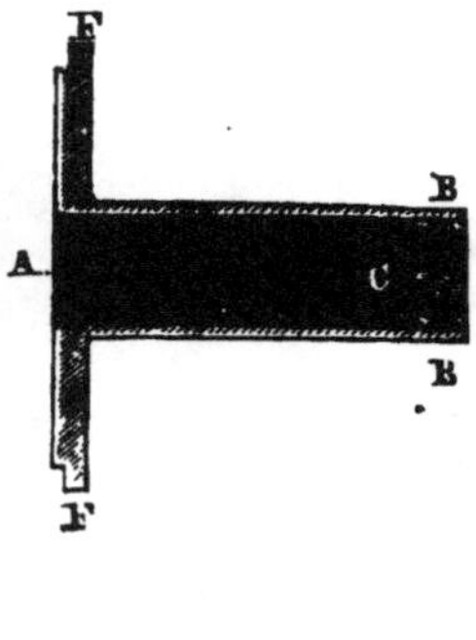

1) Bei dem zusammengesetzten Mundstück in Fig. 62 betrug die Weite der Mündung C in der dünnen Wand 1 Centimeter, folglich der Inhalt derselben, wie meistens, $F = 0{,}7854$ Quadratcentimeter, und es waren die Versuchsergebnisse, nach der Formel

$$\mu = \frac{718{,}88}{t}\left(\sqrt{h_1} - \sqrt{h_2}\right) \text{ berechnet, folgende:}$$

h Meter	t Secunden	μ	$\left(\frac{1}{\mu}\right)^2$
0,0872	191½	0,763	1,718
0,3998	92¼	0,740	1,818
0,8990	62	0,734	1,856.

Die Weite der Röhre AB war 1,414 Centimeter, folglich betrug das Querschnittsverhältniß

Fig. 63.

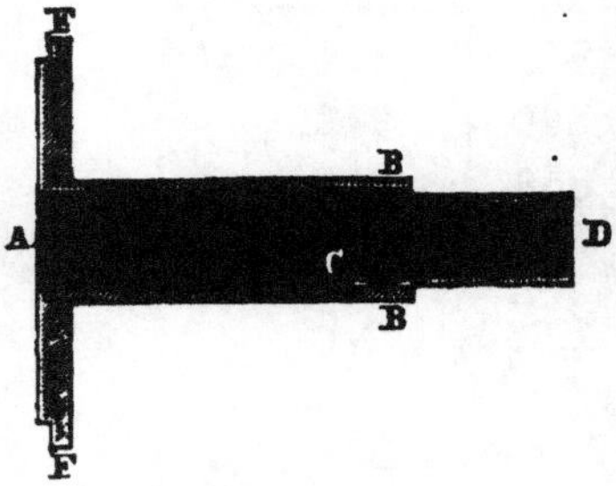

$$\nu = \frac{F}{G} = \left(\frac{1}{1{,}414}\right)^2 = \frac{1}{2};$$

ferner der mittlere Widerstandscoefficient für die Zuleitungsröhre AB war nach III, §. 20, $\zeta_0 = 0{,}191$, folglich hat man $\mu_\nu = \mu_{\frac{1}{2}}$ und

$$\zeta_0 (\nu)^2 = 0{,}191 \left(\frac{1}{2}\right)^2 = 0{,}048.$$

Diese Werthe hat man in den Ausdruck

$$\left(\frac{1}{\mu_\nu}\right)^2 = \frac{1}{\mu^2} - \zeta_0 (\nu)^2, \text{ oder in } \mu_\nu = \frac{1}{\sqrt{\frac{1}{\mu^2} - \zeta_0 (\nu)^2}}$$

einzusetzen, wobei μ aus der letzten Tabelle zu nehmen ist.

Der Mittelwerth von $\frac{1}{\mu^2}$ ist 1,797, folglich hat man

$$\left(\frac{1}{\mu_{\frac{1}{2}}}\right)^2 = 1{,}797 - 0{,}048 = 1{,}749,$$

und den gesuchten Ausflußcoefficienten für die unvollkommene Contraction

$$\mu_{\frac{1}{2}} = \frac{1}{\sqrt{1{,}749}} = 0{,}756.$$

Für vollkommene Contraction haben wir bei derselben Mündung in I, § 15 im Mittel

$\mu_0 = 0{,}632$ gefunden; folglich ist hiernach

$$\frac{\mu_{\frac{1}{2}} - \mu_0}{\mu_0} = \frac{0{,}755 - 0{,}632}{0{,}632} = \frac{0{,}123}{0{,}632} = 0{,}195.$$

Mit der obigen Tabelle verglichen, ist diese Correction etwas zu groß, da sie nahe dem Werth

$$\frac{\mu_{0'6} - \mu_0}{\mu_{0'6}} = 0{,}189 \text{ für } \nu = 0{,}6 \text{ entspricht.}$$

2) Bei dem zusammengesetzten Mundstück in Fig. 63 ist die Weite der kurzen Ansatzröhre CD, $= d = 1$ Centimeter und die Länge $l = 3d = 3$ Centimeter, und die Versuchsergebnisse waren folgende:

h Meter	t Secunden	μ	$\frac{1}{\mu^2}$
0,0872	171¼	0,853	1,374
0,3998	79¼	0,860	1,349
0,8990	53	0,858	1,357.

Es ist also hier im Mittel $\frac{1}{\mu^2} = 1{,}360$, daher

$$\frac{1}{\mu^2} - \zeta_0 (\nu)^2 = 1{,}360 - 0{,}048 = 1{,}312,$$

und folglich

$$\mu_{\frac{1}{2}} = \frac{1}{\sqrt{1{,}312}} = 0{,}873,$$

und da nun der mittlere Werth des Ausflußcoefficienten für kurze cylindrische Ansatzröhren nach I, §. 20, $\mu_0 = 0{,}816$ ist, so hat man hiernach

$$\frac{\mu_{\frac{1}{2}} - \mu_0}{\mu_{\frac{1}{2}}} = \frac{0{,}873 - 0{,}816}{0{,}816} = 0{,}070,$$

welcher Werth nach der Tabelle II, des vorigen Paragraphen nicht $\nu = \frac{1}{2}$ sondern $\nu = 0{,}45$ entspricht; es ist also hiernach die gefundene Correction etwas zu klein.

II. Die aus §. 16 bekannten größeren vierseitigen Mündungen lassen sich ebenfalls zu Versuchen über die unvollkommene Contraction verwenden, wenn man dieselben an das eine Ende *CD* eines besonderen Gerinnes *ABCD*, Fig. 64, ansetzt, welches mit dem anderen Ende *AB* an die Mündung *X* der bekannten Vorlage *UUS*, Fig. 8, angeschraubt ist. Das zu Versuchen dieser Art verwendete Gerinne war aus Zinkblech, hatte eine lichte Weite von 5 und eine lichte Höhe von 10 Centimeter, und es betrug dessen Länge 25 Centimeter. Die aus §. 16 bekannten und in den Figuren 65 und 66 abgebildeten Mündungsbleche *EF*, Fig. 64, wurden mittelst vier Schrauben genau

Fig. 64.

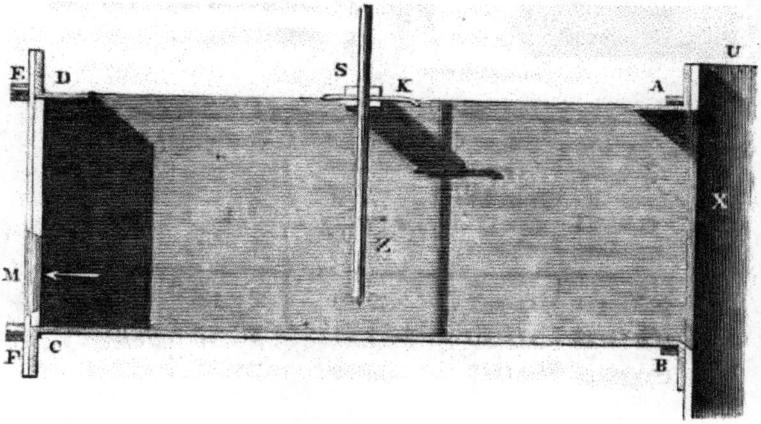

so mit dem Gerinne *AC* verbunden, wie oben nach §. 16 mit der Vorlage, und ebenso war die Befestigung des Gerinnes mit der Vorlage durch vier Schrauben genau dieselbe wie die der Mündungsbleche.

Die Druckhöhe ließ sich entweder durch den bekannten Zeiger in der Vorlage, oder auch durch einen besonderen Zeiger *SZ*, Fig. 64, in dem Gerinne *AC* messen. Derselbe ging durch einen Steg *S* und ließ sich in demselben mittelst eines Keiles *K* feststellen, während der Steg selbst mittelst einer Schraube an jeder beliebigen Stelle mit dem Gerinne fest verbunden werden konnte. Da der Zeiger in der Vorlage den Stand des beinahe stillstehenden Wassers und dagegen der Zeiger im Gerinne den Stand des bewegten Wassers angiebt, so ist natürlich die vom letzteren angegebene Druckhöhe mindestens um die Geschwindigkeitshöhe des Wassers im Gerinne kleiner als die Druckhöhe in der Vorlage.

A. Die Versuche mit der quadratischen Mündung, Fig. 65, am Ende des kurzen Gerinnes AC, Fig. 64.

Fig. 65.

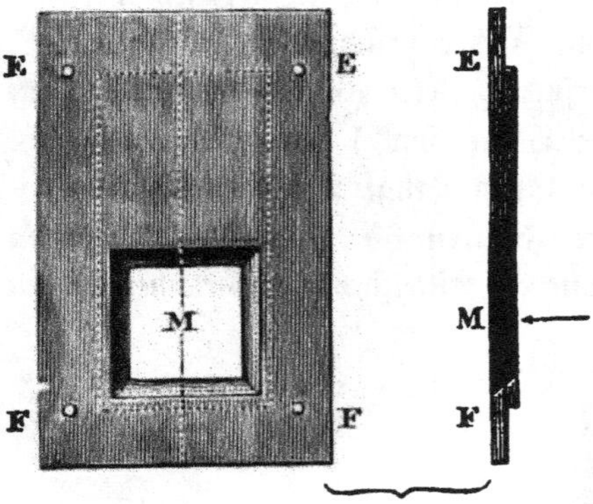

Die Seitenlänge der Mündung war (s. §. 16) $a = 3$ Centimeter, folglich $F = 9$ Quadratcentimeter.

1) Die nach der Formel

$$\mu = \frac{3{,}764}{t\sqrt{h}}\left(1 + \frac{a^2}{96\,h^2}\right)$$

berechneten Versuche gaben Folgendes:

Druckhöhe h Meter über der Mitte der Mündung	Höhe a_1 des Wassers im Gerinne	Querschnittsverhältniß $\nu = \frac{F}{G}$	Ausflußzeit t	Ausflußcoefficient μ_1
0,07008	0,095	0,189	21,92	0,649
0,04508	0,070	0,257	26,87	0,663
0,02008	0,045	0,400	38,57	0,704 .

Nach §. 16, I, sind die Ausflußcoefficienten für dieselbe Mündung und nahe dieselben Druckhöhen bei vollkommener Contraction des Strahles:

$$\mu = 0{,}632;\ 0{,}628 \text{ und } 0{,}611,$$

und folglich hat man die Differenz der Ausflußcoefficienten:

für $\nu =$	0,189	0,257	0,400
$\mu_1 - \mu =$	0,017	0,035	0,093.

2) Ein Versuch bei noch kleinerem Drucke, wobei die Ausflußmündung in einen Wandeinschnitt oder Ueberfall überging, gab für

$h_1 = 0{,}0275$ Meter, $t = 53{,}4$ Sec.; wonach sich

$$\mu_1 = \frac{0{,}0050813}{F t \sqrt{h_1}} = \frac{0{,}0050813}{0{,}000825\,.\,53{,}4\,\sqrt{0{,}0275}} = 0{,}696$$

berechnet, und wogegen wir in I, §. 16 für denselben Ueberfall, bei vollkommener Contraction, $\mu = 0,590$ gefunden haben. Die Höhe des Wassers im Gerinne war $a_1 = 0,0375$ Meter, folglich

$$\nu = \frac{F}{G} = \frac{0,0275 . 0,03}{0,0375 . 0,05} = 0,44$$

und die entsprechende Vergrößerung des Ausflußcoefficienten

$$\mu_1 - \mu = 0,696 - 0,590 = 0,101 .$$

Dieses Wachsen des Ausflußcoefficienten mit der Zunahme des Querschnittsverhältnisses $\nu = \frac{F}{G}$, ließ sich dadurch noch besonders gut nachweisen, daß man dasselbe Mündungsblech auch umgekehrt an das Gerinne ansetzen konnte, wobei die Mündungssohle nicht, wie in den letzten Versuchen, blos 1 Centimeter, sondern 6 Centimeter von der Röhrensohle abstand, und folglich die Höhe des Wassers im Gerinne um 5 Centimeter größer ausfiel als oben.

3) Ein Versuch mit gefülltem Mündungsquerschnitte gab Folgendes:

$h = 0,02008$ Meter, $a_1 = 0,095$ Meter, $\nu = \frac{F}{G} = 0,189$,

$t = 43,3$ und hiernach

$$\mu_1 = \frac{3,764}{t\sqrt{h}}\left(1 + \frac{a^2}{96h^2}\right)$$

$$= \frac{3,764}{43,3\sqrt{0,02008}}\left[1 + \frac{1}{96}\left(\frac{3}{2}\right)^2\right] = 0,632 .$$

4) Ein Ausflußversuch mit Ueberfall gab

$h_1 = 0,0275$ Meter, $a_1 = 0,0875$ Meter und $\nu = \frac{F}{G} = 0,188$

$t = 60,4$ Sec. und hiernach

$$\mu_1 = \frac{0,0050813}{Ft\sqrt{h_1}} = 0,615 .$$

Es kommen also, sehr richtig, die letzten Ausflußcoefficienten $\mu_1 = 0,632$ und $\mu_1 = 0,615$ für die kleinen Werthe von $\nu = 0,189$ und 0,188 den in §. 16 gefundenen Werthen $\mu = 0,611$ und 0,590 für dieselben Mündungen und Druckhöhen bei vollkommener Contraction viel näher als die obigen Werthe $\mu = 0,704$ und 0,696 für $\nu = 0,40$ und $\nu = 0,44$.

B. Die Versuche mit der rectangulären Mündung, Fig. 66, am Ende des kurzen Gerinnes AC, Fig. 64.

Fig. 66.

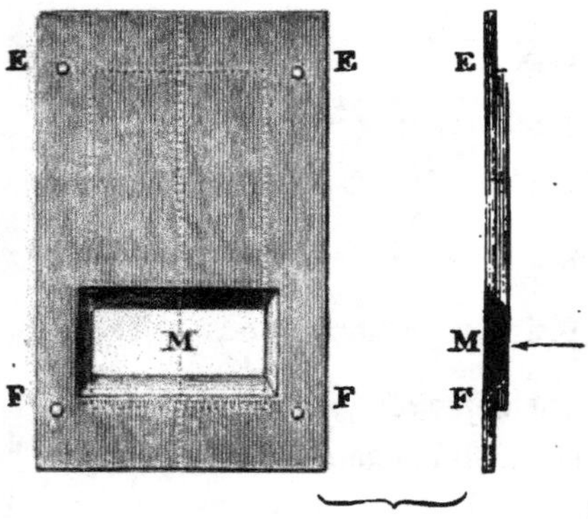

Die Seitenlänge dieser Mündung war gleich der des Gerinnes, also $b = 5$ Centimeter; die Höhe derselben: $a = 2$ Centimeter; folglich $F = 0{,}05 \,.\, 0{,}02 = 0{,}0010$ Quadratmeter.

1) Drei nach der (aus Seite 68 bekannten) Formel

$$\mu_1 = \frac{3{,}3875}{t\sqrt{h}}\left(1 + \frac{a^2}{96h^2}\right)$$

berechneten Versuche führten auf folgende Zahlenwerthe:

Druckhöhe h Meter über der Mitte der Mündung	Höhe a_1 Met. des Wassers im Gerinne	Querschnittsverhältniß $\nu = \frac{F}{G}$	Ausflußzeit t Sec.	Ausflußcoefficient μ_1
0,075	0,095	0,211	18,5	0,671
0,050	0,070	0,286	22,625	0,674
0,020	0,040	0,500	31,75	0,787 .

Die §. 16, II, gefundenen Ausflußcoefficienten für dieselbe Mündung und nahe dieselben Druckhöhen bei vollkommener Contraction des Strahles sind

$$\mu = 0{,}639;\ 0{,}646;\ 0{,}649;$$

und folglich hat man die Differenzen der Ausflußcoefficienten

für $\nu =$	0,211	0,286	0,500
$\mu_1 - \mu =$	0,032	0,028	0,138 .

Daß diese Differenzen zwischen den Ausflußcoefficienten für unvollkommene und denen für vollkommene Contraction im Ganzen größer ausfallen als bei der quadratischen Mündung, hat seinen Grund darin, daß sich hier noch die partielle Contraction zur unvollkommenen Contraction gesellt, da die Mündung über die ganze Gerinnbreite wegging und folglich an den Seiten keine Contraction statt hatte.

2) Ein Versuch bei noch kleinerem Drucke, wobei man den Ausfluß durch einen Ueberfall oder Wandeinschnitt erhielt, gab Folgendes:

$$h_1 = 0{,}0175 \text{ Meter}, \ t = 55 \text{ Sec., hiernach}$$

$$\mu_1 = \frac{0,0050813}{Ft\sqrt{h_1}} = \frac{0,0050813}{0,001 \,.\, 55\sqrt{0,0175}} = 0,798 \,.$$

Für denselben Ueberfall wurde bei vollkommener Contraction (s. oben §. 16, II) $\mu = 0,601$ gefunden, folglich ist hier bei dem Querschnittsverhältnisse

$$\nu = \frac{0,0175}{0,0275} = \frac{7}{11} = 0,636 \ldots, \text{ die Differenz}$$

$$\mu_1 - \mu = 0,798 - 0,601 = 0,197 \,.$$

Auch dieses Mündungsblech wurde noch umgekehrt eingesetzt, so daß die Mündung in demselben um 6 Centimeter höher über der Sohle des Gerinnes zu liegen kam, und folglich auch die Höhe des der Mündung zugeführten Wasserstromes um eben so viel größer wurde als bei den vorigen Versuchen.

3) Ein Versuch bei vollem Ausflusse gab

$$h = 0,0175 \text{ Meter}, \; a_1 = 0,0975, \; \nu = \frac{200}{975} = \frac{8}{39} = 0,205,$$

$t = 38,33$ Sec.; und hiernach

$$\mu_1 = \frac{3,3875}{t\sqrt{h}}\left(1 + \frac{a^2}{96\,h^2}\right)$$

$$= \frac{3,3875}{38,33\sqrt{0,0175}}\left[1 + \frac{1}{96}\left(\frac{200}{175}\right)^2\right] = 0,705 \,.$$

4) Ein Versuch mit Ueberfall gab

$$h_1 = 0,0175 \text{ Meter}, \; a_1 = 0,0875, \; \nu = \frac{175}{875} = \frac{7}{35} = 0,200,$$

$t = 71,8$ Sec., wonach

$$\mu_1 = \frac{0,0050813}{Ft\sqrt{h_1}} = \frac{0,0050813}{0,000875 \,.\, 71,8\sqrt{0,0175}} = 0,611 \text{ folgt.}$$

Die letzten Ausflußcoefficienten

$$\mu_1 = 0,705 \text{ und } 0,611 \text{ für } \nu = 0,205 \text{ und } 0,200$$

sind, der Erwartung entsprechend, ansehnlich kleiner als die obigen Coefficienten

$$\mu_1 = 0,787 \text{ und } 0,798 \text{ für } \nu = 0,500 \text{ und } 0,636,$$

und dagegen größer als die Coefficienten aus II, §. 16 für vollständige und vollkommene Contraction unter ganz oder nahe demselben Drucke:

$$\mu = 0,649 \text{ und } 0,601 \,.$$

Wäre die Druckhöhe in der Vorlage, also bei stillstehendem Wasser gemessen worden, so würden die gefundenen Ausflußcoefficienten noch zu klein, und der Widerstand, welchen das Wasser beim Eintritt in das Gerinne und in dem Gerinne selbst erleidet, noch in Abzug zu bringen sein; da wir aber die Druckhöhe mittelst des Zeigers SZ, Fig. 64, im Gerinne selbst gemessen haben, so sind dagegen die Ausflußcoefficienten zu groß ausgefallen, weil dann noch die Ausflußgeschwindigkeit durch die lebendige Kraft oder durch die Geschwindigkeit des ankommenden Wassers vergrößert wird. Ist v die Ausflußgeschwindigkeit, ν das bekannte Querschnittsverhältniß $\frac{F}{G}$ und ζ_0 der Widerstandscoefficient für den Eintritt in das Gerinne u. s. w., so haben wir jedenfalls die Geschwindigkeit des Wassers im Gerinne; $v_0 = \nu v$, und die zur Erzeugung derselben, so wie zur Ueberwindung des Widerstandes beim Eintritt in das Gerinne nöthige und durch die Differenz beider Zeigerstände angezeigte Höhe:

$$h_0 = \frac{v_0^2}{2g} + \zeta_0 \frac{v_0^2}{2g} = (1 + \zeta_0)\, \nu^2 \frac{v^2}{2g}.$$

Setzen wir den corrigirten Ausflußcoefficienten μ_ν, so haben wir für den Fall, bei welchem die Druckhöhe in der Vorlage gemessen wird:

$$\left(\frac{1}{\mu_\nu}\right)^2 = \frac{1}{\mu_1^2} - \zeta_0 (\nu)^2,$$

dagegen für den Fall, wenn die Druckhöhe im Gerinne gemessen wird:

$$\left(\frac{1}{\mu_\nu}\right)^2 = \frac{1}{\mu_1^2} + \nu^2;$$ so daß also im ersten Falle

$$\mu_\nu = \frac{1}{\sqrt{\frac{1}{\mu_1^2} - \zeta_0 \nu^2}}$$ und im zweiten

$$\mu_\nu = \frac{1}{\sqrt{\frac{1}{\mu_1^2} + \nu^2}}$$ folgt.

Wenn das Wasser durch einen Kanal oder ein Gerinne $ABCD$, Fig. 67, der Ausflußmündung F zugeführt wird, so läßt sich natürlich nur die Druckhöhe $EH = h$ des bewegten Wassers messen, und es ist folglich dann selbst die theoretische Aus-

Fig. 67.

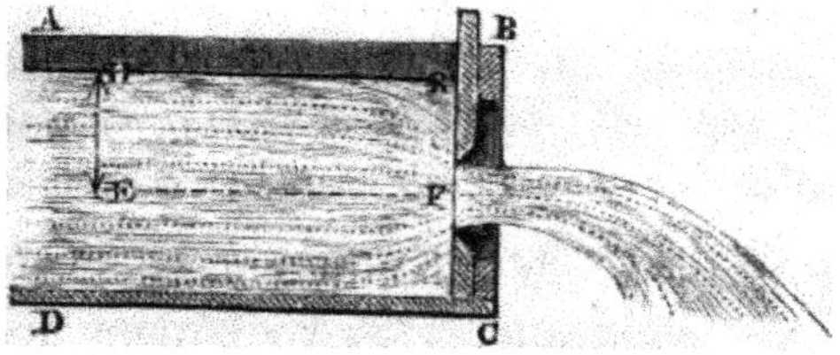

flußmenge nicht allein von der Druckhöhe h und von der Größe der Ausflußmündung F, sondern auch von der Geschwindigkeit des zufließenden Wassers, oder was nach §. 5, V, auf eins hinaus kommt, von dem Querschnittsverhältnisse $\nu = \frac{F}{G}$ abhängig. Das theoretische Ausflußquantum ist, dem angezogenen Paragraphen zu Folge,

$$Q = F \sqrt{\frac{2gh}{1 - \nu^2}},$$ und folglich das effective

$$Q_1 = \mu_\nu F \sqrt{\frac{2gh}{1 - (\mu_\nu \nu)^2}},$$

oder wenn $\mu_\nu \nu$ noch ein mäßiger ächter Bruch ist, annähernd

$$Q_1 = \mu_\nu \left(1 + \frac{(\mu_\nu \nu)^2}{2}\right) F \sqrt{2gh}.$$

Wäre nun noch

$$\mu_\nu = (1 + \psi \nu^2)\, \mu_0,$$

wo ψ einen Erfahrungscoefficienten bezeichnet, so hätte man

$$Q_1 = (1 + \psi \nu^2)\left[1 + (1 + \psi \nu^2)\frac{\nu^2}{2}\right] F \sqrt{2gh},$$

wofür wieder annähernd

$$Q_1 = (1 + \varkappa \nu^2) F \sqrt{2gh}$$

zu setzen ist, wenn wir unter $\varkappa$ einen andern Erfahrungscoefficienten verstehen.

Aus einer Reihe von Ausflußversuchen, welche von dem Verfasser in einem Gerinne von 36 Centimeter Weite und mit rectangulären Mündungen von 20 Centimeter Weite und von 5 bis 20 Centimeter Höhe angestellt worden sind, hat sich ergeben, daß in allen Fällen, wenn das Verhältniß $\nu = \frac{F}{G}$ des Mündungsquerschnittes zum Querschnitt des im Gerinne zufließenden Wassers, nicht über $\frac{1}{2}$ beträgt, der Coefficient

$$\varkappa = 0{,}641,$$ folglich

$$Q_1 = (1 + 0{,}641\, \nu^2)\, \mu_0 F \sqrt{2gh}$$

gesetzt werden kann, wobei die Druckhöhe h bis Mitte der Mündung und circa 1 Meter vor der Schützmundung zu messen, und statt μ_ν der Ausflußcoefficient für dieselbe Mündung F bei vollkommener und vollständiger Contraction (im Mittel 0,615) einzusetzen ist. Setzt man $(1 + 0{,}641\,\nu^2)\,\mu_0 = \mu_\nu$, so hat man einfach

$$Q_1 = \mu_\nu F \sqrt{2gh}\text{, und es ist}$$

für $\nu =$	0,1	0,2	0,3	0,4	0,5
$\frac{\mu_\nu - \mu_0}{\mu_0} =$	0,006	0,026	0,058	0,103	0,160.

Nimmt man z. B. nach II, A, 3) $\mu_0 = 0{,}632$, so erhält man hiernach für $\nu = 0{,}4$,

$$\mu_{0,4} = 1{,}103 \,.\, 0{,}632 = 0{,}697,$$

Fig. 68.

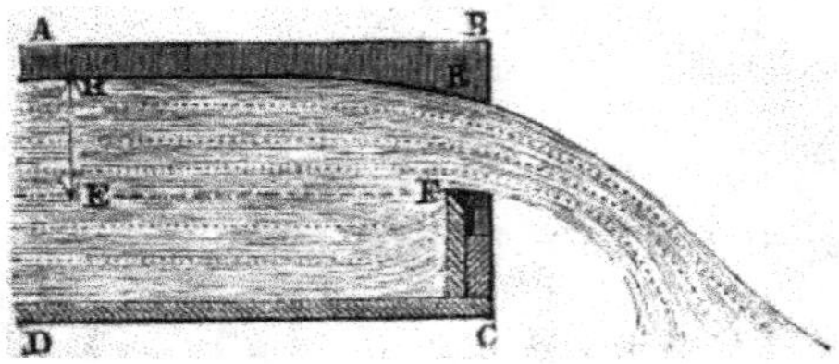

welches mit dem in II, A, 1, gefundenen Werth für $\mu_{0,4}$ recht gut übereinstimmt.

Auf gleiche Weise ist auch für einen Ueberfall HRF, im Gerinne $ABCD$, Fig. 68,

$$Q_1 = (1 + \varkappa\nu^2)\,.\,\frac{2}{3}\,\mu_0 F \sqrt{2gh},$$

wo h die Druckhöhe EH über der Schwelle, circa 1 Meter vor der Schwelle F gemessen, bezeichnet.

Für Ueberfälle von 20 Centimeter Weite in einem Gerinne von 36 Centimeter Weite fand der Verfasser folgende Formel anwendbar

$$Q_1 = (1 + 1{,}718\,\nu^4)\,\frac{2}{3}\,\mu_0 F \sqrt{2gh}\text{, so daß}$$

für $\nu =$	0,1	0,2	0,3	0,4	0,5
$\frac{\mu_\nu - \mu_0}{\mu_\nu} =$	0,000	0,003	0,014	0,044	0,107

folgt.

Hat der Ueberfall mit dem Gerinne einerlei die Breite, so fällt noch die Contraction des abfließenden Wassers an den Seiten weg, weshalb dann μ_ν noch größer wird.

Es ist dann, den Versuchen des Verfassers zu Folge:

$Q_1 = (1{,}041 + 0{,}3693\,\nu^2)\frac{2}{3}\mu_0 F\sqrt{2gh}$, und hiernach

für $\nu =$	0,1	0,2	0,3	0,4	0,5
$\frac{\mu_\nu - \mu_0}{\mu_0} =$	0,045	0,056	0,074	0,100	0,133

zu setzen.

Siehe „Ingenieur- und Maschinenmechanik," Bd. I, §. 356.

Achtes Kapitel.

Versuche über die Widerstände des Wassers bei plötzlichen Querschnittsveränderungen der Wasserleitungen.

§. 29. **Die Widerstandshöhe oder der Druckhöhenverlust bei plötzlichen Querschnitts- oder Geschwindigkeitsveränderungen.**

Wir haben schon oben, §. 18, gefunden, daß in jedem Falle, wenn das bewegte Wasser seine Geschwindigkeit v_1 momentan in eine andere Geschwindigkeit v umzusetzen genöthigt wird, ein Verlust an dem Arbeitsvermögen des Wassers entsteht, welchem ein Druckhöhenverlust oder eine sogenannte Widerstandshöhe

$$h_1 = \frac{(v_1 - v)^2}{2g}$$

entspricht; eine solche Geschwindigkeitsumsetzung tritt aber jedes Mal ein, wenn sich der Querschnitt F_1 des Wasserstromes oder der Wasserleitung plötzlich, d. i. ohne allmäligen Uebergang, in einen andern Querschnitt F umändert. Da $F_1 v_1 = Fv$ ist, so haben wir für diesen Fall

$$h_1 = \left(\frac{F}{F_1} - 1\right)^2 \frac{v^2}{2g},$$

und daher den entsprechenden Widerstandscoefficienten, wenn wir

$$h_1 = \zeta \cdot \frac{v^2}{2g} \text{ setzen,}$$

$$\zeta = \left(\frac{F}{F_1} - 1\right)^2.$$

Ein solcher Fall tritt vorzüglich dann ein, wenn sich eine weitere Röhre B an eine engere Röhre A, Fig. 69, anschließt, wobei also der kleinere Querschnitt F_1 plötzlich in einen größeren Querschnitt F, und folglich die größere Geschwindigkeit $v_1 = \frac{F}{F_1} v$ plötzlich in die kleinere Geschwindigkeit v übergeht.

Fig. 69.

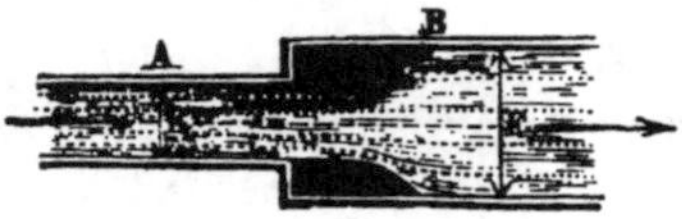

Es bildet sich in dem ringförmigen Raume hinter der ebenen Begrenzungswand zwischen beiden Röhren ein Wasserwirbel, durch welchen die Druckhöhe h_1 aufgezehrt wird.

Aber nicht allein bei einer plötzlichen Erweiterung, sondern auch bei einer solchen Verengung, wie Fig. 70 vor Augen führt, wo sich an eine weitere Röhre A eine engere B anschließt, kommt dieser Verlust an Druck- oder Geschwindigkeitshöhe vor, indem der Querschnitt F_1 des contrahirten Wasserstrahles plötzlich in den Querschnitt F der Röhre B übergehen muß.

Fig. 70.

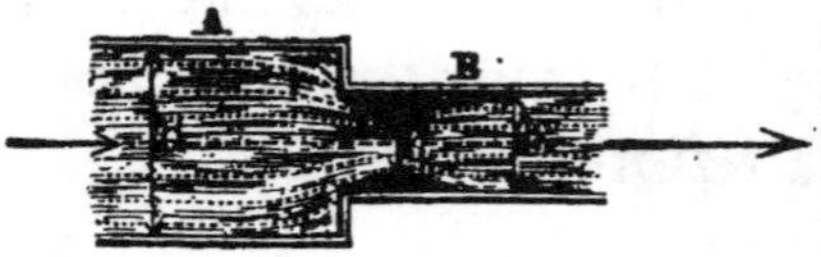

Wir haben hier, wie bei der kurzen cylindrischen Ansatzröhre, $F_1 = \alpha_\nu F$, und folglich den Widerstandscoefficienten

$$\zeta = \left(\frac{1}{\alpha_\nu} - 1\right)^2. \quad (\text{S. §. 18.})$$

Der Contractionscoefficient ist hier allerdings nicht constant, sondern er wächst wegen der unvollkommenen Contraction (S. §. 27) mit dem Verhältnisse $\nu = \frac{F}{G}$ des Querschnittes der engeren zum Querschnitte der weiteren Röhre. Jedenfalls haben wir hier den Ausflußcoefficienten μ_ν nach der Tabelle auf Seite 119, in §. 27, und hieraus erst den Widerstandscoefficienten

$$\zeta = \left(\frac{1}{\mu_\nu}\right)^2 - 1 \text{ zu berechnen.}$$

Fig. 71.

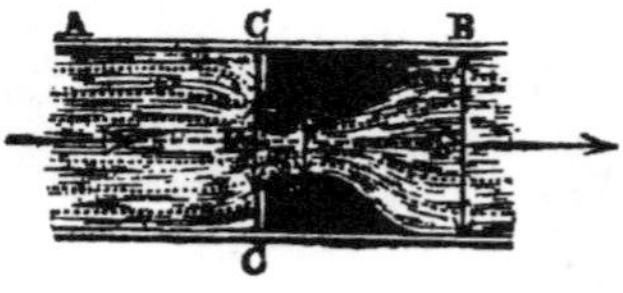

Befindet sich in Röhre AB, Fig. 71, von gleicher Weite ein Diaphragma, oder eine Mündung in der dünnen Wand, so ist die verlorne Geschwindigkeitshöhe ebenfalls

$$h_1 = \left(\frac{1}{\alpha_\nu} - 1\right)^2 \frac{v^2}{2g},$$

also der entsprechende Widerstandscoefficient

$$\zeta = \left(\frac{1}{\alpha_\nu} - 1\right)^2.$$

Auch ist wieder α_ν vom Verhältnisse $\nu = \frac{F_1}{F}$ des Querschnittes F_1 vom Diaphragma zum Querschnitte F der Röhre abhängig.

Versuchen des Verfassers zu Folge ist

für $\nu = \frac{F_1}{F} =$	0,1	0,2	0,3	0,4	0,5	0,6	0,7	0,8	0,9	1,0
$\alpha_\nu =$	0,624	0,632	0,643	0,659	0,681	0,712	0,755	0,813	0,892	1,000
✳ $\zeta =$	225,9	47,77	30,83	7,801	3,753	1,796	0,797	0,290	0,060	0,000

Fig. 72.

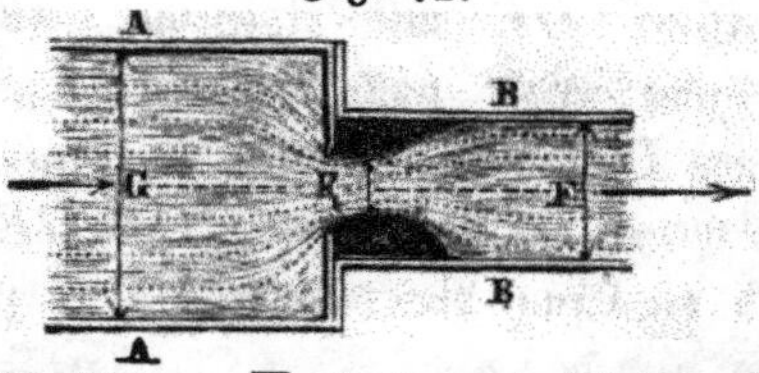

Sitzt ein solches Diaphragma im Röhrenwechsel, wie z. B. bei der Röhrenverbindung AB, Fig. 72, so hat man bei dem Querschnittte F der äußeren Röhre und bei dem Querschnitte F_1 des Diaphragmas, oder bei dem Querschnitte $\alpha_\nu F_1$ des contrahirten Wasserstromes:

$$\frac{v_1}{v} = \frac{F}{\alpha_\nu F_1},$$

und daher den Widerstandscoefficienten

$$✳\ \zeta = \left(\frac{F}{\alpha_\nu F_1} - 1\right)^2,$$

wobei der Contractionscoefficient α_ν nicht von $\frac{F_1}{F}$, sondern von dem Verhältnisse $\nu = \frac{F_1}{G}$ des Querschnittes F_1 des Diaphragma zu dem Querschnitte G der inneren Röhre abhängt. Ist dieses Querschnittsverhältniß klein, z. B. unter einem Zehntel, so hat man $\alpha_\nu = \alpha_0$ nahe constant, und im Mittel 0,615; ist aber ν größer als ein Zehntel, so muß man α_ν aus der letzten Tabelle nehmen, dabei aber ν nicht $= \frac{F_1}{F}$, sondern $= \frac{F_1}{G}$ setzen.

Um diese Widerstände bei Querschnittsveränderungen einer Röhre zu beseitigen, oder wenigstens so viel wie möglich herabzuziehen, muß man allmälige Uebergänge herstellen. Einen solchen Uebergang bewirkt man am einfachsten dadurch, daß man zwischen die ungleich weiten Röhren

Fig. 73.

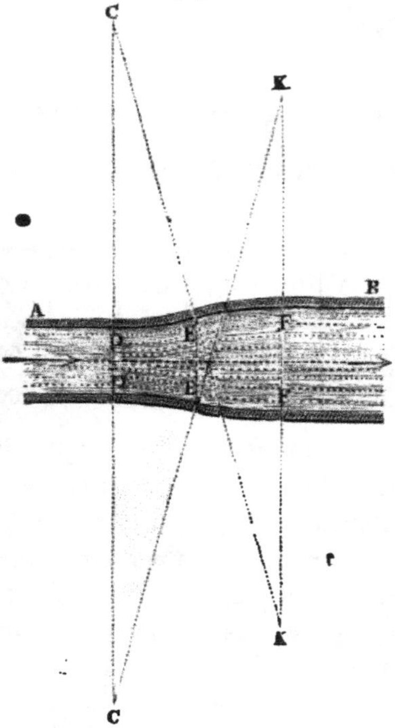

Fig. 74.

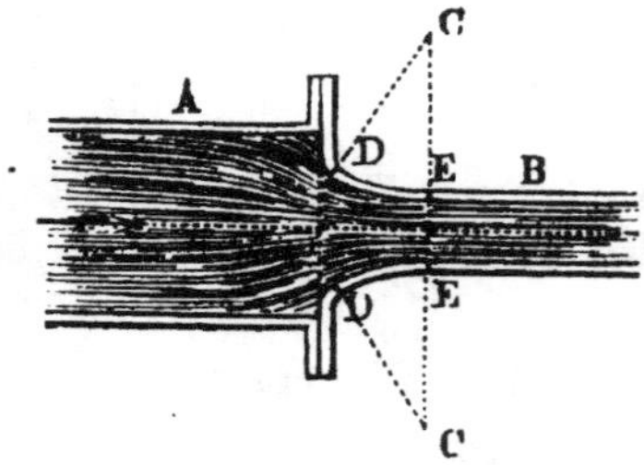

Fig. 75.

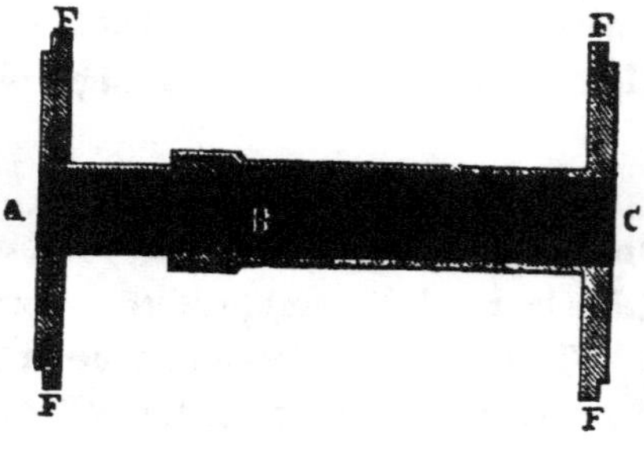

A und *B*, Fig. 73, ein Stück *DEF* einsetzt, welches durch Umdrehung zweier entgegengesetzt gekrümmter und sich in einander verlaufender Kreisbogen *DE* und *EF* entsteht, deren Halbmesser *CE* und *KE* also in eine und dieselbe gerade Linie fallen. Diese Röhrenstücke kommen besonders dann zur Anwendung, wenn das Wasser aus der engeren Röhre in eine weitere übergeht; im umgekehrten Falle, wie z. B. Fig. 74 vor Augen führt, genügt ein Zwischenstück *DE* mit einseitiger Abrundung, oder nach einem einzigen Bogen *DE*, nur ist dafür zu sorgen, daß weder der Halbmesser $CD = CE$, noch die Länge dieses Bogens *DE* zu klein und daß der größere Durchmesser *DD* mindestens $^5/_4$ des kleineren Durchmessers *EE* sei.

§. 30. Versuche über den Widerstand des Wassers bei einer plötzlichen Zusammenziehung und bei einer plötzlichen Erweiterung der Röhre.

Um die Druckhöhenverluste kennen zu lernen, welche plötzliche Erweiterungen und Verengerungen einer Röhre verursachen, wurden mit dem zusammengesetzten Mundstück in Fig. 75 Ausfluß-Versuche angestellt, dessen Dimensionen folgende waren. Das engere und kürzere Stück *AB* war die aus Fig. 45, §. 20 bekannte kurze cylindrische Ansatzröhre von 1 Centimeter Weite; das weitere und längere Stück *BC*, welches mit einem schraubenförmigen

Muff versehen war, um es an das Stück AB anschrauben zu können, hatte dagegen eine Weite von 1,414 Centimeter, und folglich doppelt so viel Querschnitt als das engere Stück. Die Länge der kürzeren Röhre betrug 3, und die der längeren 6 Centimeter. Beide Stücke waren mit Kopfplatten FF zum Einsetzen in die Ausflußapparate versehen. Die angestellten Versuche waren folgende:

I. Versuche über den Ausfluß durch die weitere Mündung, wobei also im Innern der Röhrenverbindung eine plötzliche Erweiterung gebildet wurde, und der Querschnitt der Ausmündung $F = 0{,}00015708$ Quadratmeter betrug.

1) Ein Versuch unter constantem Drucke in der Vorlage.

Es floß in der Zeit $t = 192{,}67$ Sec. unter der Druckhöhe $h = 6$ Centimeter die gewöhnliche Wasserschicht von 0,12 Meter Höhe aus; hiernach ist der Ausflußcoefficient: (S. §. 10, 1.)

$$\mu = \frac{Gs}{Ft\sqrt{2gh}} = \frac{359{,}44 \, . \, s}{2t\sqrt{h}} = \frac{21{,}566}{t\sqrt{h}} = \frac{21{,}566}{192{,}67\sqrt{0{,}06}} = 0{,}457,$$

und der entsprechende Widerstandscoefficient

$$\zeta = \frac{1}{\mu^2} - 1 = 3{,}789.$$

2) Für die drei Versuche unter veränderlichem Drucke, wobei das Mundstück in je einem Loche des Hauptreservoirs saß, ist

$$\mu = \frac{357{,}54\,(\sqrt{h_1} - \sqrt{h_2})}{t},$$

und sind hiernach folgende Ergebnisse gewonnen worden:

h_1 Meter	h_2 Meter	h Meter	t Secunden	$\mu = \varphi$	ζ
0,1575	0,0375	0,0872	149,5	0,488	3,189
0,4620	0,3420	0,3998	68,5	0,498	3,033
0,9600	0,8400	0,8990	45,33	0,502	2,927

Zur Vergleichung dieser Versuchsergebnisse mit der Theorie, wollen wir nur das Mittel $\zeta = 3{,}065$ der letzten drei Widerstandscoefficienten in Betracht ziehen. Der Widerstandscoefficient für das engere Einmündungsstück ist nach §. 20, I, 2, im Mittel $\zeta_1 = 0{,}500$; da aber der Querschnitt des Ausmündungsstückes den des Einmündungsstückes zwei Mal enthält, so ist die Geschwindigkeit in diesem doppelt, und folglich die Geschwindigkeitshöhe vier Mal so groß, als in jenem, und daher die Widerstandshöhe für das Einmündungsstück

$$h_1 = h_1 \cdot \frac{v^2}{2g} = 0{,}500 \,.\, 4 \,.\, \frac{v^2}{2g} = 2{,}00\, \frac{v^2}{2g}.$$

Der obigen Theorie (S. §. 29) zu Folge ist ferner der Widerstands-coefficient für Eintritt aus der engeren in die weitere Röhre,

$$\zeta_2 = \left(\frac{F}{F_1} - 1\right)^2 = \left(\frac{1}{\frac{1}{2}} - 1\right)^2 = (2-1)^2 = 1,$$

folglich nimmt dieser Uebergang die Druckhöhe

$$h_2 = \zeta_2 \cdot \frac{v^2}{2g} = 1 \,.\, \frac{v^2}{2g}$$

in Anspruch. Endlich ist für die mittlere Ausflußgeschwindigkeit von $\frac{2}{3}$ bis 2 Meter nach der Tabelle auf Seite 97, der Reibungscoefficient für das Ausmündungsstück im Mittel, $\zeta_3 = 0{,}0236$, und da nun noch für dieses Stück das Verhältniß $\frac{l}{d}$ der Röhrenweite d zur Röhrenlänge l, $= \frac{6}{1{,}414}$ beträgt, so hat man die verlorne Druckhöhe durch die Reibung des Wassers in dieser kurzen Röhre:

$$h_3 = \zeta_3 \frac{l}{d} \frac{v^2}{2g} = 0{,}0236 \,.\, \frac{6}{1{,}414} \frac{v^2}{2g} = 0{,}1 \,.\, \frac{v^2}{2g},$$

und folglich die ganze Widerstandshöhe für das zusammengesetzte Röhrenstück:

$$h_1 + h_2 + h_3 = (2{,}00 + 1{,}00 + 0{,}10) \frac{v^2}{2g} = 3{,}10\, \frac{v^2}{2g}.$$

Die vorstehenden Versuche gaben diese Höhe

$$\zeta \cdot \frac{v^2}{2g} = 3{,}065\, \frac{v^2}{2g};$$

folglich ist die Uebereinstimmung der Theorie mit der Erfahrung eine sehr große.

II. Versuche über den Ausfluß durch die engere Mündung, wobei also im Innern der Röhre eine plötzliche Verengung gebildet wurde, und der Querschnitt der Ausmündung $F = 0{,}00007854$ Quadratmeter betrug.

1) Ein Versuch unter constantem Drucke. Es war $h = 0{,}06$ Meter und $t = 218$ Sec., wonach

$$\mu = \frac{359{,}44 \,.\, s}{t\sqrt{h}} = 0{,}808 \text{ und } \zeta = 0{,}533 \text{ folgt.}$$

2) Die Ergebnisse der Versuche unter allmälig abnehmendem Drucke gaben Folgendes:

h Meter	t Secunden	$\mu = \varphi$	ζ
0,0872	182	0,803	0,552
0,3998	$81^1/_2$	0,837	0,427
0,8990	53,33	0,853	0,375.

Der mittlere Werth des Widerstandscoefficienten, aus den letzten drei Versuchen genommen, ist $\zeta = 0,451$, also die entsprechende Widerstandshöhe $= \zeta \frac{v^2}{2g} = 0,451 \frac{v^2}{2g}$.

Nehmen wir nun wieder den Widerstandscoefficientrn für die kurze cylindrische Ansatzröhre ohne Abrundung, $\zeta = 0,500$ an, so haben wir für die Widerstandshöhe des Einmündungsstückes, da die Geschwindigkeit in demselben nur halb so groß ist als im Ausmündungsstücke

$$h_1 = \left(\frac{1}{2}\right)^2 . 0,500 \frac{v^2}{2g} = 0,125 \frac{v^2}{2g}.$$

Der mittlere Ausflußcoefficient für die kurze cylindrische Ansatzröhre, wenn dieselbe in einer großen Wand sitzt, ist nach §. 20, I, $\mu_o = 0,816$; da sich aber dieselbe in einer Wand befindet, deren Querschnitt nur doppelt so groß ist als der Querschnitt der Röhre, so hat man das mit einem unvollkommen contrahirten Eintritt in die Röhre zu thun, und es ist nach der Tabelle auf Seite 119

$$\mu_{\frac{1}{2}} = 1,080 . \mu_o = 1,08 . 0,816 = 0,881 \text{ zu setzen.}$$

Zu diesem Ausflußcoefficienten gehört die Widerstandshöhe

$$h_2 = \left[\left(\frac{1}{\mu_{\frac{1}{2}}}\right)^2 - 1\right]\frac{v^2}{2g} = 0,288 \frac{v^2}{2g},$$ und es ist folglich

die Widerstandshöhe für die ganze Röhre

$$h_1 + h_2 = (0,125 + 0,288) \frac{v^2}{2g} = 0,413 \frac{v^2}{2g},$$

während die Versuche auf $0,451 \frac{v^2}{2g}$ geführt haben.

Die Widerstandshöhe h_2 läßt sich auch, jedoch weniger scharf, auf folgende Weise finden. Der Ausflußeoefficient, oder nahe auch der Contractionscoefficient für die kreisrunde Mündung in der dünnen Wand ist, nach §. 15, bei vollkommener Contraction, im Mittel $\alpha_0 = 0,630$, und bei unvollkommener Contraction für $\nu = \frac{1}{2}$, nach der Tabelle auf Seite 116

$$\alpha_{\frac{1}{2}} = 1{,}134 \,.\, 0{,}63 = 0{,}714,$$

folglich der entsprechende Widerstandscoefficient, nach §. 29,

$$\left(\frac{1}{\alpha_v} - 1\right)^2 = \left(\frac{1 - 0{,}714}{0{,}714}\right)^2 = 0{,}161;$$

und rechnet man hierzu noch wegen der Reibung in der Ausmündungsröhre:

$$\zeta \frac{l}{d} = 0{,}02 \,.\, \frac{3}{1} = 0{,}060,$$

so erhält man allerdings

$$h_2 \text{ nur} = \left(0{,}161 + 0{,}060\right)\frac{v^2}{2g} = 0{,}221 \frac{v^2}{2g}, \text{ und}$$

$$h_1 + h_2 = 0{,}346 \frac{v^2}{2g}.$$

Hierher gehört auch noch folgende Versuchsreihe, wobei das Wasser durch die aus §. 25, IV bekannte weite lange Messingröhre und mittels eines verengten Ausmündungsstückes ausfloß. Das letztere hatte eine Weite von 1 Centimeter und eine Länge von 4 Centimeter, während die lange Hauptröhre in der Weite 1,4372 und in der Länge 140 Centimeter maß. Die letztere wurde mittels des aus §. 20, III, bekannten kurzen cylindrischen Mundstückes mit Abrundung nach und nach in jedes der drei Löcher des Hauptreservoirs eingesetzt, wobei man unter den bekannten Verhältnissen auf folgende Versuchsresultate stieß:

h Meter	t Secunden	μ	ζ	v Meter
0,0872	208	0,702	1,027	0,918
0,3998	97,17	0,702	1,029	1,966
0,8990	64	0,711	0,979	2,985

Hiernach ist bei der mittleren Ausflußgeschwindigkeit v von 1,956 Meter die mittlere Widerstandshöhe für diese zusammengesetzte Röhre:

$$\zeta = 1{,}012 \frac{v^2}{2g}.$$

Es ist für das Einmündungsstück der langen Röhre, da dasselbe doppelt so viel Querschnitt hat als das Ausmündungsstück, nach §. 20, III, die Widerstandshöhe

$$h_1 = \left(\frac{1}{2}\right)^2 . \, 0{,}221 \,.\, \frac{v^2}{2g} = 0{,}055 \frac{v^2}{2g}.$$

Ferner ist die Reibungshöhe der langen Röhre, da deren mittlerer Durchmesser 1,437 Centimeter beträgt, während das Ausmündungsstück 1 Centimeter Weite hat, und die Länge l_1 dieser Röhre 140 Centimeter mißt, mit Benutzung des einer mittleren Geschwindigkeit von 1 Meter entsprechenden Reibungscoefficienten (S. Tab. Seite 97) $\zeta_1 = 0{,}0239$:

$$h_2 = \zeta_1 \frac{l_1}{d_1} \frac{v_1^{\,2}}{2g} = \zeta_1 \left(\frac{l_1}{d_1}\right) \left(\frac{d}{d_1}\right)^4 . \frac{v^2}{2g}$$

$$= 0{,}0239 \,.\, \frac{140}{1{,}437} . \left(\frac{1}{1{,}437}\right)^4 \frac{v^2}{2g} = 0{,}546 \,.\, \frac{v^2}{2g}.$$

Dem kurzen cylindrischen Ausmündungsstücke entspricht nach dem Obigen (II,) die Widerstandshöhe $h_3 = 0{,}288$, für welche wir jedoch recht gut $h_3 = 0{,}310$ annehmen können, da diese Röhre länger als gewöhnlich war; und es ist folglich hiernach die Widerstandshöhe für die ganze Röhrenverbindung

$$h_1 + h_2 + h_3 = (0{,}055 + 0{,}546 + 0{,}310) \frac{v^2}{2g} = 0{,}911 \frac{v^2}{2g},$$

wogegen wir $1{,}012 \dfrac{v^2}{2g}$ gefunden haben.

§. 31. Versuche über den Widerstand kurzer Zwischenröhren, deren Weiten von dem Durchmesser der Hauptröhre abweichen.

Den Widerstand, welchen plötzliche Erweiterungen und Verengerungen in Röhrenleitungen zugleich verursachen, lernt man durch Ausflußversuche mittels der in Fig. 76 und Fig. 77 abgebildeten zusammengesetzten Mund-

Fig. 76.

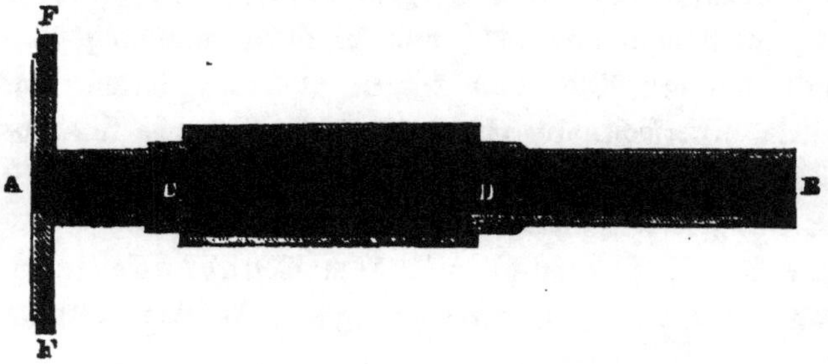

Fig. 77.

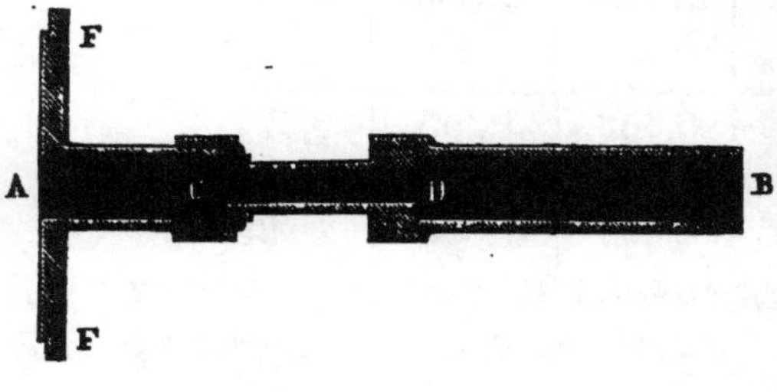

stücke kennen. Beide bestehen aus einem kurzen cylindrischen Einmündungsstücke AC, und einem solchen Ausmündungsstücke DB, und es ist nur in dem einen Falle eine kurze weitere und in dem anderen eine

Fig. 76.

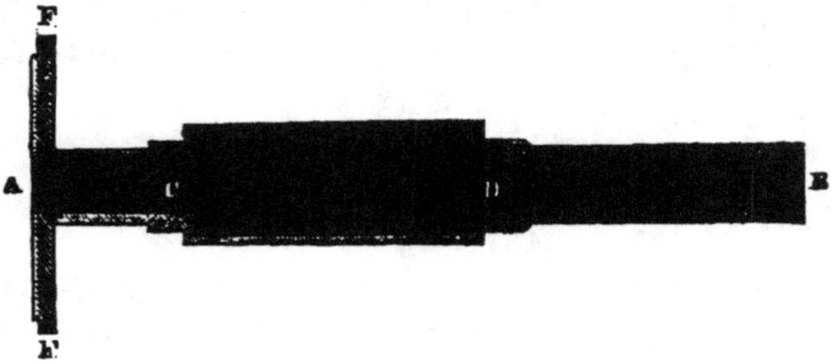

Fig. 77.

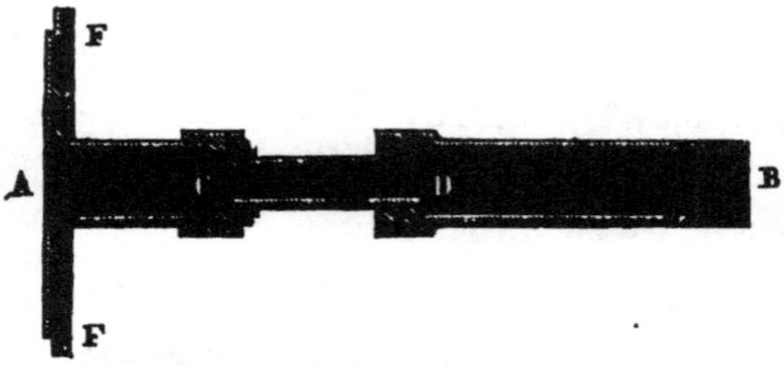

kurze engere cylindrische Zwischenröhre *CD* eingesetzt. Die Weite der gewissermaßen ein Ganzes bildenden Ein- und Ausmündungsröhre betrug 1 Centimeter, und dagegen die des Zwischenstückes im ersten Falle (Fig. 76) 2 Centimeter und im zweiten Falle (Fig. 77) $1/2$ Centimeter. Bei Anwendung des ersten Mundstückes kommt erst die plötzliche Erweiterung und dann die plötzliche Verengung vor, und bei Anwendung des zweiten Mundstückes ist es umgekehrt. Den Versuchen mittels beider Mundstücke wurden Versuche mit der einfachen Verbindung von dem Einmündungsstücke *AC* und dem Ausmündungsstücke *DB* vorausgeschickt, um den Widerstand kennen zu lernen, welchen das Zwischenstück allein verursacht. Die Ergebnisse dieser Versuche sind aber schon oben in §. 24 (Seite 101) mitgetheilt worden, wo sie zur Beurtheilung des Reibungswiderstandes nöthig waren.

1) Die Ausflußversuche mit dem Mundstücke in Fig. 76 angestellt mit Hülfe des Hauptreservoirs, gaben auf die bekannte Weise Folgendes:

Mittlere Druckhöhe h	Ausflußzeit t Secunden	Ausfluß-coefficient μ	Widerstands-coefficient ζ	Ausflußgeschwindigkeit v Meter
0,0872	219,25	0,666	1,253	0,871
0,3998	101	0,675	1,192	1,892
0,8990	65,25	0,697	1,057	2,928.

Der mittlere Widerstandscoefficient ist hiernach $\zeta = 1,167$, wogegen er für die Verbindung des Ein- und Ausmündungsstückes zu einer

Röhre von gleicher Weite: $\zeta_0 = 0{,}360$ gefunden wurde; es ist folglich der durch das weitere Zwischenstück hervorgebrachte Verlust an Druckhöhe

$$(\zeta - \zeta_0)\frac{v^2}{2g} = 0{,}807\,\frac{v^2}{2g}.$$

Der Widerstandscoefficient ζ für die ganze Rohrverbindung bestimmt sich wie folgt. Für das Einmündungsstück allein ist, da dasselbe innen abgerundet war, nach §. 20, II, die mittlere Widerstandshöhe $h_1 = \zeta_1 \frac{v^2}{2g} = 0{,}199\,\frac{v^2}{2g}$. Die Widerstandshöhe für den Eintritt in das weitere Zwischenrohr ist der obigen Theorie, (§. 29) zu Folge:

$$h_2 = \left(\frac{v - v_1}{2g}\right)^2 = \left(1 - \frac{F}{F_1}\right)^2 \frac{v^2}{2g} = \left(1 - \frac{1}{4}\right)^2 \frac{v^2}{2g} = \frac{9}{16}\,\frac{v^2}{2g}$$

$$= 0{,}563\,\frac{v^2}{2g},$$

da der Durchmesser des Zwischenrohres doppelt so groß ist als der des Ein- und Ausmündungsstückes, also der Querschnitt F desselben den letzteren Querschnitt F_1 vier Mal in sich enthält. Für die kurze cylindrische Ausmündungsröhre ist, da beim Eintritt in dieselbe eine dem Querschnittsverhältnisse $\nu = \left(\frac{1}{2}\right)^2 = \frac{1}{4}$ entsprechende unvollkommene Contraction statt hat, nach der Tabelle auf Seite 119, $\mu_{\frac{1}{4}} = 1{,}035\,\mu_0$, oder, da nach §. 20, I, $\mu_0 = 0{,}816$ zu setzen ist

$$\mu_{\frac{1}{4}} = 1{,}035 \,.\, 0{,}816 = 0{,}845,$$

und hiernach die entsprechende Widerstandshöhe

$$h_3 = \left(\frac{1}{\mu_{\frac{1}{4}}}\right)^2 = 0{,}402\,\frac{v^2}{2g}.$$

Folglich ist die Widerstandshöhe für das zusammengesetzte Mundstück

$$h_1 + h_2 + h_3 = (0{,}199 + 0{,}563 + 0{,}402)\frac{v^2}{2g} = 1{,}164\,\frac{v^2}{2g},$$

also fast genau dasselbe, nämlich 1,167, welches durch die Versuche gefunden worden ist.

2) Mit dem zusammengesetzten Mundstücke Fig. 77, welches ein verengtes Mittelstück CD enthält, sind nur Versuche unter mittlerem und großem Drucke angestellt worden, wobei sich Folgendes ergeben hat:

h Meter	t Secunden	μ	ζ	v Meter
0,3998	310	0,220	19,65	0,616
0,8990	201,5	0,226	18,62	0,948.

Der mittlere Widerstandscoefficient ist 19,13 und folglich um 19,130 — 0,360 = 18,77 größer als bei der bloßen Verbindung des Ein- und Ausmündungsstückes.

Außerdem wurde noch ein Versuch unter mittlerem Drucke angestellt mit der bloßen Röhrenverbindung ACD, also ohne das weitere Stück DB. Die Ausmündungsweite war hier nur $\frac{1}{2}$ Centimeter, folglich der Querschnitt der Ausmündung nur ein Viertel von dem bei den letzten Versuchen, d. i. $F = 0{,}19635$ Quadratcentimeter. Gefunden wurde:

für	h Meter	t Secunden	μ	ζ	v Meter
	0,3998	353	0,773	0,673	2,165

Die Vergleichung dieses Versuches mit dem ersteren unter derselben Druckhöhe, zeigt, daß trotz des großen Ausfluß- oder Geschwindigkeitscoefficienten $\mu = 0{,}773$ der letzteren Röhre mit engerer Ausmündung, die Röhre mit dem weiteren Ausmündungsstücke, deren Ausflußcoefficient nur 0,220 war, eine $\frac{353}{310} = 1{,}139$ mal so große Ausflußmenge gibt als jene. Mit Hilfe des zuletzt gefundenen Widerstandscoefficienten $\zeta = 0{,}673$ läßt sich nun auch der Widerstandscoefficient für die vollständige Rohrverbindung, Fig. 77, berechnen. Es ist dann der Querschnitt des Ausmündungsstückes 4 mal so groß als der Querschnitt des engeren Zwischenstückes CD, folglich auch die Geschwindigkeit in diesem viermal, und die entsprechende Geschwindigkeitshöhe 16 mal so groß als die in der Ausmündung. Daher folgt also auch die Widerstandshöhe für die Verbindung ACD aus den beiden ersten Stücken:

$$h_1 = 0{,}673 \cdot \frac{(4\,v)^2}{2g} = 16 \cdot 0{,}673\,\frac{v^2}{2g} = 10{,}77\,\frac{v^2}{2g}.$$

Ferner ist die verlorne Höhe beim Eintritt in das weitere letztere Rohrstück DB, da hier die Geschwindigkeit plötzlich auf das Viertel zurückgeführt wird

$$h_2 = \left(\frac{F}{F_1} - 1\right)^2 \frac{v^2}{2g} = 9\,\frac{v^2}{2g}.$$

Die beiden Höhen h_1 und h_2 geben zusammen

$$h_1 + h_2 = (10{,}76 + 9)\,\frac{v^2}{2g} = 19{,}76\,\frac{v^2}{2g},$$ wogegen durch die Versuche $19{,}65\,\frac{v^2}{2g}$ gefunden wurde.

§. 32. **Anderweitige Versuche über die unvollkommene Contraction und über den Widerstand des Wassers bei plötzlichen Querschnittsveränderungen.**

Die in Fig. 23 abgebildete Röhre von 3 Centimeter Weite und 15 Centimeter Länge läßt sich auch noch dadurch verlängern, daß man die Platte B am Ende derselben abschraubt und dafür eine andere Röhre mit einer gleichen Kopfplatte ansetzt. Eine solche Ansatzröhre ist in Fig. 78 abgebildet; dieselbe hat bei B das schraubenförmig ausgeschnittene Kopfstück, womit sie an das Ende der Röhre AB in Fig. 23 angesetzt wird. Das Seitenröhrchen EF wird bei den nächstfolgenden Versuchen verstöpselt, und ebenso das Seitenloch C in der Röhre AB. Das erstere Röhrchen dient zum Ansetzen von Piezometern; es wird jedoch hiervon erst im zehnten Kapitel die Rede sein. Die Länge dieser Ansatzröhre BD betrug 9 Centimeter, und die Weite derselben 1,39 Centimeter, folglich war ihr Querschnitt $F = 0{,}00015177$ Quadratmeter.

Fig. 78.

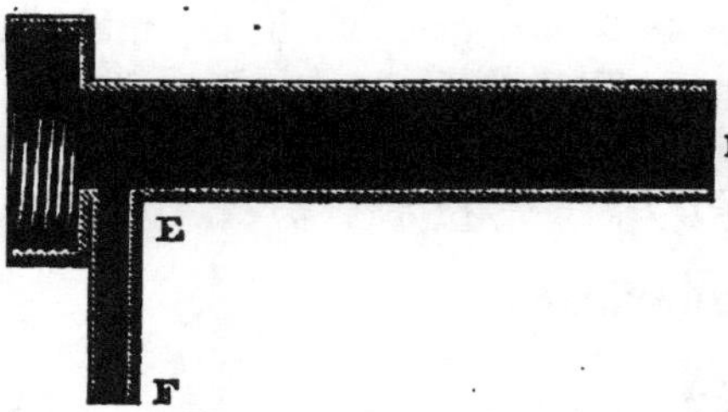

In diese Röhre ließen sich die in der folgenden Fig. 79 abgebildeten Mundstücke I, II und III, und zwar nicht allein in das Ende, sondern auch in den Kopf und in die Mitte derselben, einsetzen. Im ersteren Falle hat man es bloß mit der unvollkommenen Contraction zu thun, in den beiden anderen Fällen hingegen bilden diese Einsatzstücke eine Verengung in der Röhre und erzeugen dadurch einen Widerstand,

Fig. 79.

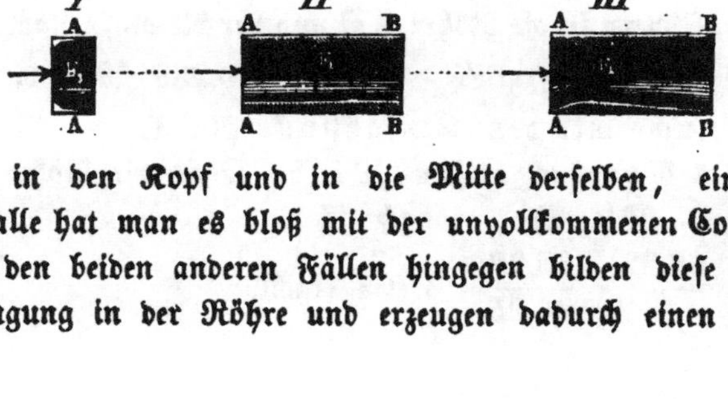

Fig. 79.

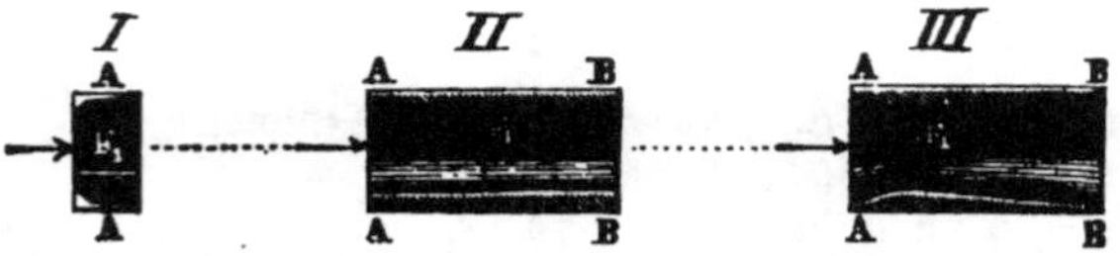

wie wir ihn z. Thl. im Vorstehenden kennen gelernt haben. Die Weite dieser Einsatzstücke war 1 Centimeter. Es bildete das Einsatzstück Nr. I ein Diaphragma oder Mündung in der dünnen Wand, dagegen Nr. II eine kurze cylindrische Röhre und Nr. III ein sich nach den Enden zu allmälig erweiterndes Gurgelstück.

Sämmtliche Versuche wurden nur unter dem mittleren Drucke angestellt, wobei die Rohrverbindung mittelst der Kopfplatte des Rohres AB, Fig. 23, in das mittlere Loch des Hauptreservoirs eingesetzt war. Ihnen ging ein Versuch mit der einfachen Rohrverbindung voraus, welcher unter den bekannten Verhältnissen, namentlich aber für den Ausfluß der Wasserschicht von 0,12 Meter Höhe unter der mittleren Druckhöhe von 0,3998 Meter die Zeit $t = 44{,}5$ Sec. gab. Nach diesem Versuche ist der Ausflußcoefficient der ganzen Röhre

$$\mu = \frac{Gs}{Ft\sqrt{2gh}} = \frac{0{,}0033876}{Ft\sqrt{h}} = \frac{35{,}306}{44{,}5} = 0{,}7934,$$

und der entsprechende Widerstandscoefficient

$$\zeta = \frac{1}{\mu_0^2} - 1 = 0{,}589.$$

Für den Uebertritt aus dem weiteren Rohre in die engere ist

$$\nu = \left(\frac{139}{300}\right)^2 = 0{,}215 \text{ und dem entsprechend, nach Tab. Seite 16,}$$

$$\alpha_1 = 1{,}036\ \alpha_0 = 1{,}036\ .\ 0{,}624 = 0{,}646,$$

und der Widerstandscoefficient

$$\zeta_1 = \left(\frac{1}{\alpha} - 1\right)^2 = \left(\frac{354}{646}\right)^2 = 0{,}300,$$

so daß für den Eintritt in die Röhre AB und für die bloße Röhrenreibung

$$\zeta_0 = \zeta - \zeta_1 = 0{,}589 - 0{,}300 = 0{,}289 \text{ übrig bleibt.}$$

I. Versuche mit dem Einsatzstücke Nr. I.

1) Dieses Mundstück außen, d. i. bei D an die Röhre BD angesetzt, gab $t = 96\tfrac{1}{4}$ Sec., wonach sich

$$\mu_\nu = \frac{68{,}22}{t} = \frac{68{,}22}{96{,}25} = 0{,}709 \text{ ergibt.}$$

Es ist hier

$$\nu = \frac{F}{G} = \left(\frac{100}{139}\right)^2 = 0{,}518, \text{ und}$$

$\nu^2 = 0{,}268$, folglich der Widerstandscoefficient für die Röhrenverbindung

$$\zeta_0 = 0{,}589\ \nu^2 = 0{,}589\ .\ 0{,}268 = 0{,}158,$$

so daß nun für das Mundstück allein

$$\zeta = \left(\frac{1}{\mu\nu}\right)^2 - 1 - \zeta_0 = 0{,}990 - 0{,}158 = 0{,}832$$

folgt, und endlich der entsprechende Ausflußcoefficient

$$\mu = \frac{1}{\sqrt{1+\zeta}} = \frac{1}{\sqrt{1{,}832}} = 0{,}739 \text{ ist.}$$

Nach der Tabelle auf Seite 116 ist für $\nu = 0{,}518$,

$$\mu = 1{,}39\ \mu_0 = 1{,}39\ .\ 0{,}624 = 0{,}716, \text{ also etwas kleiner.}$$

2) Dieses Mundstück saß in der Eintrittsstelle C der Röhre BD; wobei der Ausfluß bei D mit gefülltem Querschnitte erfolgte. Es war $t = 78{,}75$ Sec., und hiernach

$$\mu = \frac{35{,}306}{78{,}75} = 0{,}448 \text{ und } \zeta = 3{,}975.$$

Nun ist aber für die bloße Röhrenreibung $\zeta_0 = 0{,}289$; folglich reducirt sich der Widerstandscoefficient für den Durchgang durch die Verengung auf

$$\zeta_1 = \zeta - \zeta_0 = 3{,}975 - 0{,}289 = 3{,}686.$$

Setzen wir in der theoretischen Formel

$$\zeta_1 = \left(\frac{F}{\alpha F_1} - 1\right)^2,$$

für $\frac{F_1}{F} = \nu = 0{,}518$ und statt α, da $\nu_1 = \frac{F_1}{G} = \left(\frac{1}{3}\right)^2 = \frac{1}{9}$ ist, nach der Tabelle auf Seite 116,

$$\alpha_{\frac{1}{9}} = 1{,}016\ .\ \alpha_0 = 1{,}016\ .\ 0{,}624 = 0{,}633,$$

so erhalten wir

$$\zeta_0 = \left(\frac{1}{0{,}633\ .\ 0{,}518} - 1\right)^2 = \left(\frac{1 - 0{,}633\ .\ 0{,}518}{0{,}633\ .\ 0{,}518}\right)^2 = 4{,}200,$$

also um $4{,}200 - 3{,}686 = 0{,}514$ größer als durch den Versuch.

3) Dieses Mundstück saß in der Mitte der Röhre BD, und es floß hierbei das Wasser wieder mit gefülltem Querschnitte bei D aus. Es war $t = 68{,}75$ Sec., folglich

$$\mu = \frac{35{,}306}{68{,}75} = 0{,}514 \text{ und } \zeta = 2{,}792.$$

Nach Abzug des Widerstandscoefficienten $\zeta_0 = 0{,}589$ der ganzen Röhre bleibt folglich für den Durchgang durch das Diaphragma $\zeta_1 = \zeta - \zeta_0 - = 2{,}790 - 0{,}589 = 2{,}201$. Dieser Werth entspricht nach Tabelle auf Seite 133, dem Querschnittsverhältnisse $\nu = 0{,}580$; da er aber für $\nu = 0{,}518$ gefunden wurde, so ist er jedenfalls etwas zu klein.

II. Versuche mit dem Einsatzstücke Nr. II.

1) Dasselbe außen, bei D an die Röhre BD angesetzt, gab $t = 84{,}5$ Sec.; hiernach

$$\mu = \frac{68{,}22}{t} = 0{,}807, \text{ und } \zeta = \frac{1}{\mu^2} - 1 = 0{,}534.$$

Der Widerstandscoefficient für die bloße Rohrverbindung ist $\zeta_0\,\nu^2 = 0{,}589 \,.\, 0{,}268 = 0{,}158$, folglich bleibt für das Ausmündungsstück allein

$$\zeta = \frac{1}{\mu^2} - 1 - \zeta_0\,\nu^2 = 0{,}376 \text{ übrig, so daß der Ausfluß-}$$

coefficient für dasselbe

$$\mu_\nu = \frac{1}{\sqrt{1+\zeta}} = \frac{1}{\sqrt{1{,}376}} = 0{,}853 \text{ folgt.}$$

Nach der Tabelle auf Seite 119 ist für $\nu = 0{,}518$:

$$\mu_\nu = 1{,}0815 \,.\, \mu_0 = 1{,}0815 \,.\, 0{,}817 = 0{,}884,$$

also ansehnlich größer.

2) Dasselbe Mundstück beim Eintritt in die Röhre BD eingesetzt. Hier war $t = 72{,}5$ Sec., folglich ist

$$\mu = \frac{35{,}306}{t} = 0{,}487 \text{ und } \zeta = 3{,}217.$$

Zieht man hiervon den Reibungscoefficienten $\zeta_0 = 0{,}289$ ab, so bleibt für den Durchgang durch das Einsatzstück

$$\zeta_1 = 3{,}217 - 0{,}289 = 2{,}928 \text{ übrig.}$$

Dieser Widerstandscoefficient entspricht theils dem Widerstande beim Eintritte und theils dem beim Austritte aus diesem Zwischenstücke. Für den Eintritt ist der Ausflußcoefficient

$$\mu = 1{,}027 \,.\, \mu_0 = 1{,}027 \,.\, 0{,}817 = 0{,}839,$$

und daher der entsprechende Widerstandscoefficient

$$\zeta_2 = \left(\frac{1}{\mu^2} - 1\right) : \frac{1}{\nu^2} = \frac{0{,}421}{0{,}268} = 1{,}57;$$

für den Austritt ist derselbe

$$\zeta_3 = \left(\frac{F}{F^1} - 1\right)^2 = \left(\frac{1 - 0,518}{0,518}\right)^2 = 0,87;$$

folglich gibt die Summe

$\zeta = \zeta_2 + \zeta_3 = 2,44$, während dem Versuche zu Folge $\zeta = 2,928$ ist.

III. Versuche mit dem Einsatzstücke Nr. III.

1) Dieses Mundstück außen angesetzt, gab $t = 53,75$ Sec.; wonach

$$\mu = \frac{35,306}{53,75} = 0,656 \text{ und } \zeta = \frac{1}{\mu^2} - 1 = 1,317 \text{ ist.}$$

Zieht man hiervon den Widerstandscoefficienten 0,589 für die übrige Rohrverbindung ab, so bleibt $\zeta = 0,728$ und daher der Ausflußcoefficient für das Mundstück allein

$$\mu = \frac{1}{\sqrt{1,728}} = 0,761.$$

2) Dieses Einsatzstück beim Eintritt in die Röhre BD eingesetzt, fiel $t = 45,25$ Sec. aus, wonach

$$\mu = \frac{35,306}{45,25} = 0,780 \text{ und } \zeta = 0,6426 \text{ ist.}$$

Hiervon den Reibungscoefficienten $\zeta_0 = 0,289$ abgezogen, bleibt für das Einsatzstück allein

$$\zeta = 0,643 - 0,289 = 0,354,$$

also kleiner als für das cylindrische und viel kleiner als für das Einsatzstück in der dünnen Wand.

3) Dieses Einsatzstück saß in der Mitte der Röhre BD.

Es war $t = 49$ Sec.; folglich

$$\mu = \frac{35,306}{49} = 0,720 \text{ und } \zeta = 0,926.$$

Hiervon den Widerstandscoefficienten der übrigen Röhre $\zeta_0 = 0,589$ abgezogen, bleibt für das Einsatzstück allein

$$\zeta = 0,926 - 0,589 = 0,337,$$

also sehr richtig nahe der vorige Werth $\zeta = 0,354$. Im Mittel ist hiernach $\zeta = 0,345$ zu setzen. Bei dem allmäligen Uebergange aus einem engeren Querschnitte in einen weiteren fällt also der Widerstand viel kleiner aus als bei der plötzlichen Erweiterung der Röhre.

Neuntes Kapitel.

Versuche über den Widerstand des Wassers in Knie- und Kropfröhren.

§. 33. Der Widerstand in Knieröhren.

Bei plötzlichen Richtungsänderungen erleidet das in Röhren laufende Wasser ebenfalls einen Verlust an lebendiger Kraft, vermöge dessen die Ausflußgeschwindigkeit kleiner ausfällt, als wenn die Axe der Röhre, in welcher sich das Wasser bewegt, eine gerade Linie wäre. Der erste Grund dieses Verlustes liegt zunächst in der Centrifugalkraft, welche bewirkt, daß sich das Wasser beim Eintritt in das Knie oder bei Annahme einer anderen Bewegungsrichtung von der inneren Seite der Röhre lostrennt, und zunächst hinter dem Knie einen contrahirten Strahl bildet. Ist nun das zweite Stück BC einer solchen Knieröhre ABC, Fig. 80, kurz, so hat folglich der ausfließende Strahl einen kleineren Querschnitt F_1 als die Röhre selbst; und es entspricht daher auch demselben ein gewisser Contractionscoefficient

Fig. 80.

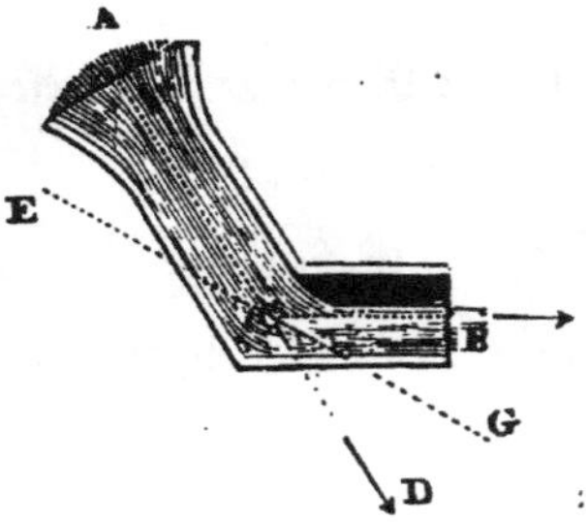

$$\alpha = \frac{F_1}{F},$$

welcher wiederum das Verhältniß des Querschnittes F_1 des Strahles zum Querschnitte F der Röhre ist. Wenn also sonst keine Bewegungshindernisse vorkämen, so würde folglich auch bei der Druckhöhe h das Ausflußquantum durch das Knie

$$Q = F_1 \sqrt{2gh} = \alpha F \sqrt{2gh}$$ sein.

Fig. 81.

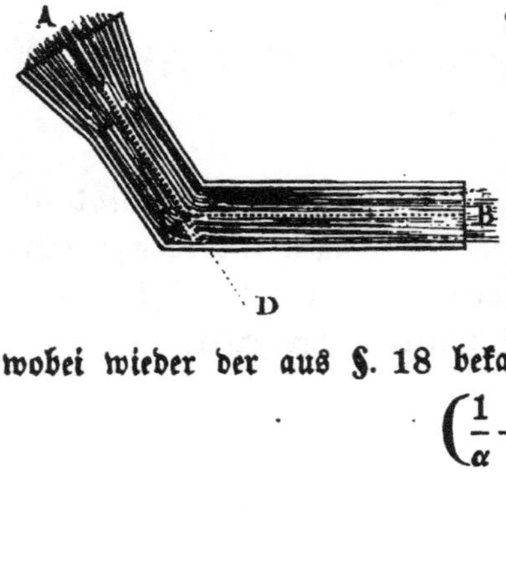

Ist dagegen das zweite Röhrenstück BC, Fig. 81, lang, so legt sich das Wasser hinter dem Brechungspunkte C an die Röhre an, und es bildet sich an dieser Stelle ein Wirbel, wobei wieder der aus §. 18 bekannte Verlust

$$\left(\frac{1}{\alpha} - 1\right)^2 \frac{v^2}{2g}$$

an Geschwindigkeitshöhe entsteht, während das Wasser durch die Mündung C der überall gleich weiten Röhre bei gefülltem Querschnitte F mit einer gewissen Geschwindigkeit v ausfließt.

Wenn also das Wasser nach seinem Durchgange durch ein Knie mit gefülltem Querschnitte ausfließt, und sonst keine Bewegungshindernisse in der Knieröhre vorkommen, so ist die effective Ausflußmenge

$$Q = F\sqrt{\frac{2gh}{1+\zeta}} = F\sqrt{\frac{2gh}{1+\left(\frac{1}{\alpha}-1\right)^2}}.$$

Der Contractionscoefficient α für Röhrenkniee und folglich auch der entsprechende Widerstandscoefficient

$$\zeta = \left(\frac{1}{\alpha}-1\right)^2,$$

hängt nur von dem Brechungs- oder Ablenkungswinkel BCD des Kniees ab; je größer derselbe ist, desto kleiner ist α und desto größer fällt ζ aus. Eine gerade Linie EG, welche mit den Axenrichtungen CA und CB der Schenkel des Röhrenkniees gleiche Winkel einschließt, theilt den Ablenkungswinkel BCD in zwei gleiche Theile; es ist folglich auch der sogenannte Bricolwinkel $ACE = BCG$ gleich dem halben Ablenkungswinkel BCD. Wir bezeichnen denselben in der Folge durch δ, und haben durch vielfältige Versuche mit den Kniestücken von verschiedenen Weiten und verschiedenen Bricolwinkeln gefunden, daß die empirische Formel

$$\zeta = 0,9457\,(\sin\delta)^2 + 2,047\,(\sin\delta)^4$$

den Versuchsresultaten gut entspricht, wenn die Röhren nicht sehr eng sind.

Am häufigsten kommen rechtwinkelige Knieröhren vor, für welche $\delta = 45$ Grad, also $(\sin\delta)^2 = \frac{1}{2}$ ist, und sich folglich der Widerstandscoefficient

$$\zeta = 0,9457.\frac{1}{2} + 2,047.\frac{1}{4} = 0,985$$

berechnet, während der entsprechende Contractionscoefficient

$$\alpha = \frac{1}{1+\sqrt{\zeta}} = \frac{1}{1+\sqrt{0,985}} = 0,502 \text{ beträgt.}$$

Fließt das Wasser in einem contrahirten Strahle aus dieser Knieröhre, so ist folglich das Ausflußquantum $Q = 0,502\,F\sqrt{2gh}$, und fließt es dagegen mit gefülltem Querschnitt aus, so hat man

$$Q = F\sqrt{\frac{2gh}{1,985}} = 0,710\,F\sqrt{2gh}.$$

Nach der angeführten empirischen Formel ist folgende Tabelle berechnet worden.

Bricolwinkel δ in Graden	10	20	30	40	45	50	60	70
Widerstandscoefficient ζ	0,046	0,139	0,364	0,740	0,985	1,260	1,861	2,41
Contractionscoefficient α	0,823	0,728	0,624	0,538	0,502	0,471	0,423	0,391

Enthält eine Röhre mehrere Kniee, welche durch ein längeres Zwischenrohr von einander getrennt sind, so giebt natürlich ein jedes einen durch den Ausdruck $\zeta \frac{v^2}{2g}$ zu berechneten Verlust an Druckhöhe.

Befinden sich aber die Kniee sehr nahe an einander, so ist es möglich, daß die Wasserwirbel, welche dieselben veranlassen, in einander verfließen, in welchem Falle die entsprechende Widerstandshöhe nahe der eines einzigen Kniees gleich kommt.

Fig. 82.

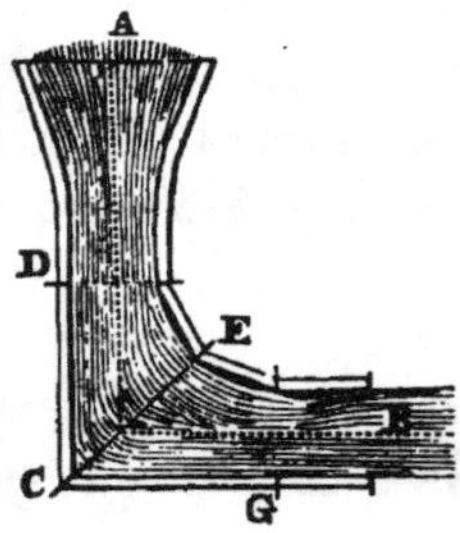

Da die Widerstandshöhe mit dem Quadrate der Geschwindigkeit des durch das Knie fließenden Wassers wächst, so kann man dieselbe dadurch herabziehen, daß man dem Kniestücke eine größere Weite giebt als der übrigen Röhre. Insbesondere ist es zweckmäßig, das Knie aus zwei conischen Stücken DCE und GCE, Fig. 82, zusammenzusetzen, welche mit ihren breiteren Grundflächen CE zusammenstoßen.

Ueber diesen Kniewiderstand sind mittelst des Experimentirapparates nur an rechtwinkeligen Knieröhren, wie Fig. 83, NKO, Versuche angestellt worden. Ein solches Kniestück hatte eine Weite von 1 Centimeter und jeder Schenkel desselben hatte eine mittlere Länge von 2 Centimeter; um es mit anderen Röhren von gleicher Weite verbinden zu können, erhielt das eine Ende desselben einen Muff N mit innerem Schraubengewinde und wurden in der Außenfläche des andern Endes O Schraubengewinde eingeschnitten. Mittelst des Muffes N konnte man dieses Kniestück nicht nur an die aus §. 20, I, II und IV bekannten kurzen cylindrischen Ansatzröhren, sondern auch an die aus §. 24 und §. 25 bekannten längeren Leitungsröhren ansetzen,

Fig. 83.

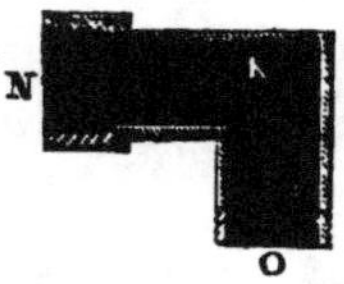

so wie sich auch umgekehrt die letzteren Röhren u. s. w. mittelst ihrer Muffe an das Ende *O* der Knieröhre anschrauben ließen.

Um den vollen Ausfluß herzustellen, wurde an das Ende *O* das auch bei der langen Leitungsröhre angewendete kurze cylindrische Ausmündungsstück angeschraubt, welches zu diesem Zwecke ebenfalls mit einem Muff wie *N* ausgerüstet war. Da man zwei solcher Kniestücke, wie *NKO*, Fig. 83, hatte, so konnte man dieselben auch unmittelbar an einander ansetzen, und es ließ sich die Brechungsebene des einen unter jedem beliebigen Winkel gegen die Brechungsebene des andern stellen; auch ließ sich durch das zweite Kniestück die Bewegung des Wassers eben so gut wieder in die ursprüngliche als in die ihr direct entgegengesetzte Richtung bringen.

I. Versuche über den Ausfluß des Wassers durch das Knie in Fig. 17 in Verbindung mit dem aus Fig. 46 (Seite 83) bekannten cylindrischen Einmündungsstücke.

Diese Versuche wurden nur im Hauptreservoir, also unter allmälig abnehmendem Drucke, angestellt, und es waren die Ergebnisse folgende:

Mittlere Druckhöhe h Meter	Ausfluß-zeit t Secunden	Ausfluß-coefficient μ_1	Widerstands-coefficient ζ_1
0,0872	262	0,558	2,217
0,3998	121	0,564	2,146
0,8990	78	0,583	1,940.

Hiernach ist der mittlere Widerstandscoefficient für die ganze Verbindung, $\zeta_1 = 2{,}101$, und folglich der für das Kniestück allein, da für das Einmündungsstück nach §. 20, II, $\zeta_0 = 0{,}199$ ist,

$$\zeta = 2{,}101 - 0{,}199 = 1{,}902.$$

Dieser große Werth hat seinen Grund zum Theil darin, daß das Wasser wegen der Kürze des Endstückes nicht in parallelen Fällen, sondern divergirend ausfloß. Deshalb wurde auch noch das cylindrische Ausmündungsrohr aus §. 24, Fig. 53, angeschraubt, so daß die zusammengesetzte Röhre *ANKOB*, Fig. 84 entstand, und der Versuch von Neuem wiederholt, wobei sich Flogendes ergab.

Fig. 84.

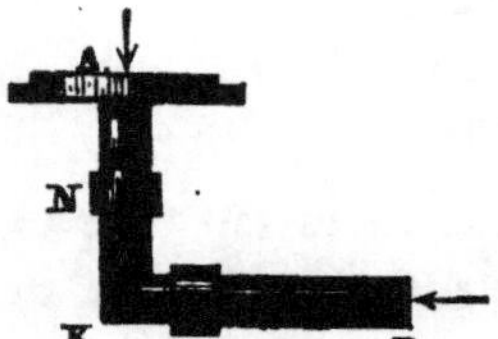

h Meter	t Secunden	μ_1	ζ_1
0,0872	258,5	0,565	2,131
0,3998	118	0,578	1,993
0,8990	77	0,591	1,865.

Der mittlere Werth von ζ_1 ist $= 1{,}996$; wogegen für die bloße Verbindung von dem Ein- und Ausmündungsstücke, nach §. 24 (2.), $\zeta_0 = 0{,}360$ ist, so daß nun für das Knie allein der Widerstands-coefficient

$$\zeta = 1{,}996 - 0{,}360 = 1{,}636 \text{ folgt.}$$

Für ein Knie von 90° ist der Bricolwinkel $\delta = 45°$, und nach obiger Tabelle ζ nur 0,985, während unserem Werthe ohngefähr der Bricolwinkel von 56 Grad entspricht.

Da ich die Coefficienten in der Haupttabelle aus Versuchen mit viel weiteren Röhren abgeleitet habe, so folgt, daß bei engeren Knieröhren der Widerstand ansehnlich größer ist als bei weiteren.

II. Versuche über den Ausfluß des Wassers durch eine Verbindung aus zwei Kniestücken, jedes von der Gestalt Fig. 83.

1) Das Einmündungsstück war wieder die in Fig. 46 abgebildete Ansatzröhre, und zwischen beiden Kniestücken war das Ausmündungsstück aus Fig. 53 eingesetzt.

Fig. 85.

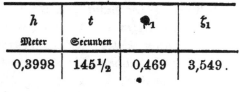

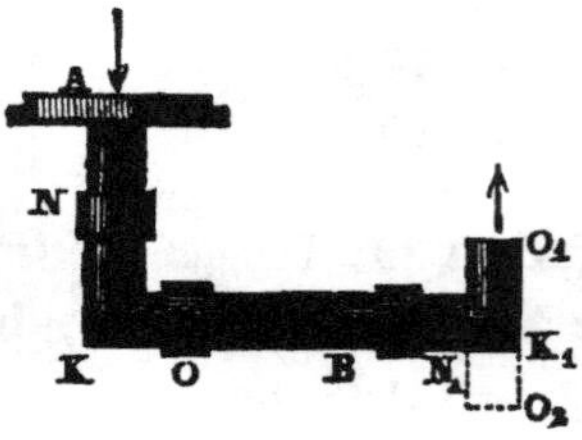

a) Das eine Knie $N_1K_1O_1$, Fig. 85, stand in gleicher Richtung mit dem andern Knie NKO; es war also der Brechungswinkel der ganzen Röhre $2.90 = 180$ Grad. Gefunden wurde:

h Meter	t Secunden	μ_1	ζ_1
0,3998	$145\frac{1}{2}$	0,469	3,549.

b) Die beiden Kniee NKO und $N_1K_1O_2$ standen in entgegengesetzten Richtungen zu einander, es floß folglich das Wasser in derselben Richtung aus, in welcher es eintrat. Hierbei ergab sich Folgendes:

Tabelle II.

Die Coefficienten des Krümmungswiderstandes von Röhren mit kreisförmigen Querschnitten.

$\frac{a}{r}$	0,1	0,2	0,3	0,4	0,5	0,6	0,7	0,8	0,9	1,0
ζ	0,131	0,138	0,158	0,206	0,294	0,440	0,661	0,977	1,408	1,978

Hiernach ist z. B. für einen Kropf, dessen Querschnittshalbmesser $^3/_{10}$ von dem Krümmungshalbmesser seiner Axe beträgt, der Verlust an Druckhöhe

$$h = \zeta \frac{v^2}{2g} = 0{,}158 \frac{v^2}{2g}.$$

Um die Contraction des Wasserstrahles in der gekrümmten Röhre ganz zu vermeiden, muß man den Querschnitt derselben, wie z. B. bei der Röhre ADE, Fig. 89, allmälig abnehmen lassen. Ist der Querschnitt der Ausmündung oder des Kropfendes E, $= \alpha$ mal Querschnitt an der Einmündung oder am Anfang D des Kropfes, so füllt der bei E ausfließende Strahl die Mündung ganz.

Fig. 89.

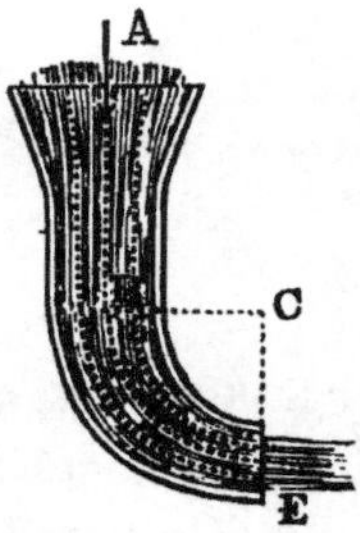

Stößt der Kropf an einen anderen an, welcher nach derselben Seite gekrümmt ist, so ändert sich deshalb die Contraction des Strahles nicht, es behalten also auch α und ζ nahe dieselben Werthe, der Kropf mag einen Quadranten oder deren zwei oder, nach Befinden, nur einen halben Quadranten u. s. w. einnehmen.

Die Kropfröhren, mittelst welcher die Versuche angestellt wurden, hatten einen kreisförmigen Querschnitt von 1 Centimeter Durchmesser und es betrug der Krümmungshalbmesser ihrer Axe ebenfalls 1 Centimeter; es war folglich bei denselben $\frac{a}{r} = \frac{1}{2}$. Zum Ansetzen dieser Röhren an andere, so wie zur Verbindung derselben unter einander, waren dieselben, wie fast auch alle anderen Einsatzstücke, an einem Ende schraubenförmig zugeschnitten und an dem anderen Ende mit einem Muff mit Schraubengewinden versehen. Zwei von diesen inneren Einsatzstücken waren um je einen Rechtwinkel und ein drittes um zwei

Rechtwinkel gekrümmt; es war also die Axe des ersteren ein Viertel- und die des anderen ein Halbkreis. Ein Viertelkreiskropf *NKO* ist in Fig. 90, und der zweite oder Halbkreiskropf *NKO* ist in Fig. 91 in halber natürlicher Größe abgebildet. Die Ausflußversuche mittelst dieser Röhren wurden nur im Hauptreservoir und folglich unter allmälig abnehmendem Drucke angestellt.

Fig. 90.

I. Versuche über den Ausfluß durch einen **einfachen Kropf**.

Fig. 91.

1) Der **Kropf von 90 Grad Krümmung** (Fig. 90) war mit dem aus §. 20, II, bekannten Mundstück verbunden, und es wurde Folgendes gefunden.

Mittlere Druckhöhe h Meter	Ausfluß-zeit t Secunden	Ausfluß-coefficient μ_1	Widerstands-coefficient ζ_1
0,3998	83,25	0,819	0,489
0,8990	55,75	0,816	0,502 .

Obgleich der Strahl, wie es schien, den Mündungsquerschnitt ausfüllte, so hatte er doch noch ein besenförmiges Ansehen; es floß also das Wasser nicht in parallelen Fäden aus, und deshalb wurde noch das bekannte cylindrische Ausmündungsstück *CD* angesetzt, so daß eine zusammengesetzte Röhre *AKCD*, wie Fig. 23, entstand. Folgendes sind die hiermit erlangten Versuchsergebnisse:

Fig. 92.

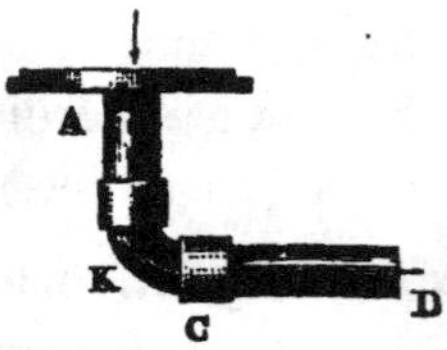

h Meter	t Secunden	μ_1	ζ_1
0,3998	89,25	0,764	0,711
0,8990	58	0,784	0,626 .

Der mittlere Werth von ζ_1 für die ersteren Versuche ist 0,490, und zieht man hiervon $\zeta_0 = 0,166$ für das Einmündungsstück ab, so bleibt für den Kropf allein der Widerstandscoefficient

$$\zeta = \zeta_1 - \zeta_0 = 0,490 - 0,166 = 0,324 .$$

Für die letzteren Versuche ist hingegen im Mittel $\zeta_1 = 0{,}668$, und zieht man hiervon den Widerstandscoefficienten $\zeta_0 = 0{,}290$ für die Verbindung des geraden Ein- und Ausmündungsstückes (s. §. 24, II) ab, so bleibt für den Kropf:

$$\zeta = \zeta_1 - \zeta_0 = 0{,}668 - 0{,}290 = 0{,}378\,.$$

Beide Werthe für ζ sind etwas größer als die Tabelle auf S. 157 angiebt, welcher zu Folge

für $\frac{a}{r} = 0{,}5$, $\zeta = 0{,}294$, und

für $\frac{a}{r} = 0{,}6$, $\zeta = 0{,}440$ ist.

2) Der halbkreisförmige Kropf, Fig. 93, blos mit dem bekannten cylindrischen Einmündungsstück verbunden (Fig. 46), führte auf Folgendes:

h Meter	t Secunden	μ_1	ζ_1
0,3998	88,25	0,773	0,669
0,8990	57,25	0,795	0,584 .

Der ausfließende Strahl war ziemlich stark conisch divergent.

Der Mittelwerth von ζ_1 ist $= 0{,}626$, und folglich für den Kropf allein

$$\zeta = \zeta_1 - \zeta_0 = 0{,}626 - 0{,}166 = 0{,}460.$$

Fig. 93.

Da der Reibungscoefficient noch nahe 0,075 betragen kann, so bleibt für den Krümmungswiderstand allein nur

$$\zeta = 0{,}385$$

übrig, woraus zu ersehen ist, daß der Krümmungswiderstand des halbkreisförmigen Kropfes nahe derselbe ist wie der des Viertelkreiskropfes.

II. Ueber den Ausfluß durch zusammengesetzte Kröpfe wurden folgende Versuche angestellt:

1) An die Röhrenverbindung in Fig. 93 war noch der Halbmesserkreiskropf aus Fig. 91 angesetzt.

Es war

h Meter	t Secunden	μ_1	ζ_1
0,3998	99,75	0,684	1,138 .

Nach Abzug von $\zeta_0 = 0{,}324$ für die beiden geraden Rohrstücke (s. §. 24, II) bleibt für beide Kröpfe

$$\zeta = 1{,}138 - 0{,}324 = 0{,}808,$$

und daher für einen Kropf der Widerstandscoefficient $\zeta = 0{,}404$, während nach Abzug des Widerstandscoefficienten $\zeta_0 = 0{,}764$ der Verbindung der ersten drei Rohrstücke, für den Halbkreiskropf allein

$$\zeta = 1{,}138 - 0{,}764 = 0{,}374 \text{ folgt.}$$

2) An die letzte Rohrverbindung wurde noch einen Kropf von 90° und zwar so an den Halbkreiskropf angesetzt, daß die Röhrenaxe an der Verbindungsstelle einen Wendungspunkt erhielt. Es ergab sich:

h Meter	t Secunden	μ_1	ζ_1
0,3998	112,5	0,606	1,719 .

Zieht man von dem hier gefundenen Widerstandscoefficienten den für die vorige Röhrenverbindung ab, so resultirt für den äußeren Kropf der Widerstandscoefficient 1,719 — 1,138 = 0,581. Dieser große Werth des Widerstandscoefficienten hat jedenfalls darin seinen Grund, daß die Röhrenaxe eine Inflexion macht.

Fig. 94.

3) Die beiden Kropfstücke K und K_1 von 90 und von 180 Grad Krümmung, waren wieder entgegengesetzt und außerdem noch mit den bekannten Ein- und Ausmündungsstücken verbunden, so daß eine zusammengesetzte Röhre AKK_1CD, Fig. 94, entstand. Ein Versuch unter größerem Drucke gab Folgendes:

h Meter	t Secunden	μ_1	ζ_1
0,8990	67,25	0,676	1,185 .

Hiervon den Widerstandscoefficienten 0,626 von oben (I, 1) abgezogen, bleibt für den Halbkreiskropf allein

$$\zeta = 1{,}185 - 0{,}626 = 0{,}559,$$

in guter Uebereinstimmung mit dem (I, 2) gefundenen Coefficienten.

4) Die vorige Verbindung ohne das gerade Ausmündungsstück gab:

h Meter	t Secunden	μ_1	ζ_1
0,8990	66	0,689	1,105 .

Nach Abzug des Werthes $\zeta_1 = 0{,}502$ für (I, 1) folgt für den Halbkreiskropf allein

$$\zeta_1 = 1{,}105 - 0{,}502 = 0{,}603 .$$

5) An die vorletzte Verbindung (3) statt des geraden Ausmündungsstückes das zweite Kopfstück von 90 Grad, und zwar so angesetzt, daß die Röhrenaxe noch eine zweite Inflexion bekam. Es wurde gefunden:

h Meter	t Secunden	μ_1	ζ_1
0,8990	73,25	0,621	1,593 .

Nach Abzug von $\zeta_1 = 1{,}105$ für die vorige Verbindung bleibt für den letzten Kropf der Widerstandscoefficient

$$\zeta = 1{,}593 - 1{,}105 = 0{,}488 .$$

§. 35. Noch einige Versuche an zusammengesetzten längeren Röhren über den Reibungs- und Krümmungswiderstand des Wassers.

Der hydraulische Apparat mit seinen verschiedenen Röhren-, Mund- und Einsatzstücken u. s. w. gestattet noch eine Menge von interessanten und lehrreichen Versuchen, da außer den bis jetzt angegebenen Verbindungen der Ausflußstücke noch viele andere Combinationen derselben möglich sind. Es kann jedoch nicht in meiner Absicht liegen, hier eine vollständige Zusammenstellung aller Versuche zu geben, sondern es muß mein Bestreben mehr darauf gerichtet sein, eine gründliche Anleitung zur Ausführung hydraulischer Versuche zu liefern. Deshalb möge hier auch nur noch der Versuche an einer in Fig. 95 abgebildeten zusammengesetzten Röhrenverbindung gedacht werden. Diese Verbindung besteht 1) aus der weiteren Messingröhre *AB*, von 140 Centimeter, welche wir schon aus §. 25, IV kennen; 2) aus der engeren Messingröhre *BC*, von 100 Centimeter Länge, die uns ebenfalls, und zwar aus §. 25, I, bekannt ist; ferner 3) aus einem einfachen cylindrischen Zwischenstücke B, durch welches die Verbindung dieser beiden Röhren

Fig. 95.

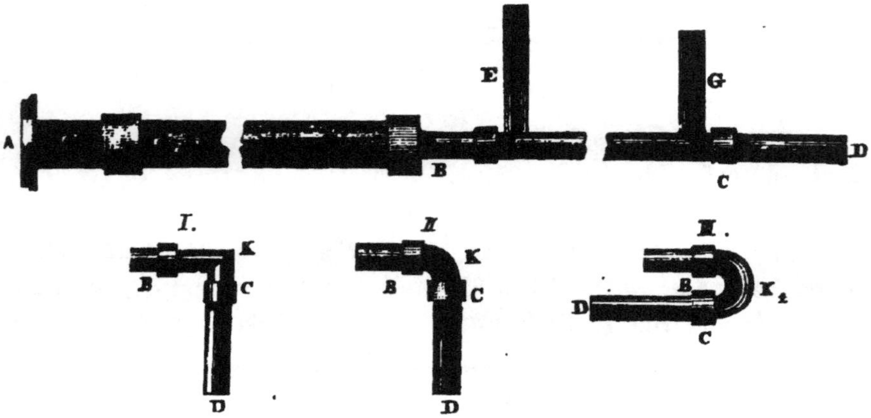

mit einander bewirkt wird, und 4) aus dem bekannten cylindrischen Ausmündungsstücke CD (s. Fig. 53 zu §. 24, u. Fig. 55 zu §. 25 u. s. w.). Auf die engere Leitungsröhre wurden noch die ebenfalls aus §. 25 bekannten Piezometerröhren E und G aufgesetzt, um die Widerstandshöhen unmittelbar ablesen zu können. Diese Rohrverbindung ließ sich natürlich zur Ausmittelung der Reibungscoefficienten des Wassers in Röhren benutzen; außerdem brachte man noch zwischen die Röhre BC und das Ausmündungsstück CD:

1) das Knie K, so daß die Röhrenleitung sich wie $BKCD$, I endigte, ferner
2) den Kropf K von 90 Grad, wie aus II, zu ersehen ist, und
3) den Kropf K_1 von 180 Grad, wie BK_1CD, III vor Augen führt.

Die Versuche selbst wurden bei horizontaler Lage der Röhrenaxe, und zwar unter dem mittleren Drucke mit Hilfe des Hauptreservoirs angestellt und gaben folgende Resultate.

1) Ein Versuch mit der einfachen geraden Rohrverbindung. Es war

Mittlere Druckhöhe h Meter	Ausfluß-zeit t Secunden	Ausfluß-coefficient μ_1	Widerstands-coefficient ζ_1	Geschwin-digkeit v
0,3998	156,5	0,436	4,262	1,221.

Das Verhältniß der Durchmesser der beiden Röhren zu einander ist $\frac{d_1}{d} = \frac{1,4372}{1,044}$, folglich das Querschnittsverhältniß derselben: $\left(\frac{d_1}{d}\right)^2 = \left(\frac{1,4372}{1,044}\right)^2 = 1,895$, und die mittlere Geschwindigkeit des Wassers in der weiteren Röhre:

$$v_1 = \left(\frac{d}{d_1}\right)^2 v = \frac{1,221}{1,895} = 0,644 \text{ Meter.}$$

Nun ist nach §. 25, IV für die weitere Röhre mit ihrem Einmündungsstücke, und zwar bei $v_1 = 0,667$ Meter, der Widerstandscoefficient $\zeta_1 = 2,933$, daher haben wir die entsprechende Widerstandshöhe dieser Röhre

$$\zeta_1 \frac{v_1^2}{2g} = 2,933 . \left(\frac{d}{d_1}\right)^4 \frac{v^2}{2g} = \frac{2,933}{1,895^2} . \frac{v^2}{2g} = 0,817 \frac{v^2}{2g},$$

und es bleibt folglich für die übrige Röhrenverbindung die Widerstandshöhe

$$(4,262 - 0,817) \frac{v^2}{2g} = 3,445 . \frac{v^2}{2g} \text{ übrig.}$$

Der Contractionscoefficient für den Eintritt aus der weiteren Röhre in die engere ist, da hier das Querschnittsverhältniß

$$\nu = \frac{1}{1,895} = 0,528$$

beträgt, nach der Tabelle auf Seite 119,

$$\mu = 1,086 \; \mu_0 = 1,086 . 0,815 = 0,885,$$

und folglich die entsprechende Widerstandshöhe $0,277 \frac{v^2}{2g}$, weshalb für die bloße enge Röhre mit ihrem Einmündungsstücke die Widerstandshöhe

$$(3,445 - 0,277) \frac{v^2}{2g} = 3,168 \frac{v^2}{2g} \text{ übrig bleibt.}$$

Nach den in §. 25, I, 2 rapportirten Versuchen mit derselben Röhre, ist bei der Ausflußgeschwindigkeit $v = 1,315$ Meter, die Widerstandshöhe dieser Röhre $3,533 \frac{v^2}{2g}$; wenn man hiervon noch die bekannte Widerstandshöhe $0,505 \frac{v^2}{2g}$ für den Eintritt in die Röhre abzieht ist, so bleibt die Reibungshöhe der Röhre $3,028 \frac{v^2}{2g}$, und es ist also die Abweichung von der so eben gefundenen Reibungshöhe $3,168 \frac{v^2}{2g}$ eine ziemlich kleine. Da der mittleren Geschwindigkeit $v = 1{,}221$ Meter die Geschwindigkeitshöhe $\frac{v^2}{2g} = 0{,}07595$ Meter zukommt, so ist die gefundene Reibungshöhe $3{,}168 \frac{v^2}{2g} = 3{,}168 \,.\, 0{,}07595 = 0{,}241$ Meter. Das erste Piezometer stand beim Durchgang des Wasserspiegels durch die erste Spitze, auf der Höhe

$$z_1 = 0{,}285 \text{ Meter},$$

und beim Durchgang desselben durch die zweite Spitze, auf

$$z_2 = 0{,}216 \text{ Meter; folglich im Mittel auf}$$

$$\frac{z_1 + z_2}{2} = 0{,}250 \,.$$

Da hiervon noch circa 0,005 Meter wegen der Capillarität abgeht, so ist die durch die Piezometer angegebene Reibungshöhe 0,245 Meter mit der gefundenen Reibungshöhe 0,241 Meter in guter Uebereinstimmung.

2) Es war noch das in I abgebildete **Kniestück** K eingeschaltet. Die Ausflußzeit stieg hierbei auf $t = 179{,}33$ Sec., und es ist hiernach der entsprechende Widerstandscoefficient für die ganze Röhrenverbindung

$$\zeta = 5{,}923 \,.$$

Hiervon den oben gefundenen Widerstandscoefficienten 4,262 der geraden Rohrverbindung abgezogen, bleibt für das Knie der Widerstandscoefficient

$$\zeta = 5{,}923 - 4{,}262 = 1{,}661 \,.$$

In §. 33, I wurde dieser Coefficient 1,636, also wenig kleiner gefunden.

Die mittlere Ausfluß-Geschwindigkeit des Wassers ist $v = 1{,}065$ Meter, und die entsprechende Geschwindigkeitshöhe $\frac{v^2}{2g} = 0{,}05784$; ferner stand das erste Piezometer anfangs auf 0,325 und am Ende 0,246, also im Mittel auf 0,2855 Meter, und dagegen das zweite anfangs auf 0,127 Meter und am Ende auf 0,099 Meter, also im Mittel auf 0,1130 Meter, folglich ist die Widerstandshöhe für die lange enge Röhre innerhalb der beiden Piezometer, $h = 0{,}2855 - 0{,}1130 = 0{,}1725$ Meter, und der entsprechende Reibungscoefficient der Röhre:

$$\zeta = \frac{h}{\frac{v^2}{2g}} \cdot \frac{d}{l} = \frac{0{,}1725}{0{,}05784} \cdot \frac{1{,}0224}{97} = 0{,}03143 \,.$$

Oben (Seite 105) wurde

für $v = 0{,}562$ Meter, $\zeta = 0{,}03798$ und

für $v = 1{,}315$ Meter, $\zeta = 0{,}02938$

gefunden, und da uns die letzten Versuche

für $v = 1{,}065$ Meter, $\zeta = 0{,}03143$

geben, so ist die Uebereinstimmung wieder eine sehr gute.

Ferner bestimmt sich aus dem mittleren Stande des zweiten Piezometers, $z = 0{,}1130$ Meter, nach Abzug der Capillarität, der Widerstandscoefficient des Knie- sammt Ausmündungsstückes:

$$\zeta = \frac{z}{\frac{v^2}{2g}} = \frac{0{,}1080}{0{,}05784} = 1{,}867,$$

und ziehen wir hiervon noch den Widerstandscoefficienten 0,210 für das cylindrische Ausmündungsstück ab, so bleibt für das Knie allein

$$\zeta = 1{,}867 - 0{,}210 = 1{,}657,$$

wogegen wir oben im Mittel 1,636 gefunden haben.

3) Es war das in II abgebildete Kropfstück von 90 Grad eingeschaltet.

Hier war unter übrigens gleichen Umständen $t = 164$ Sec., woraus sich

$$\zeta_1 = 4{,}779 \text{ für } v = 1{,}165 \text{ Meter und}$$

$$\frac{v^2}{2g} = 0{,}06916 \text{ Meter berechnet.}$$

Hiervon den Widerstandscoefficienten für die gerade Rohrverbindung abgezogen, bleibt für den Kropf der Widerstandscoefficient

$$\zeta = 4{,}779 - 4{,}262 = 0{,}517,$$

während wir oben nur 0,324 gefunden haben.

Der mittlere Stand des ersten Piezometers war $z_1 = 0{,}2655$ und der des zweiten $z_2 = 0{,}0612$ Meter, folglich die Reibungshöhe des Röhrenstückes zwischen beiden Piezometern

$$h = z_1 - z_2 = 0{,}2043 \text{ Meter},$$

und der entsprechende Reibungscoefficient

$$\zeta = \frac{h}{\frac{v^2}{2g}} \cdot \frac{d}{l} = \frac{0{,}2043}{0{,}06916} \cdot \frac{1{,}0224}{97} = 0{,}03114,$$

also ebenfalls wieder in gutem Einklang mit dem bereits Gefundenen.

4) Nachdem man den vorigen Kropf durch den Halbkreiskropf in III ersetzt hatte, wurde der Versuch von Neuem wiederholt; es war hierbei die Ausflußzeit t um $\frac{1}{2}$ Sec. größer und es stiegen die Piezometerstände nur um 2 Millimeter; es blieben folglich auch die Versuchsergebnisse ziemlich die vorigen.

Zehntes Kapitel.

Versuche über den hydraulischen Druck des Wassers.

§. 36. Die Theorie des hydraulischen Druckes.

Der Druck des bewegten Wassers gegen die Gefäß- oder Röhrenwände ist ein anderer als der des stillstehenden Wassers, und deshalb unterscheidet man auch den hydraulischen oder hydrodynamischen Druck des Wassers von dem hydrostatischen Drucke desselben. Der hydrostatische Druck oder der Druck des stillstehenden Wassers hängt nur von der Druckhöhe und von der Größe der gedrückten Fläche ab, er wächst mit beiden Größen gleichmäßig und ist gleich dem Gewichte einer Wassersäule, welche die gedrückte Fläche zur Basis und ihre Druckhöhe oder die Tiefe ihres Schwerpunktes unter dem Wasserspiegel zur Länge hat. Ist folglich h_1 die Druckhöhe und γ die Dichtigkeit des Wassers oder des drückenden Fluidums überhaupt, so hat man den Druck desselben gegen die Flächeneinheit, z. B. auf einen Quadratzoll,

$$p_0 = 1 . h_1 \gamma = h_1 \gamma,$$

Wird der Wasserspiegel durch eine besondere Kraft, z. B. durch die eines Kolbens oder durch die Atmosphäre mit der Stärke p_1 auf den Quadratzoll gedrückt, so kommt zu vorigem Drucke noch dieser hinzu, so daß

$$p_0 = p_1 + h_1 \gamma \text{ folgt.}$$

Anders ist es aber bei dem Drucke des bewegten Wassers, oder bei dem sogenannten hydraulischen Drucke, denn dieser hängt überdies von der Geschwindigkeit ab, mit welcher das Wasser an der gedrückten Fläche vorbei fließt. Die Größe dieses Druckes wird durch die Gleichung XV in §. 5 vollständig bestimmt; es ist nämlich die hydraulische Druckhöhe

$$\frac{p_2}{\gamma} = h_2 = h_0 - \frac{v_2^2 - v_1^2}{2g}, \text{ worin}$$

$$h_0 = \frac{p_0}{\gamma} = \frac{p_1}{\gamma} + h_1,$$

die hydrostatische Druckhöhe, v_1 die Geschwindigkeit des Wassers an der Oberfläche und v_2 die des an der gedrückten Fläche vorbei fließenden Wassers bezeichnen.

Hiernach fällt also der hydraulische Druck $p_2 = h_2\gamma$ um so kleiner aus, je größer die Geschwindigkeit des an der gedrückten Fläche vorbeifließenden Wassers ist.

Ist die Fläche des Wasserspiegels gegen den Querschnitt der Ausmündung sehr groß, so kann man v_1 = Null setzen, und dann hat man

$$h_2 = h_0 - \frac{v_2^2}{2g} \text{ oder}$$

$$h_2 = \frac{p_2}{\gamma} = \frac{p_1}{\gamma} + h_1 - \frac{v_2^2}{2g}.$$

In vielen Fällen ist selbst der Druck p_1 auf den Wasserspiegel = Null, oder als Null anzusehen, und daher ganz einfach

$$h_2 = \frac{p_2}{\gamma} = h_1 - \frac{v_2^2}{2g},$$

also die hydraulische Druckhöhe h_2 um die Geschwindigkeitshöhe $\frac{v_2^2}{2g}$ kleiner als die hydrostatische Druckhöhe h_1.

Diese Formel gilt natürlich nur dann, wenn das Wasser bei seiner Bewegung vom Wasserspiegel bis zum Querschnitte für welchen der hydraulische Druck p_2 bestimmt werden soll, keine Hindernisse zu überwinden hat. Nimmt aber noch die Ueberwindung der letzteren die Widerstandshöhe $\zeta_2 \frac{v_2^2}{2g}$ in Anspruch, so hat man

$$h_2 = \frac{p_2}{\gamma} = h_1 - \frac{v_2^2}{2g} - \zeta_2 \frac{v_2^2}{2g}$$

$$= h_1 - (1 + \zeta_2) \frac{v_2^2}{2g}.$$

Fließt das Wasser mit der Geschwindigkeit v aus, und ist der Querschnitt des ausfließenden Strahles $= F$, dagegen der Querschnitt des Gefäßes, durch welchen das Wasser mit der Geschwindigkeit v_2 hindurchströmt, und in welchem also auch der Druck $= p_2$ ist, $= F$, so hat man

$$F_2 v_2 = Fv, \text{ oder } v_2 = \left(\frac{F}{F_2}\right) v, \text{ und daher}$$

$$h_2 = \frac{p_2}{\gamma} = h_1 - (1 + \zeta_2)\left(\frac{F}{F_2}\right)^2 \cdot \frac{v^2}{2g}.$$

Ist endlich h noch die ganze Druckhöhe, vom Wasserspiegel bis Ausmündung gemessen, und $\mu = \alpha\varphi$ der Ausflußcoefficient für das ganze Ausflußreservoir, so hat man noch statt F, αF, und statt v, $\varphi\sqrt{2gh}$ also statt $\frac{F^2 v^2}{2g}$, $\alpha^2 F^2 \varphi^2 h = \mu^2 F^2 h$ einzuführen, und es folgt

$$h_2 = \frac{p_2}{\gamma} = h_1 - (1 + \zeta_2)\left(\frac{F}{F_2}\right)^2 . \mu^2 h.$$

Noch läßt sich

$$\frac{1}{\mu^2} = 1 + \zeta + \zeta_2 \left(\frac{F}{F_2}\right)^2$$

setzen, wenn ζ den Widerstandscoefficienten ausdrückt, welcher den Bewegungshindernissen des Wassers bei seiner Bewegung auf dem Wege von dem Querschnitte F_2 bis zum Querschnitte F entspricht.

Diesem zu Folge ist

$$h_2 = \frac{p_2}{\gamma} = h_1 - \frac{1 + \zeta_2}{1 + \zeta + \zeta_2\left(\frac{F}{F_2}\right)^2} \cdot \left(\frac{F}{F}\right)^2 . h.$$

Da hiernach der hydraulische Druck mit der Geschwindigkeitshöhe des ausfließenden Wassers gleichmäßig abnimmt, so kann er natürlich auch unter gewissen Verhältnissen Null werden. Die Bedingung dieses Nullwerdens ist dem Vorstehenden zu Folge:

$$(1 + \zeta_2)\left(\frac{F}{F_2}\right)^2 \frac{v^2}{2g} = h_1 \text{ oder}$$

$$\frac{1 + \zeta_2}{1 + \zeta + \zeta_2\left(\frac{F}{F_2}\right)^2} \cdot \left(\frac{F}{F_2}\right)^2 . h = h_1.$$

Wenn also das Querschnittsverhältniß

$$\frac{F}{F_2} = \sqrt{\frac{2gh_1}{(1 + \zeta_2)v^2}} \text{ oder}$$

$$= \sqrt{\frac{\left[1 + \zeta + \zeta_2 \left(\frac{F}{F_2}\right)^2\right]}{1 + \zeta_2} \cdot \frac{h_1}{h}}$$

ist, so fällt an dem entsprechenden Querschnitt F_2 der Druck = Null aus. Wäre

$$\frac{F}{F_2} > \sqrt{\frac{2gh_1}{(1 + \zeta_2)\, v^2}}, \text{ also umgekehrt,}$$

$$\frac{F_2}{F} < \sqrt{\frac{(1 + \zeta_2)\, v^2}{2gh_1}}, \text{ oder}$$

$$< \sqrt{\frac{1 + \zeta_2}{1 + \zeta + \zeta_2 \left(\frac{F}{F_2}\right)^2} \cdot \frac{h}{h_1}},$$

so würde das Wasser durch den Querschnitt nicht in hinreichender Menge hindurchströmen, um das durch F ausfließende Wasser ersetzen zu können, es würde also entweder die Continuität des Wassers ganz aufhören oder es würde der ausfließende Strahl nicht mehr die Ausflußmündung F ausfüllen, und sich sein Querschnitt auf die Größe:

$$F \sqrt{\frac{(1 + \zeta)\, v^2}{2gh_1}} = F \sqrt{\frac{1 + \zeta_2}{1 + \zeta + \zeta_2 \left(\frac{F}{F_2}\right)^2} \cdot \frac{h}{h_1}}$$

zusammenziehen.

Bei vorstehenden Untersuchungen ist noch der Atmosphärendruck außer Acht gelassen worden; es gelten also diese Gleichungen unmittelbar für den Fall, daß sich das Ausflußreservoir im luftleeren Raume befindet. Wenn hingegen der Wasserspiegel noch dem Atmosphärendruck p_1 ausgesetzt ist, so hat man

$$h_2 = \frac{p_1}{\gamma} + h_1 - \frac{v_2^{\,2}}{2g},$$

und folglich in den vorstehenden Ausdrücken statt

$$h_1,\quad h_1 + \frac{p_1}{\gamma} = h_1 + b$$

zu setzen, wenn $b = \frac{p_1}{\gamma}$ den Wasserbarometerstand oder die dem Atmosphärendruck das Gleichgewicht haltende Höhe einer Wassersäule bezeichnet. Es ist also dann

$$h_2 = h_1 + b - \frac{1 + \zeta_2}{1 + \zeta + \zeta_2 \left(\frac{F}{F_2}\right)^2} \cdot \left(\frac{F}{F_2}\right)^2 h;$$

und folglich der hydraulische Druck des Wassers im Querschnitte F_2 und in der Tiefe h_1 unter dem Wasserspiegel dem Atmosphärendrucke b gleich für

$$\frac{F_2}{F} = \sqrt{\frac{1+\zeta_2}{1+\zeta+\zeta_2\left(\frac{F}{F_2}\right)^2} \cdot \frac{h}{h_1}}.$$

Ist

$$\frac{F_2}{F} < \sqrt{\frac{1+\zeta_2}{1+\zeta+\zeta_2\left(\frac{F}{F_2}\right)^2} \cdot \frac{h}{h_1}},$$

so fällt natürlich der hydraulische Druck kleiner als der einer Atmosphäre aus, und es wird daher an der entsprechenden Stelle die Gefäßwand durch die Atmosphäre von außen stärker gedrückt, als durch das Wasser von innen. Durch eine Mündung, welche an dieser Stelle, d. i. in der Tiefe h_1 unter dem Wasserspiegel, von außen nach dem inneren Gefäßraume führt, fließt also dann kein Wasser aus dem Gefäße heraus, sondern es dringt die äußere Luft in das Gefäß ein.

Die Größe, um welche der innere Wasserdruck größer oder kleiner ist als der äußere Luftdruck, läßt sich sehr leicht an einem Piezometer beobachten, welches man mit dem einen Ende in das Gefäß einmünden läßt. Ist der innere Wasserdruck der größere, so steht der Wasserspiegel im Piezometer um die Höhe

$$h_2 = h_1 - \frac{1+\zeta_2}{1+\zeta+\zeta_2\left(\frac{F}{F_2}\right)^2} \cdot \left(\frac{F}{F_2}\right)^2 h$$

über dem Punkte, wo das letztere in das Ausflußreservoir einmündet, und ist hingegen der äußere Luftdruck der größere, so stellt sich der Wasserspiegel im Piezometer um die Höhe

$$h_2 = \frac{1+\zeta_2}{1+\zeta+\zeta_2\left(\frac{F}{F_2}\right)^2} \cdot \left(\frac{F}{F_2}\right)^2 h - h_1$$

unter der Stelle, wo das Piezometer in das Gefäß einmündet.

Ohne Rücksicht auf Widerstände oder Nebenhindernisse ist natürlich $\zeta = \zeta_2 =$ Null zu setzen, und daher

$$h_2 = \pm\left[h_1 - \left(\frac{F}{F_2}\right)^2 h\right].$$

Fig. 96.

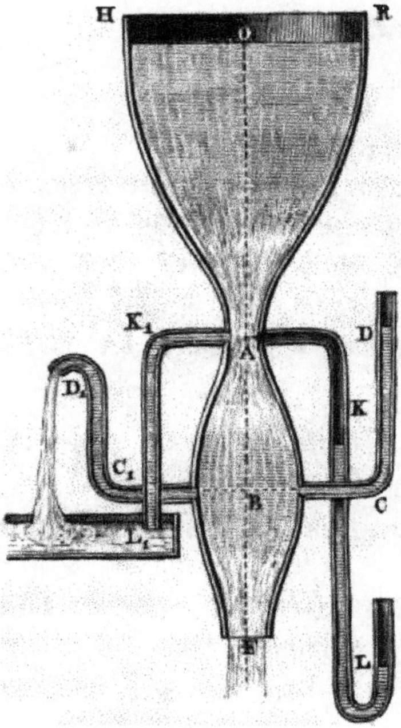

Der hydraulische Druck fällt hiernach positiv, Null, oder negativ aus, je nachdem

$$\left(\frac{F}{F_2}\right)^2 < \frac{h_1}{h} \text{ oder } = \frac{h_1}{h} \text{ oder } > \frac{h_1}{h} \text{ ist.}$$

In einem Ausflußreservoir HRF, Fig. 96, mit veränderlichem Querschnitte ist z. B. an dem Bauche B, der durch den Piezometerstand CD gemessene hydraulische Druck

$$h_2 = h_1 - \left(\frac{F}{F_2}\right)^2 h$$

positiv, und dagegen an dem Halse A dieser durch den Piezometerstand KL gemessene hydraulische Druck

$$h_2 = h_1 - \left(\frac{F}{F_2}\right)^2 h$$

negativ, weil der Querschnitt des Bauches

$$F_2 > F\sqrt{\frac{h}{h_1}}$$

und der des Halses

$$F_2 < F\sqrt{\frac{h}{h_1}} \text{ ist.}$$

Fig. 97.

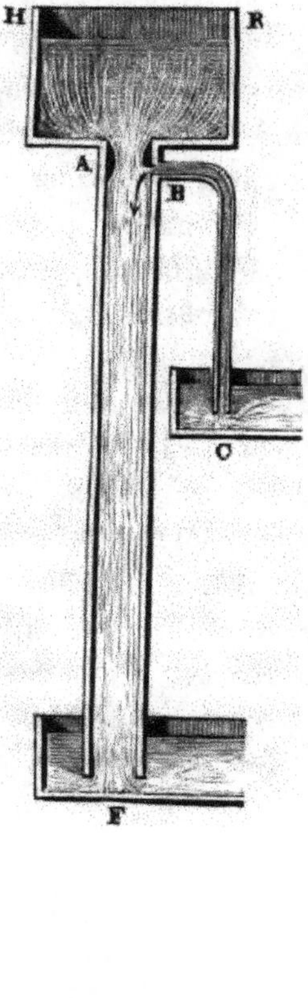

Ist die Höhe der in den engen Hals A einmündenden Piezometerröhre K_1L_1 kleiner als h_2, so drückt der äußere Luftdruck das Wasser aus dem Gefäße L_1 des Piezometers in dem letzteren empor, und in das Ausflußreservoir, worin dasselbe der Ausflußmündung F zugeführt wird; ist dagegen die Höhe der in den Bauch B einmündenden Röhre C_1D_1 kleiner als $CD = h_2$, so fließt Wasser durch diese Röhre aus dem Reservoir ab.

Dieselben Veränderungen des hydraulischen Druckes lassen sich auch an einer cylindrischen Röhre HRF Fig. 97 nachweisen. Nahe unter der Einmündungsstelle A der Röhre in das Gefäß HRA ist $h_1 < h$ und $F_2 = \alpha F < F$, folglich

$$h_2 = h_1 - \frac{h}{\alpha^2}$$

negativ, also der Piezometerstand BC ein negativer.

Durch den negativen Wasserdruck läßt sich auch Wasser heben und Luft in Bewegung setzen. Hierauf beruht unter anderm auch die Theorie des sogenannten Wassertrommelgebläses, welches mittelst eines durchlöcherten engen Halses einer Röhre Luft einsaugt, und dieselbe unten an der Ausmündung sammelt, von wo sie nach dem Punkte des Bedarfs geleitet wird.

§. 37. Versuche über den positiven und den negativen Wasserdruck.

Zur Ausführung der Versuche über den hydraulischen Druck des Wassers diente

I. die in Fig. 98 abgebildete Röhre BD von ungleicher Weite. Das engere Stück dieser Röhre war $3\frac{1}{2}$ Centimeter lang und 1 Centimeter weit, das weitere Stück 5 Centimeter lang und $\sqrt{2}$ Centimeter $= 1,4142$ Centimeter weit, und das Mittelstück, welches den allmäligen Uebergang aus dem engeren in das weitere Stück machte, hatte eine Länge von $2\frac{1}{2}$ Centimeter. Zwei, vier Millimeter weite Seitenröhrchen EF und G, welche in die cylindrischen Theile dieser Röhre einmündeten, dienten zum Aufsetzen von gläsernen Piezometerröhrchen, und um diese Röhre mit dem einen oder dem andern Ende an die aus §. 12 bekannte und in Fig. 23 abgebildete weite Röhre AB ansetzen zu können, war jedes Ende B und D mit einem innen schraubenmutterförmig ausgeschnittenen Muff versehen, der sich nach Abnahme der Kapsel B (Fig. 23) auf das schraubenspindelförmig geschnittene Ende der Röhre AB aufschrauben ließ. Diese Röhre wurde mit ihrer Kopffläche bei A in das mittlere Loch des Hauptreservoirs eingesetzt, und hierauf der Versuch bei allmälig abnehmendem Drucke ausgeführt. Das Seitenloch C in AB war natürlich hierbei verstopft.

Fig. 98.

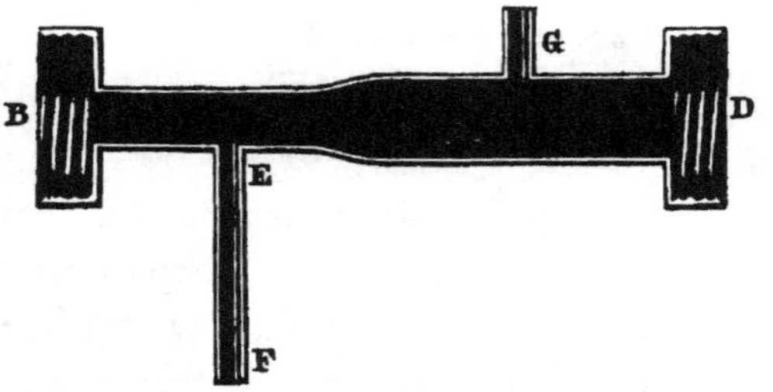

1) Die Röhre BD (Fig. 98) war mit dem weiteren Ende D an das weite Rohr AB (Fig. 23) angesetzt, und es floß das Wasser durch die engere Mündung bei B aus.

Die Ausflußzeit war unter den gewöhnlichen Verhältnissen, $t = 78{,}75$ Sec. und hiernach

h_1 Meter	h_2 Meter	h Meter	μ_1	ζ_1	v Meter
0,4620	0,3420	0,3998	0,866	0,332	2,426.

Der Querschnitt des 3 Centimeter weiten Zuleitungsrohres ist 9 mal so groß als der der Ausmündung, folglich ist die Geschwindigkeit des Wassers in demselben nur ein Neuntel von der Ausflußgeschwindigkeit v, d. i. $v_1 = \frac{1}{9} . 2{,}426 = 0{,}270$ Meter und der entsprechende Reibungscoefficient, nach der Tabelle auf Seite 97, $\zeta = 0{,}0329$. Das Dimensionsverhältniß dieses Rohres $\frac{l}{d}$ ist $= \frac{18}{3} = 6$, und daher die Reibungshöhe des Wassers in diesem Rohre:

$$z_1 = \zeta . \frac{l}{d} . \frac{v_1^2}{2g} = 0{,}0329 . 6 . \frac{1}{9^2} . \frac{v^2}{2g} = 0{,}003 \frac{v^2}{2g}.$$

Ferner der Ausflußcoefficient für den Eintritt aus dem weiten Rohre in die Versuchsröhre BD ist, da man hier

$$\nu = \frac{2}{9} = 0{,}222$$

hat, nach der Tabelle auf Seite 119,

$$\mu_{\frac{2}{9}} = 1{,}031 . \mu_0 = 1{,}031 . 0{,}815 = 0{,}840,$$

folglich der entsprechende Widerstandscoefficient

$$= \left(\frac{1}{0{,}840}\right)^2 - 1 = 0{,}417,$$

und die Widerstandshöhe

$$z_2 = 0{,}417 . \frac{1}{4} . \frac{v^2}{2g} = 0{,}104 \frac{v^2}{2g}.$$

Für den Eintritt aus dem Ausflußreservoir in das weite Rohr hat man dagegen die Widerstandshöhe:

$$z_2 = \frac{1}{9^2} . 0{,}505 \frac{v^2}{2g} = 0{,}006 \frac{v^2}{2g};$$

es folgt daher für die Zuleitung des Wassers bis zum Piezometer G die ganze Widerstandshöhe:

$$z_1 + z_2 + z_3 = (0,003 + 0,104 + 0,006) . \frac{v^2}{2g} = 0,113 \frac{v^2}{2g}, \text{ oder}$$

$$= 4 . 0,113 . \frac{v_1^2}{2g} = 0,452 \frac{v_1^2}{2g},$$

wenn v_1 die Geschwindigkeit des Wassers unter dem Piezometer G bezeichnet.

Dem Vorstehenden zu Folge ist nun in der Bedeutung des vorigen Paragraphen,

$$\zeta_2 = 0,452 \text{ und}$$

$$1 + \zeta + \zeta_2 \left(\frac{F}{F_2}\right)^2 = 1 + \zeta_1 = 1,332,$$

und da man nun noch wegen der söhligen Lage der Röhre, $h_1 = h$ hat, die hydraulische Druck- oder Piezometerhöhe:

$$h_2 = \left[1 - \frac{1 + \zeta_2}{1 + \zeta + \zeta_2 \left(\frac{F}{F_2}\right)^2} . \left(\frac{F}{F_2}\right)^2\right] h$$

$$= \left(1 - \frac{1,452}{1,332} . \frac{1}{4}\right) h = 0,728 \, h .$$

Geht der Wasserspiegel durch die obere Spitze im Ausflußreservoir, so ist die Druckhöhe $h = 0,462$ Meter, und folglich

$$h_2 = 0,728 . 0,462 = 0,336 \text{ Meter,}$$

und geht er durch die untere Spitze, so ist $h = 0,342$ Meter, und daher

$$h_2 = 0,728 . 0,342 = 0,249 \text{ Centimeter.}$$

Das in G aufgesetzte Piezometer zeigte bei dem ersten Durchgange:

$$h_2 = 0,338 \text{ Meter, und beim zweiten:}$$

$$h_2 = 0,254 \text{ Meter;}$$

es läßt also die Uebereinstimmung mit der Theorie nichts zu wünschen übrig.

2) Die Röhre BD (Fig. 98) war mit dem engeren Ende B an das weite Rohr AB, Fig. 23, angesetzt, und es floß das Wasser durch die weitere Mündung bei D aus.

Der Versuch wurde auf die gewöhnliche Weise ausgeführt, und um die Stärke des Ansaugens oder des negativen Druckes zu beobachten, wurde die an das Messingröhrchen EF angesetzte Piezometerröhre FG nach unten in eine mit gefärbtem Wasser angefüllte Flasche K geführt, wie in Fig. 99 zu ersehen ist.

Die Ausflußzeit war bei verschlossenem Piezometer, $t = 62,5$ Sec., und hiernach.

h_1 Meter	h_2 Meter	h Meter	μ_1	ζ_1	v Meter
0,4620	0,3420	0,3998	0,546	2,357	1,528.

Der Querschnitt des Zuleitungsrohres ist $\frac{9}{2}$ mal so groß als der der Ausmündung, folglich die Geschwindigkeit des Wassers in demselben,

Fig. 99.

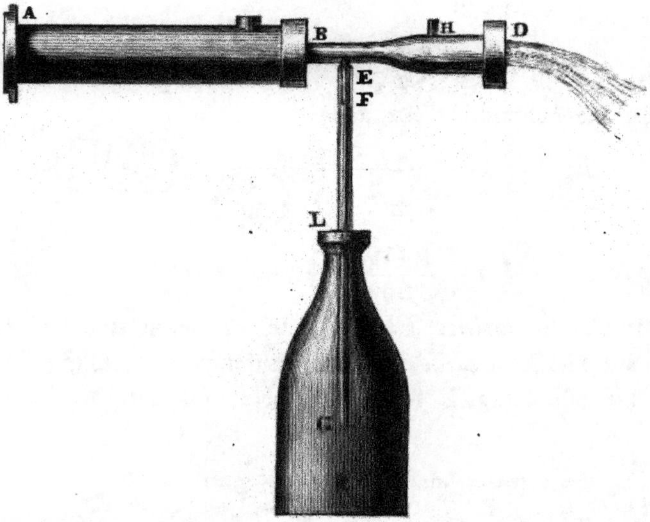

$v_1 = \frac{2}{9} . 1,518 = 0,337$ Fuß, und der entsprechende Reibungscoefficient nach Tab. Seite 97, $\zeta = 0,0309$. Hieraus bestimmt sich die Reibungshöhe dieses Rohres

$$z_1 = \zeta \cdot \frac{l}{d} \cdot \frac{v_1^2}{2g} = 0,0309 . 6 . \frac{4}{81} . \frac{v^2}{2g} = 0,009 \frac{v^2}{2g}.$$

Ferner ist die Widerstandshöhe für den Eintritt in diese Röhre

$$z_2 = \left(\frac{2}{9}\right)^2 . 0,505 \frac{v^2}{2g} = 0,025 \frac{v^2}{2g},$$

und endlich, da der Ausflußcoefficient für den Eintritt aus dem weiten Zuleitungsrohre in das engere Stück der Versuchsröhre nach Tabelle auf Seite 119:

$$\mu_{\frac{1}{9}} = 1,015 . 0,815 = 0,827$$

zu setzen ist, die Widerstandshöhe für diesen Eintritt:

$$z_3 = \left[\left(\frac{1}{0,827}\right)^2 - 1\right] . 4 . \frac{v^2}{2g} = 1,843 . \frac{v^2}{2g} .$$

Durch Addition folgt nun die Widerstandshöhe für die Zuleitung bis zum Piezometer EG:

$$z_1 + z_2 + z_3 = (0,009 + 0,025 + 1,843) \frac{v^2}{2g} = 1,877 \frac{v^2}{2g}$$

$$= \frac{1}{4} . 1,877 \frac{v_1^2}{2g} = 0,469 \frac{v_1^2}{2g},$$

wenn v_1 die Geschwindigkeit des Wassers unter dem Piezometer bezeichnet. In der Bedeutung des vorigen Paragraphen ist nun

$$\zeta_2 = 0,469 ,$$

$$1 + \zeta + \zeta_2 \left(\frac{F}{F_2}\right)^2 = 3,357 , \left(\frac{F}{F_2}\right)^2 = 2^2 = 4 ,$$

und daher die hydraulische Druckhöhe

$$h_2 = \left[1 - \frac{1 + \zeta_2}{1 + \zeta + \zeta_2 \left(\frac{F}{F_2}\right)^2} . \left(\frac{F}{F_2}\right)^2\right]$$

$$= \left(1 - \frac{1,469 . 4}{3,357}\right) h = -0,750\, h .$$

War das Piezometer FG, Fig. 99, angesetzt und die Flasche K gänzlich mit Wasser angefüllt, so floß anfangs noch Wasser durch FG und bei der Mündung L der Flasche über; als aber der Wasserspiegel

Fig. 99.

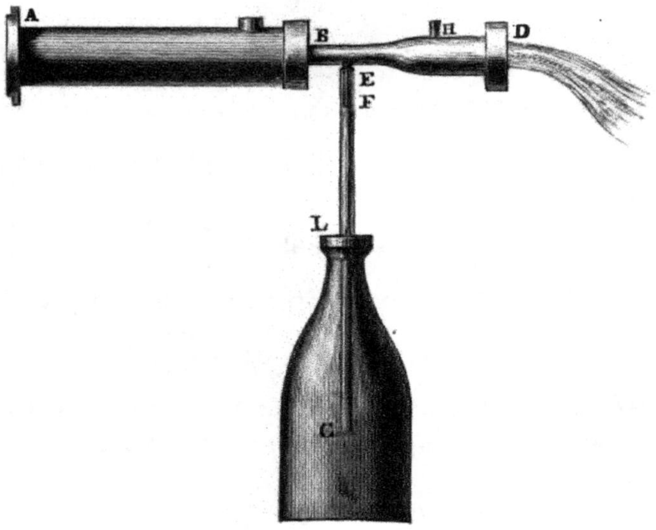

im Ausflußreservoir 0,048 Meter unter der obersten Spitze stand, ging dieses Abfließen in ein Ansaugen über, so daß nun das Wasser aus der Flasche durch GF der Röhre BD zugeführt wurde und bei D mit ausfloß. Dieses Umsetzen der Bewegungsrichtung wurde durch die Färbung des Wassers in der Röhre fast momentan angezeigt. Dem angegebenen Stande des Wasserspiegels entspricht die Druckhöhe $h = 0{,}462 - 0{,}048 = 0{,}414$ Meter und es ist folglich die dazu gehörige hydraulische Druckhöhe

$$h_2 = -0{,}750 \,.\, h = -0{,}750 \,.\, 0{,}414 = -0{,}310 \text{ Meter.}$$

Der Piezometerstand oder die Tiefe der Ausmündung der Flasche unter der Röhrenaxe betrug 0,345 Meter, war also um 0,035 Meter größer als die Rechnung giebt. Da während des obigen Versuches, wodurch $\zeta_1 = \zeta + \zeta_2 \left(\frac{F}{F_2}\right)^2$ bestimmt wurde, das Piezometer verstöpselt war, und folglich kein Wasser durch dasselbe zu- oder abfloß, so erhielt man durch denselben nicht genau denjenigen Werth für ζ_1, welcher dem letzteren Versuche, bei geöffneter Piezometerröhre, entspricht, und es ist hiernach die gefundene Differenz von 0,035 Meter ganz erklärlich.

II. Zu weitern Versuchen über den negativen Wasserdruck diente noch die aus §. 32 bekannte Röhre BD, Fig. 100, welche zu diesem Zwecke mittelst ihres Muffes B ebenfalls an das Ende B des weiten Zuleitungsrohres AB (Fig. 23) angeschraubt wurde. Die Weite dieses Rohres war, wie schon aus §. 32 bekannt ist, $d = 1{,}390$ Centimeter und die Länge desselben, $l = 9$ Centimeter. Das 3 Centimeter lange und vier Millimeter weite Messingröhrchen EF, nahe hinter der Einmündung, diente zum Ansetzen einer gläsernen Piezometerröhre, welche mit ihrem Ende in die in Fig. 99 abgebildete Flasche mit Wasser ausmündete.

Fig. 100.

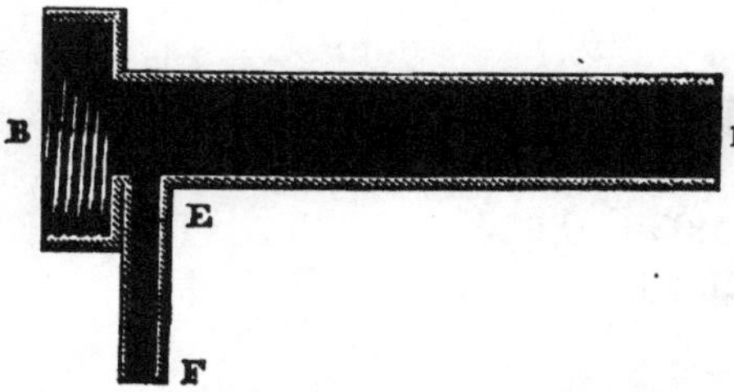

Bei verschlossenem Piezometer ergab sich Folgendes:

h_1 Meter	h_2 Meter	h Meter	t Secunden	μ_1	ζ_1	v Meter
0,4620	0,3420	0,3998	44,5	0,793	0,588	2,193 .

Ohne Piezometer und bei geöffneter und in die freie Luft ausmündender Seitenröhre fiel $t = 55{,}25$ Sec. aus, woraus sich $\mu = 0{,}639$ berechnet. Dieser Ausflußcoefficient entspricht dem Ausflusse durch eine Mündung in der dünnen Wand; da in Folge der durch das Seitenröhrchen eingesaugten Luft der Strahl die Ausmündung D gar nicht ausfüllte, sondern hohl war, so ist die Größe dieses Coefficienten ganz in der Ordnung.

Der Querschnitt des Zuleitungsrohres ist 4,66 mal so groß als der der Versuchsröhre, folglich hat man die Geschwindigkeit des Wassers in dem ersteren, $v_1 = \frac{v}{4{,}66} = 0{,}215\, v = 0{,}471$ Meter und den entsprechenden Reibungscoefficienten $\zeta = 0{,}0283$, woraus die Reibungshöhe

$$z_1 = \zeta \cdot \frac{l}{d} \cdot \frac{v_1^{\,2}}{2g} = 0{,}0283 \,.\, 6{,}5 \,.\, (0{,}215)^2 \frac{v^2}{2g} = 0{,}008 \frac{v^2}{2g}$$

folgt.

Für den Eintritt in das Rohr hat man die Widerstandshöhe

$$z_2 = (0{,}215)^2 \,.\, 0{,}505 \,.\, \frac{v^2}{2g} = 0{,}023 \frac{v^2}{2g};$$

folglich ist für die Zuleitung des Wassers bis zum Piezometer die Widerstandshöhe

$$z_1 + z_2 = (0{,}008 + 0{,}023) \frac{v^2}{2g} = 0{,}031 \frac{v^2}{2g}.$$

Dem Querschnittsverhältnisse $\nu = 0{,}215$ entspricht nach §. 27 der Contractionscoefficient

$$\alpha = 1{,}038 \,.\, \alpha_0 = 1{,}038 \,.\, 0{,}615 = 0{,}638\,,$$

folglich ist das Querschnittsverhältniß

$$\frac{F}{F_2} = \frac{1}{\alpha} = \frac{1}{0{,}638} = 1{,}567\,,$$

ferner die Geschwindigkeit des Wassers im contrahirten Strahle,

$$v_2 = \frac{F}{F_2} v = 1{,}567\, v\,, \text{ und}$$

$$(z_1 + z_2) \left(\frac{F_2}{F}\right)^2 = 0{,}031 \,.\, (0{,}638)^2 \frac{v_2^{\,2}}{2g} = 0{,}013 \frac{v_2^{\,2}}{2g}.$$

In dem Sinne des vorigen Paragraphen ist nun

$$\zeta_2 = 0{,}013 \text{ und}$$

$$1 + \zeta_1 = 1 + \zeta + \zeta_2 \left(\frac{F}{F_2}\right)^2 = 1{,}588,$$

woraus endlich die hydraulische Druckhöhe

$$h_2 = \left[1 - \frac{1,013}{1,588} . (1,567)^2\right] h = -0,566\, h \text{ folgt.}$$

Der Beobachtung am Piezometer zu Folge ging das Abfließen des Wassers durch das Piezometerröhrchen in ein Ansaugen aus der Flasche über, als der Wasserspiegel im Hauptreservoir 1 Centimeter unter der zweiten Zeigerspitze stand, also die hydrostatische Druckhöhe

$$h = 0,3420 - 0,0100 = 0,3320 \text{ Meter war.}$$

Hiernach ist die entsprechende hydraulische Druckhöhe

$$h_2 = -0,566 . 0,332 = -0,188 \text{ Meter.}$$

Die Messung gab die Piezometerhöhe oder die Tiefe der Oberfläche des Wassers in der Flasche unter der Röhrenaxe, $h_2 = 0,184$ Meter. Es ist also die Uebereinstimmung zwischen Theorie und Erfahrung wieder eine sehr gute.

Die Capillarität ist, da die Piezometerröhrchen ziemlich weit waren, unbeachtet geblieben.

Elftes Kapitel.

Versuche über den Ausfluß der atmosphärischen Luft.

§. 38. Die Ausflußgesetze der Flüssigkeiten überhaupt.

Die allgemeine Formel

$$v = \sqrt{2gh}$$

für die Ausflußgeschwindigkeit v des unter der Druckhöhe h ausfließenden Wassers gilt auch für andere Flüssigkeiten, und zwar nicht allein für tropfbare Flüssigkeiten bei jeder Druckhöhe, sondern auch für elastische oder gasförmige Flüssigkeiten bei kleineren Druckhöhen (vergl. XV und XVI in §. 8). Diese Formel läßt sich noch dadurch etwas abändern, daß man statt der Druckhöhe h den Druck p auf die Flächeneinheit einführt. Ist γ die Dichtigkeit oder das Gewicht der Raumeinheit der Flüssigkeit, so hat man

$$p = 1 . h . \gamma, \text{ also umgekehrt, } h = \frac{p}{\gamma} \text{ und}$$

$$v = \sqrt{2g\frac{p}{\gamma}}.$$

Mißt man den Druck durch ein Piezometer, dessen Füllung die Dichtigkeit γ_1 hat, so ist der dem Drucke p entsprechende Stand desselben

$$h_1 = \frac{p}{\gamma_1} \text{ also } p = \gamma_1 h_1 \text{ und daher}$$

$$v = \sqrt{2g \frac{\gamma_1}{\gamma} h_1} = \sqrt{2g\varepsilon h_1}\,,$$

wenn ε das Verhältniß $\frac{\gamma_1}{\gamma}$ der Dichtigkeit der Füllung des Piezometers zur Dichtigkeit der ausströmenden Flüssigkeit bezeichnet (vergl. V in §. 8.).

Den letzten Ausdrücken zu Folge ist also bei gleichem Drucke die Ausflußgeschwindigkeit verschiedener Flüssigkeiten verschieden, und zwar umgekehrt proportional der Quadratwurzel aus der Dichtigkeit (γ) der Flüssigkeit.

Während also Wasser, Quecksilber, Alkohol u. s. w. unter derselben Druckhöhe mit einerlei Geschwindigkeit ausfließen, fällt dagegen bei gleichem Drucke oder bei gleichem Piezometerstande die Ausflußgeschwindigkeit um so kleiner aus, je dichter die Flüssigkeit ist. Hiernach ist z. B. bei gleichem Drucke die Ausflußgeschwindigkeit des Quecksilbers nur $\frac{1}{\sqrt{13,56}} = 0,2716$ mal und die des absoluten Alkohols $\frac{1}{\sqrt{0,795}} = 1,122$ mal so groß als die des Wassers, weil das Quecksilber 13,56 und der absolute Alkohol 0,795 mal so dicht als Wasser ist. Wäre die atmosphärische Luft ein Liquidum wie Wasser, so würde sie bei gleichem Drucke $\sqrt{800} = 28,28$ mal so schnell ausströmen als Wasser, und hätte der Wasserdampf keine Expansivkraft, so würde seine Ausflußgeschwindigkeit gar $\sqrt{\frac{8}{5} \cdot 800} = \sqrt{12,80} = 35,78$ mal so groß sein als die des Wassers, da die mittlere Dichtigkeit der Luft 800 mal so groß als die des Wassers und die des Wasserdampfes unter dem Drucke einer Atmosphäre, $\frac{5}{8}$ mal so groß als die der atmosphärischen Luft ist.

Es ist aber nicht allein das Ausflußgesetz $v = \sqrt{2gh} = \sqrt{2g\frac{p}{\gamma}}$ allen Flüssigkeiten gemeinschaftlich, sondern es sind auch noch die Contractionserscheinungen und Contractionsverhältnisse der verschiedenen Flüssigkeitsstrahlen nahe dieselben. Der Verfasser hat hierüber vergleichende Versuche an Wasser, Quecksilber und Rüböl angestellt, und deren Resultate im polytechn. Centralblatt, Jahrg. 1851, Lief. 7, mitgetheilt. Die Ausflußmündung, welche bei diesen Versuchen zur Anwendung kam, hatte einen Querschnitt von circa 33 Quadratmillimeter, und die mittleren Druckhöhen, unter welchen das Wasser hierbei ausfloß, betrugen 329 und 91,5 Millimeter.

1) Eine kreisförmige Mündung in der dünnen Wand von 6,5 Millimeter Durchmesser gab im Mittel den Ausflußcoefficienten

für Wasser	Quecksilber	Rüböl
$\mu = 0{,}709$	0,670	0,674.

2) Eine quadratische Mündung von 5,59 Millimeter Seitenlänge gab im Mittel

für Wasser	Quecksilber	Rüböl
$\mu = 0{,}728$	0,670	0,687.

Hiernach ist also die übrigens bei allen drei Flüssigkeiten sehr gut zu beobachtende Contraction bei Quecksilber- und bei Rübölstrahlen nur wenig stärker als bei Wasserstrahlen.

3) Ein kurzes innen gut abgerundetes conoidisches Mundstück von 6,6 Millimeter Weite und 13,2 Millimeter Länge, welches einen uncontrahirten Strahl gab, führte auf folgende Ausflußcoefficienten:

für Wasser	Quecksilber	Rüböl	
		bei $12^1/_2$° C. Temp.	bei 39° C. Temp.
$\mu = 0{,}942$	0,989	0,430	0,665.

4) Für eine kurze cylindrische Ansatzröhre von 6,76 Millimeter Weite und 20,28 Millimeter wurde gefunden:

für Wasser	Quecksilber	Rüböl	
		bei $12^1/_2$° C. Temp.	bei 39° C. Temp.
$\mu = 0{,}885$	0,900	0,363	0,604.

Aus den letzten Versuchen ergiebt sich, daß beim Ausfluß durch kurze Mundstücke das Quecksilber nur wenig größere Ausflußcoefficienten liefert als das Wasser, und daß dagegen dem Rüböl bedeutend kleinere Ausflußcoefficienten als dem Wasser entsprechen. Diese Abweichung liegt in der unvollkommenen Flüssigkeit des Rüböles, worauf in's Besondere die Vergleichung der gefundenen Ausflußcoefficienten für verschiedene Temperaturen hinweist. Der Ausflußcoefficient für eine kurze cylindrische Ansatzröhre steigt bei der Temperaturerhöhung von $12\frac{1}{2}^{0}$ C. auf 39^{0} C. nur dadurch von 0,363 auf 0,604, daß bei der letztern Temperatur die Flüssigkeit des Oeles eine weit größere ist als bei der ersteren.

4) Eine Glasröhre von 6,64 Millimeter Weite und 572 Millimeter Länge gab

für Wasser	Quecksilber	Rüböl	
		bei 6^{0} Temp.	bei 32^{0} Temp.
den Widerstandscoefficienten $\zeta = 0{,}0271$	$\zeta = 0{,}0277$	$\zeta = 39{,}21$	$\zeta = 2{,}722$.

5) Einer Eisenröhre von 6,78 Millimeter Weite und 578,8 Millimeter Länge entsprechen folgende Widerstandscoefficienten:

für Wasser	Quecksilber	Rüböl	
		bei 6^{0} Temp.	bei 32^{0} Temp.
$\zeta = 0{,}0403$	0,0461	54,90	5,24.

Hiernach ist die Reibung des Quecksilbers in langen Röhren nahe dieselbe wie die des Wassers, dagegen aber die des Rüböles bedeutend größer. Die letztere hängt vorzüglich von der Temperatur ab; sie nimmt bei der Temperaturerhöhung von 6 Grad auf 32 Grad um das 10 bis 15fache ab.

Die Contraction der Luftstrahlen ist vielfachen Beobachtungen zu Folge (s. des Verfassers Ingen.- u. Maschinen-Mechanik, Bd. I, §. 395) ebenfalls nahe dieselbe wie die der Wasserstrahlen. Unter Pressungen welche den äußeren Luftdruck nur um $\frac{1}{200}$ bis $\frac{1}{5}$ Atmosphäre übertreffen, ist der mittlere Werth des Ausflußcoefficienten beim Ausfluß der Luft durch kreisrunde Mündungen in der dünnen ebenen Wand

$\mu = 0,58$,

und es nimmt dieser Coefficient etwas zu oder ab, je nachdem der Druck ein sehr kleiner oder ein sehr großer ist. Ebenso scheint der in §. 18 entwickelte Ausdruck für den Ausflußcoefficienten μ_1 des Wassers durch kurze cylindrische Ansatzröhren auch für den Ausfluß der Luft durch solche Röhren zu gelten, wonach also dieser Coefficient

$$\mu_1 = \frac{1}{\sqrt{1 + \left(\frac{1}{\alpha} - 1\right)^2}}$$

oder annähernd, wenn man für den Contractionscoefficienten den Ausflußcoefficienten $\mu = 0,58$ einsetzt,

$$\mu_1 = \frac{1}{\sqrt{1 + \left(\frac{100 - 58}{58}\right)^2}} = \frac{1}{\sqrt{1 + \frac{441}{841}}} = \sqrt{\frac{841}{1282}} = 0,81$$

ist. Bei conisch convergenten Röhren, wie z. B. bei sogenannten Düsen, welche den Wind in die Schmelzöfen leiten, ist natürlich μ_1 noch größer, und gut abgerundete conoidische Mundstücke führen auf einen Ausflußcoefficienten, welcher sich der Einheit bis auf wenige Procent nähert.

Was endlich den Coefficienten der Reibung der Luft in langen Röhren anlangt, so kann man vielfältigen Versuchen von Girard, d'Aubuisson, Buff und Pecqueur zu Folge (s. Notes sur les expériences de M. Pecqueur, relatives à l'écoulement de l'air dans les tubes etc. par M. Poncelet, Paris 1845), im Mittel denselben

$\zeta = 0,024$, also nahe wie bei dem Wasser, setzen. (S. Seite 97.)

Es ist also die verlorengehende Druckhöhe bei der Bewegung der Luft durch eine cylindrische Röhre von der Länge l und der der Weite d und bei der mittleren Geschwindigkeit v:

$$h = 0,024 \cdot \frac{l}{d} \cdot \frac{v^2}{2g},$$

oder wenn man h durch den Stand eines Wassermanometers ausdrückt, da das Wasser circa 800mal specifisch schwerer als die Luft ist,

$$h = \frac{1}{800} \cdot 0,024 \frac{l}{d} \frac{v^2}{2g}$$

$$= 0,00003 \frac{l}{d} \cdot \frac{v^2}{2g}.$$

§. 39. **Grundformeln zur Berechnung der Versuche über die Aus- und Einströmung der Luft.**

Bei den mit unserem Ausflußapparate angestellten Versuchen konnte nur eine kleine Pressung der Luft erzielt werden, und deshalb möchte auch bei Berechnung dieser Versuche die einfache Formel

$$v = \sqrt{2 g \varepsilon h},$$

worin h die Manometer- oder Piezometerhöhe und ε das Verhältniß der Dichtigkeit der Füllung des Manometers zur Dichtigkeit der ausströmenden Flüssigkeit bezeichnen, ausreichen. Ist nun γ_1 die Dichtigkeit der Füllung, so hat man die Pressung $p = (b + h)\gamma_1$ und daher

$$\varepsilon = \frac{\gamma_1}{\gamma} = \frac{p}{(b+h)\gamma} = \frac{7954\,(1 + 0{,}00367\,\tau)}{b + h}. \quad (\text{S. §. 8, VIII.})$$

Hiernach erhalten wir für die Ausflußgeschwindigkeit der Luft, wenn wir durch τ die Temperatur derselben in Centesimalgraden bezeichnen,

$$v = \sqrt{7954\,(1 + 0{,}00367\,\tau) \cdot \frac{2gh}{b+h}}$$

$$= 395 \sqrt{(1 + 0{,}00367\,\tau)\left(\frac{h}{b+h}\right)}, \text{ oder annähernd}$$

$$= 395 \left(1 - \frac{h}{2b}\right) \sqrt{(1 + 0{,}00367\,\tau)\frac{h}{b}} \text{ Meter.}$$

Ist nun noch F der Querschnitt der Ausströmungsmündung und μ der Ausflußcoefficient derselben, so hat man das Ausflußquantum pr. Sec., gemessen unter dem inneren Drucke $(b + h)$:

$$Q_1 = \mu F v = 395\,\mu F \left(1 - \frac{h}{2b}\right) \sqrt{(1 + 0{,}00367\,\tau)\frac{h}{b}},$$

und gemessen unter dem äußeren Drucke b:

$$Q = \frac{b+h}{b} Q_1 = 395\,\mu F \left(1 + \frac{h}{2b}\right) \sqrt{(1 + 0{,}00367\,\tau)\frac{h}{b}}.$$

Bei Zugrundelegung der Ausströmungsformel in XIV des Paragraphen (8) erhält man, indem man denselben Annäherungsweg verfolgt:

$$v = 395 \sqrt{(1 + 0{,}00367\,\tau)\left(1 - \frac{h}{2b}\right)\frac{h}{b}}$$

$$= 395 \left(1 - \frac{h}{4b}\right) \sqrt{(1 + 0{,}00367\,\tau)\frac{h}{b}} \text{ Meter,}$$

und hiernach, da bei der Entwickelung dieser Formel vorausgesetzt wird, daß sich die Luft während des Ausflusses so weit ausdehnt, daß sie endlich die Pressung b der äußeren Luft annimmt, die Ausflußmenge pr. Sec., gemessen unter dem äußeren Drucke,

$$Q = \mu F v = 395 \mu F \left(1 - \frac{h}{4b}\right) \sqrt{(1 + 0{,}00367\, \tau) \frac{h}{b}},$$

und dagegen gemessen unter dem inneren Drucke:

$$Q_1 = \frac{b}{b+h} Q = 395 \mu F \left(1 - \frac{5h}{4b}\right) \sqrt{(1 + 0{,}00367\, \tau) \frac{h}{b}}.$$

Es giebt folglich die erstere Formel in dem Verhältnisse

$$\frac{1 + \frac{h}{2b}}{1 - \frac{h}{4b}} = 1 + \frac{3h}{4b}$$

mehr Ausströmungsquantum als die letztere.

Bei Ausführung der Luftströmungsversuche mittelst des in Fig. 9 abgebildeten Apparates und auf die auf Seite 13 beschriebene Weise ist das Ausflußquantum $V = Q_1 t$ während der Beobachtungszeit t, gemessen unter dem inneren Drucke $b + h$, $= Gs$, und folglich

$$Q_1 = \frac{V}{t} = \frac{Gs}{t},$$

woraus nun mit Zugrundelegung der ersteren Formel für v:

$$\mu = \frac{Q_1}{Fv} = \frac{Gs}{Ftv} = \frac{Gs}{395\, Ft \left(1 - \frac{h}{2b}\right) \sqrt{(1 + 0{,}00367\, \tau) \frac{h}{b}}}$$

$$= \frac{\left(1 + \frac{h}{2b}\right) Gs}{395\, Ft \sqrt{(1 + 0{,}00367\, \tau) \frac{h}{b}}} \text{ folgt.}$$

Läßt man die äußere Luft in den inneren Gefäßraum strömen, indem man sich des in Fig. 11 abgebildeten Apparates und der Seite 14 beschriebenen Versuchsmethode bedient, so ist der innere Druck $b - h$, und daher statt $b + h$, h

so wie statt b, $b - h$ in der obigen Formel einzusetzen, weshalb hier nach der ersteren Formel

$$\mu = \frac{Gs}{395\, Ft \sqrt{(1 + 0{,}00367\, \tau) \frac{h}{b}}} \text{ folgt.}$$

Die zweite Formel giebt dagegen

$$\mu = \frac{\left(1 - \frac{3h}{4b}\right) Gs}{395\, Ft \sqrt{(1 + 0{,}00367\, \tau)\frac{h}{b}}}.$$

Bei sämmtlichen Versuchen war der mittlere Barometerstand 26 Zoll 10 Linien und die Temperatur 17,5 Grad Cent. Dem angegebenen Barometerstande entspricht eine Wassersäule von

$$13{,}6 \,.\, 0{,}32484 \,.\, \frac{161}{72} = 9{,}879 \text{ Meter Höhe,}$$

und der genannten Temperatur, wenn wir noch des Feuchtigkeitszustandes der Luft wegen, statt 0,00367 den Werth 0,004 setzen, die Correction

$$1 + 0{,}004\, \tau = 1 + 0{,}004 \,.\, 17{,}4 = 1{,}07,$$

so daß nun, bei Zugrundelegung der ersteren Formel, für die Ausströmungsgeschwindigkeit der comprimirten Luft

$$\mu = \frac{\left(1 - \frac{h}{3b}\right) Gs}{395\, Ft \sqrt{(1 + 0{,}004\, \tau)\frac{h}{b}}} = \frac{(1 + 0{,}0506\, h)\, Gs}{130\, Ft\sqrt{h}},$$

und dagegen für die Einströmungsgeschwindigkeit der äußeren Luft in die verdünnte innere Luft:

$$\mu = \frac{Gs}{130\, Ft\sqrt{h}} \text{ folgt.}$$

Für die Ausströmungsversuche war ferner der Querschnitt des einströmenden und die ausfließende Luft ersetzenden Wasserkörpers:

$$G = 0{,}399^2 \,.\, \frac{\pi}{4} = 0{,}12504 \text{ Quadratmeter,}$$

und die Höhe dieses Wasserkörpers $s = 0{,}1765$ Meter, folglich das während eines Versuches einströmende Wasser- oder ausströmende Luftvolumen

$$V = Gs = 0{,}12504 \,.\, 0{,}1765 = 0{,}02207 \text{ Cubikmeter,}$$

und der Ausflußcoefficient

$$\mu = \frac{0{,}02207\,(1 + 0{,}0506\, h)}{130\, Ft\sqrt{h}} = 0{,}0001698 \left(\frac{1 + 0{,}0506\, h}{Ft\sqrt{h}}\right).$$

Für die Einströmungsversuche war dagegen der Querschnitt des ausgeflossenen Wasser- oder eingeströmten Luftkörpers:

$$G = 0{,}2244^2 \,.\, \pi = 0{,}1582 \text{ Quadratmeter,}$$

und die Höhe desselben:

$$s = 0{,}101 \text{ Meter;}$$

folglich ist hier das während eines Versuches ausfließende Wasser- und einströmende Luftquantum

$$V = Gs = 0{,}1582 \,.\, 0{,}101 = 0{,}01598 \text{ Cubikmeter},$$

und der entsprechende Ausflußcoefficient

$$\mu = \frac{0{,}01598}{130\, Ft \sqrt{h}} = \frac{0{,}0001229}{Ft \sqrt{h}}.$$

Der Durchmesser der Ausflußmündungen betrug 4 Millimeter, folglich der Inhalt derselben

$$F = \pi \,.\, (0{,}002)^2 = 0{,}000004 \,.\, \pi = 0{,}000012566 \text{ Quadratmeter},$$

und es ist daher endlich zu setzen:

1) für die Ausströmungsversuche

$$\mu = \frac{0{,}0001698}{0{,}000012566} \left(\frac{1 + 0{,}0506\, h}{t \sqrt{h}}\right) = 13{,}51 \,.\, \frac{1 + 0{,}0506\, h}{t \sqrt{h}},$$

2) für die Einströmungsversuche

$$\mu = \frac{0{,}0001229}{0{,}000012566\, t \sqrt{h}} = \frac{9{,}78}{t \sqrt{h}}.$$

§. 40. Versuche über die Ausströmung der durch eine Wassersäule comprimirten Luft.

Die Mundstücke, welche bei den Ausströmungsversuchen in Anwendung kamen, hatten sämmtlich 4 Millimeter Weite, daher dient zur Berechnung dieser Versuche die Formel

$$\mu = 13{,}51 \,.\, \frac{1 + 0{,}0506\, h}{t \sqrt{h}}.$$

I. Versuche mit der Mündung in der dünnen Wand in einer ebenen Platte abc, Fig. 101, angebracht, welche mittelst dreier Schräubchen über das Loch R in der Mitte der Deckplatte der Vorlage RS, Fig. 9, geschraubt werden konnte.

Fig. 101.

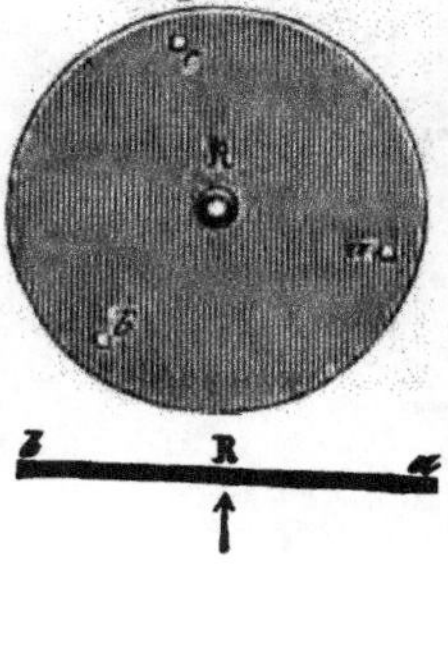

Die Beobachtungsresultate dieser Versuche und die hieraus mit Hilfe der vorstehenden Formel berechneten Ausflußcoefficienten sind in folgender Tabelle enthalten:

Wassermanometerstand h Meter	Ausflußzeit t Secunden	Ausflußcoefficient μ
0,130	$55^2/_3$	0,677
0,251	$40^1/_3$	0,671
0,427	$31^3/_4$	0,665 .

II. Versuche mit der conoidischen Ausmündung R in Fig. 102. Dieselbe war innen 8, und außen 4 Millimeter weit und hatte eine Axenlänge von 10 Millimeter. Die mit ihr angestellten Versuche gaben folgende Resultate:

Fig. 102.

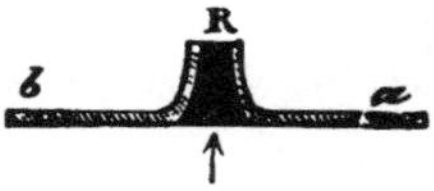

Wassermanometerstand h Meter	Ausflußzeit t Secunden	Ausflußcoefficient μ
0,130	40,25	0,937
0,257	28,5	0,947
0,430	22,0	0,957 .

III. Versuche mit einer kurzen conisch convergenten Ansatzröhre, Fig. 103, von 4 Millimeter äußerer, 8 Millimeter innerer Weite und 16 Millimeter Länge. Der Convergenzwinkel δ dieses Mundstückes ist bestimmt durch die Formel

Fig. 103.

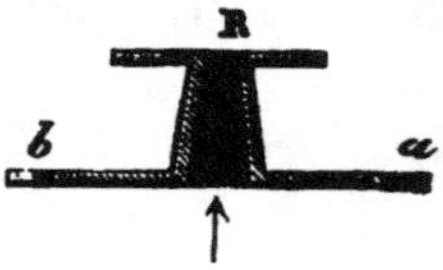

$$tang\,\frac{\delta}{2} = \frac{2}{16} = \frac{1}{8}\,,$$ wonach $\delta = 14$ Grad 22 Min. folgt.

Die Versuchsresultate enthält folgende Tabelle.

Wassermanometerstand h Meter	Ausflußzeit t Secunden	Ausflußcoefficient μ
0,130	$44^1/_8$	0,855
0,251	$31^1/_8$	0,877
0,427	23	0,918 .

IV. Versuche mit einer kurzen cylindrischen Ansatzröhre *R*, Fig. 104, von 4 Millimeter Weite und 4 × 4 = 16 Millimeter Länge. Die Ergebnisse der Versuche waren folgende:

Fig. 104.

Wassermanometerstand h Meter	Ausflußzeit t Secunden	Ausflußcoefficient μ	Widerstandscoefficient ζ
0,130	$45\frac{1}{3}$	0,832	0,444
0,251	$32\frac{1}{2}$	0,840	0,416
0,427	25	0,845	0,401.

V. Versuche mit einer zusammengesetzten cylindrischen Ansatzröhre, wobei das Mundstück *SM*, Fig. 105, an das äußere Ende der cylindrischen Ansatzröhre *R* in Fig. 104 angesetzt war. Die Versuche gaben Folgendes:

Fig. 105.

Wassermanometerstand h Meter	Ausflußzeit t Secunden	Ausflußcoefficient μ	Widerstandscoefficient ζ_0
0,135	46,83	0,791	0,600
0,257	33,83	0,798	0,570
0,430	26,50	0,794	0,584

VI. Versuche mit einem rechtwinkligen Kniestück *SKM*, Fig. 106, in Verbindung mit der cylindrischen Ansatzröhre *R*, Fig. 104, und mit dem Ausmündungsstücke *SM* in Fig. 105, so daß eine zusammengesetzte Knieröhre, wie Fig. 84, S. 151, entstand.

Fig. 106.

Die Versuchsresultate sind folgende:

Wassermanometerstand h Meter	Ausflußzeit t Secunden	Ausflußcoefficient μ	Widerstandscoefficient ζ_1
0,135	76,75	0,482	3,298
0,257	54,67	0,494	3,101
0,430	42,17	0,499	3,012.

Der mittlere Werth des Widerstandscoefficienten ist $\zeta_1 = 3{,}137$, und zieht man hiervon den für die Verbindung aus dem Ein- und Ausmündungsstücke (V), nämlich $\zeta_0 = 0{,}585$ ab, so bleibt für das Knie allein der Widerstandscoefficient

$$\zeta = \zeta_1 - \zeta_0 = 3{,}137 - 0{,}585 = 2{,}552.$$

VII. Versuche mit einem rechtwinkeligen Kropfstücke *SKM*, Fig. 107, in Verbindung mit den Ein- und Ausmündungsstücken Fig. 104 und Fig. 105, wodurch eine zusammengesetzte Röhre, wie Fig. 92, Seite 158 entstand. Die Versuche gaben folgende Resultate.

Fig. 107.

Wassermanometerstand h Meter	Ausflußzeit t Secunden	Ausflußcoefficient μ	Widerstandscoefficient ζ_1
0,135	60,33	0,614	1,656
0,257	44,0	0,614	1,656
0,430	34,5	0,610	1,686 .

Der mitttlere Werth der Widerstandscoefficienten ist $\zeta_1 = 1{,}666$, und der der Verbindung aus dem Ein- und Ausmündungsstücke: $\zeta_0 = 0{,}585$, folglich bleibt für den Kropf allein

$$\zeta = \zeta_1 - \zeta_0 = 1{,}666 - 0{,}585 = 1{,}081.$$

VIII. Versuche mit einer längeren Glasröhre *AB*, Fig. 108, mit einem messingenem Ausmündungsstücke *M*, angesteckt an die kurze cylindrische Ansatzröhre in Fig. 104. Die Länge dieser Röhre betrug

Fig. 108.

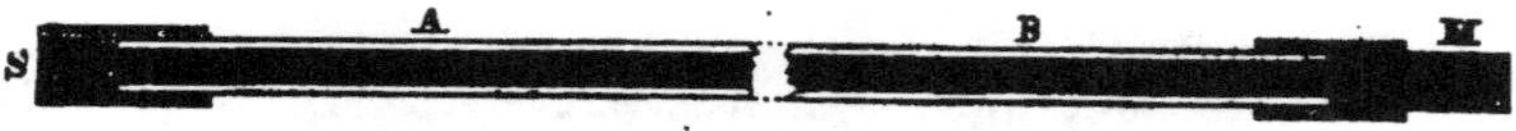

$l = 500$ Millimeter und die Weite derselben, gefunden durch Abwägung des Wassers in derselben (vergl. §. 24, S. 100), $d = 4{,}528$ Millimeter, folglich der mittlere Querschnitt derselben $F = 16{,}103$ Quadratmillimeter.

Die durch die Versuche gewonnenen Ergebnisse enthält folgende Tabelle.

Wassermanometerstand h Meter	Ausflußzeit t Secunden	Ausflußcoefficient μ	Widerstandscoefficient ζ_1
0,135	72,67	0,509	2,853
0,257	51,67	0,522	2,663
0,430	39,67	0,531	2,550.

Zieht man von den Werthen für ζ_1 die Widerstandscoefficienten für das cylindrische Einmündungsstück (IV) ab, und multiplicirt man die gefundenen Differenzen durch das Dimensionsverhältniß

$$\frac{d}{l} = \frac{4,528}{500} = 0,009056,$$

so erhält man die in folgender Tabelle aufgeführten Reibungscoefficienten der Röhre:

Geschwindigkeit der Luft in der Röhre $v = \frac{Gs}{Ft}$ Meter	Widerstandscoefficient ζ_1	Widerstandscoefficient ζ_0	Differenz $\zeta_1 - \zeta_0$	Reibungscoefficient $\zeta = \frac{l}{d}(\zeta_1 - \zeta_0)$
13,68	2,853	0,444	2,409	0,02182
19,23	2,663	0,416	2,247	0,02035
25,05	2,550	0,401	2,150	0,01947.

Die im Vorstehenden gefundenen Ausfluß- und Widerstandscoefficienten der Luft stehen nicht allein unter sich, sondern auch mit den entsprechenden und weiter oben gefundenen Ausfluß- und Widerstandscoefficienten des Wassers in recht gutem Einklange. Es ist der mittlere Ausflußcoefficient

1) für eine Mündung in der dünnen Wand, $\mu = 0,671$,
2) " " " " in der gut abgerundeten dicken Wand, $\mu = 0,947$,
3) für eine conische Ansatzröhre von 14 Grad 22 Min. Convergenz, $\mu = 0,883$, und
4) für eine kurze cylindrische Ansatzröhre, $\mu = 0,839$;

ferner der Widerstandscoefficient

1) für ein rechtwinkeliges Knie, $\zeta = 2{,}552$,

2) für einen rechtwinkeligen Kropf, $\zeta = 1{,}081$ und

3) für eine lange Glasröhre, $\zeta = 0{,}02051$.

§. 41. **Versuche über die Einströmung der äußeren Luft in verdünnte Luft.**

Die Mundstücke bei diesen Versuchen waren die vorigen (§. 40), nur wurden dieselben umgekehrt über das Loch R in der Vorlage RS, Fig. 11, geschraubt, so daß die Einmündung nach außen kam. Die Formel zur Berechnung dieser Versuche ist folgende:

$$\mu = \frac{9{,}78}{t\sqrt{h}}. \quad \text{(S. Ende §. 39.)}$$

I. Versuche mit der Mündung in der **dünnen Wand** in Fig. 101. Diese Versuche führten auf folgende Ergebnisse.

Wassermanometerstand (— h Meter)	Ausflußzeit t Secunden	Ausflußcoefficient μ
0,175	33,875	0,690
0,330	24,5	0,695 .

II. Versuche mit dem **inwendig abgerundeten conoidischen Mundstücke**, Fig. 102. Hier wurde Folgendes gefunden:

Wassermanometerstand (— h Meter)	Ausflußzeit t Secunden	Ausflußcoefficient μ
0,165	25,625	0,940
0,287	19,0	0,961 .

III. Versuche mit der **kurzen conisch convergenten Ansatzröhre**, Fig. 103. Diese gaben Folgendes:

Wassermanometerstand (— h Meter)	Ausflußzeit t Secunden	Ausflußcoefficient μ
0,160	25,5	0,959
0,315	18,0	0,968 .

IV. Versuche mit einer kurzen cylindrischen Ansatzröhre, Fig. 104. Es wurde gefunden:

Wassermanometerstand (— *h* Meter)	Ausflußzeit *t* Secunden	Ausflußcoefficient μ	Widerstandscoefficient ζ_1
0,170	28,0	0,847	0,393
0,343	19,625	0,851	0,381 .

V. Versuche mit der durch das Mundstück Fig. 105 verlängerten kurzen cylindrischen Ansatzröhre. Diese Versuche gaben Folgendes

Wassermanometerstand (— *h* Meter)	Ausflußzeit *t* Secunden	Ausflußcoefficient μ	Widerstandscoefficient ζ_1
0,178	29,0	0,799	0,565
0,350	20	0,827	0,464 .

VI. Versuche mit dem rechtwinkeligen Kniestück *SKM*, Fig. 106, eingesetzt zwischen das cylindrische Einmündungsstück Fig. 104 und das Ausmündungsstück in Fig. 105. Hierbei ergab sich Folgendes:

Wassermanometerstand (— *h* Meter)	Ausflußzeit *t* Secunden	Ausflußcoefficient μ	Widerstandscoefficient ζ_1
0,158	50,5	0,487	3,213
0,320	33,5	0,516	2,754 .

Der mittlere Widerstandscoefficient ist hiernach $\zeta_1 = 2{,}983$, und zieht man hiervon den mittleren Widerstandscoefficient $\zeta_0 = 0{,}514$ für das Ein- und Ausmündungsstück ab, so bleibt für das Knie allein

$$\zeta = 2{,}983 - 0{,}514 = 2{,}469,$$

in guter Uebereinstimmung mit dem durch die Ausströmungsversuche gefundenen Werthe $\zeta = 2{,}519$.

VII. Die Versuche mit dem rechtwinkeligen Kropfstücke *SKM*, Fig. 107, verbunden mit den Mundstücken Fig. 104 und Fig. 105 gaben Folgendes:

Wassermanometerstand (— h Meter)	Ausflußzeit t Secunden	Ausflußcoefficient μ	Widerstandscoefficient ζ_1
0,168	35,0	0,682	1,152
0,343	23,5	0,711	0,980 .

Von dem Mittelwerthe $\zeta_1 = 1,066$ den Mittelwerth $\zeta_0 = 0,514$ abgezogen, folgt für den Kropf allein

$$\zeta = 1,066 - 0,514 = 0,552,$$

also ansehnlich kleiner als der Werth 1,048, welcher durch die Ausflußversuche gefunden wurde.

VIII. Die Versuche mit der längeren Glasröhre AB, Fig. 108 u. s. w., haben auf folgende Ergebnisse geführt:

Wassermanometerstand (— h Meter)	Ausflußzeit t Secunden	Ausflußcoefficient μ	Widerstandscoefficient ζ_1
0,168	48,125	0,496	3,068
0,343	31,5	0,530	2,558 .

Der mittlere Werth ζ_1 ist $= 2,813$, und hiervon den mittleren Widerstandscoefficienten des cylindrischen Einmündungsstückes Fig. 104, d. i. $\zeta_0 = 0,387$ abgezogen, bleibt für die lange Röhre allein:

$$\zeta_1 = \zeta_0 = 2,813 - 0,387 = 2,426,$$

und daher der Reibungscoefficient derselben:

$$\zeta = \frac{l}{d}(\zeta_1 - \zeta_0) = 0,009056 \, . \, 2,426 = 0,02197,$$

in guter Einstimmung mit den durch die Ausströmungsversuche gefundenen Werthen (VIII, §. 40) dieses Coefficienten.

Vergleicht man die übrigen Ergebnisse der Einströmungsversuche mit den durch die Ausströmungsversuche erlangten Resultaten, so findet man, daß die Ausflußcoefficienten für die Mündung in der dünnen Wand, für das conoidische Mundstück oder die abgerundete dicke Wand, und für die kurze cylindrische Ansatzröhre bei beiden Versuchsreihen in guter Uebereinstimmung sind, und daß nur bei den Ausflußcoefficienten der conischen Röhre und bei den Widerstandscoefficienten des Kropfes größere Abweichungen vorkommen.

§. 42. Vergleichende Wasserausfluß-Versuche.

Die Mundstücke und Röhren, welche zu den Versuchen über das Aus- und Einströmen der Luft gedient haben, sind auch noch zu Ausflußversuchen mit Wasser verwendet worden, um eine directe Vergleichung der Bewegungsverhältnisse beider Flüssigkeiten anstellen zu können. Diese Versuche wurden unter allmälig abnehmendem Drucke und zwar mit dem in Figur 9 abgebildeten zusammengesetzten Apparate, bei gänzlich geöffnetem Hahne Q und bei ganz mit Wasser angefüllter Vorlage RS ausgeführt. Aus dem bei R aufgesetzten Mundstücke floß dann natürlich statt der Luft Wasser aus. Die Druckhöhe war daher wieder vom Wasserspiegel bis zum Niveau der Ausmündung R zu messen. Die Höhe der ausgeflossenen Wasserschicht war bei sämmtlichen Versuchen: $s = 8{,}9$ Centimeter, folglich die Druckhöhe h_2 am Ende des Ausflusses stets um 0,0890 Meter kleiner als die Druckhöhe h_1 am Anfang desselben. Es ist ferner für diese Versuche

$$\frac{2G}{F\sqrt{2g}} = \frac{2\,.\,0{,}02823}{0{,}000012566} = 4493,$$

und daher die Formel zur Berechnung derselben

$$\mu = \frac{4493\,(\sqrt{h_1} - \sqrt{h_2})}{t}.$$

I. Ein Versuch über den Ausfluß durch die Mündung in der dünnen Wand, Fig. 101.

Es war die Ausflußzeit $t = 317$ Sec., die Druckhöhe anfangs $h_1 = 0{,}805$ Meter und die Druckhöhe am Ende $h_2 = 0{,}716$ Meter; folglich ist für sie

$$\sqrt{h_1} - \sqrt{h_2} = 0{,}89722 - 0{,}84617 = 0{,}05105,$$

und der Ausflußcoefficient

$$\mu = \frac{4493\,.\,0{,}05105}{317} = 0{,}724.$$

II. Ein Versuch mit dem conoidischen Mundstücke Fig. 102 gab $t = 237$ Sec.:

$$h_1 = 0{,}7950 \text{ Meter, also } \sqrt{h_1} = 0{,}89163 \text{ und}$$
$$h_2 = 0{,}7060 \text{ Meter, also } \sqrt{h_2} = 0{,}84024;$$

es ist folglich für denselben

$$\sqrt{h_1} - \sqrt{h_2} = 0{,}05139 \text{ und}$$

$$\mu = \frac{4493\,.\,0{,}05139}{237} = 0{,}974.$$

III. Ein Versuch mit der conischen Ansatzröhre, Fig. 103. Hier war $t = 258{,}75$ Sec.,

$h_1 = 0{,}7890$ Meter, $\sqrt{h_1} = 0{,}88826$,

$h_2 = 0{,}7000$ „ $\sqrt{h_2} = 0{,}83666$; folglich

$\sqrt{h_1} - \sqrt{h_2} = 0{,}05160$ und

$$\mu = \frac{4493 \,.\, 0{,}05160}{258{,}75} = 0{,}896.$$

IV. Ein Versuch mit der kurzen cylindrischen Ansatzröhre, Fig. 104 u. s. w., gab

$t = 240{,}5$ Sec.,

$h_1 = 0{,}9930$ Meter, $\sqrt{h_1} = 0{,}99649$

$h_2 = 0{,}9040$ „ , $\sqrt{h_2} = 0{,}95079$, wonach

$\sqrt{h_1} - \sqrt{h_2} = 0{,}0457$,

$$\mu = \frac{4493 \,.\, 0{,}0457}{240{,}5} = 0{,}854$$

und der entsprechende Widerstandscoefficient

$$\zeta = \frac{1}{\mu^2} - 1 = 0{,}372 \text{ folgt.}$$

V. Ein Versuch mit der durch das Mundstück in Fig. 105 verlängerten cylindrischen Ansatzröhre gab

$t = 255{,}5$ Sec.,

$h_1 = 0{,}9980$ Meter, $\sqrt{h_1} = 0{,}99900$

$h_2 = 0{,}9090$ „ , $\sqrt{h_2} = 0{,}95341$; folglich

$\sqrt{h_1} - \sqrt{h_2} = 0{,}04559$,

$$\mu = \frac{4493 \,.\, 0{,}04559}{255{,}5} = 0{,}802 \text{ und}$$

$$\zeta_0 = \frac{1}{\mu^2} - 1 = 0{,}556.$$

VI. Ein Versuch mit dem Kniestück Fig. 106, eingesetzt zwischen die beiden Röhren Fig. 104 und Fig. 105 führte auf Folgendes:

$t = 416$ Sec.,

$h_1 = 0{,}9930$ Meter, $\sqrt{h_1} = 0{,}99649$

$h_2 = 0{,}9040$ „ , $\sqrt{h_2} = 0{,}95079$

$\sqrt{h^1} - \sqrt{h_2} = 0{,}04570$; wonach sich

$\mu = 0{,}494$ und $\zeta_1 = 3{,}104$ ergiebt.

Vom letzteren Werthe den vorigen Widerstandscoefficienten abgezogen, folgt für das Knie allein

$$\zeta = \zeta_1 - \zeta_0 = 3{,}104 - 0{,}556 = 2{,}548.$$

VII. Ein Versuch mit dem Kropfstück Fig. 107, eingesetzt zwischen die vorigen Röhrenstücke, gab

$$t = 300 \text{ Sec.},$$

$$h_1 = 0{,}9930 \text{ Meter}, \quad \sqrt{h_1} = 0{,}99649$$

$$h_2 = 0{,}9040 \quad " \quad \sqrt{h_2} = 0{,}95079$$

$$\sqrt{h_1} - \sqrt{h_2} = 0{,}04570; \text{ wonach}$$

$$\mu = 0{,}685 \text{ und } \zeta_1 = 1{,}134 \text{ folgt.}$$

Nach Abzug des Widerstandscoefficienten $\zeta_0 = 0{,}556$, ergiebt sich der Widerstandscoefficient für den Kropf allein

$$\zeta = 1{,}134 - 0{,}556 = 0{,}578.$$

VIII. Bei einem Versuche mit der langen Glasröhre AB, Fig. 108, angesteckt an die kurze cylindrische Ansatzröhre Fig. 104, war

$$t = 376 \text{ Sec.},$$

$$h_1 = 1{,}052 \text{ Meter}, \quad \sqrt{h_1} = 1{,}02567$$

$$h_2 = 0{,}963 \quad " \quad \sqrt{h_2} = 0{,}98133$$

$$\sqrt{h_1} - \sqrt{h_2} = 0{,}04434$$

woraus zunächst

$$\mu = 0{,}530 \text{ und } \zeta_1 = 2{,}562 \text{ folgt.}$$

Nach Abzug des Widerstandscoefficienten $\zeta_0 = 0{,}372$ für das Einmündungsstück, und durch Multiplication mit dem Dimensionsverhältnisse $\frac{l}{d} = 0{,}009056$ folgt nun der Reibungscoefficient für diese Röhre

$$\zeta = 0{,}009056\,(2{,}562 - 0{,}372)$$
$$= 0{,}009056 \,.\, 2{,}190 = 0{,}01983$$

wobei die mittlere Geschwindigkeit des Wassers in der Röhre

$$v = \frac{Gs}{Ft} = \frac{0{,}12504 \,.\, 0{,}089}{0{,}000016103 \,.\, 376} = 1{,}838 \text{ Meter war.}$$

Die vorstehenden Ergebnisse weisen die Uebereinstimmung der Ausströmungsgesetze der Luft (unter kleinem Drucke) mit dem des Wassers vollständig nach. Die Ausflußcoefficienten für die Mündungen in der dünnen und für die abgerundeten Mündungen in der dicken Wand, sind hier für das Wasser nur wenig größer gefunden worden als für die Luft, und der Ausflußcoefficient für die kurze cylindrische Ansatzröhre, so wie die Widerstandscoefficienten für den Durchgang durch Knie- und Kropfstücke, und endlich der Reibungscoefficient für die Bewegung durch eine lange Glasröhre sind bei dem Wasser fast genau so groß ausgefallen als oben bei der Luft.

Zwölftes Kapitel.

Versuche über die Bewegung des Wassers in Kanälen.

---

§. 43. Die Formeln für die Bewegung des Wassers in Flußbetten.

Die Geschwindigkeit des freifließenden Wassers innerhalb eines und desselben Querprofiles *ABBA*, Fig. 109, ist an verschiedenen Punkten desselben verschieden; sie ist an derjenigen Stelle, welche vom Bewegungshindernisse, d. i. von dem Flußbette, am meisten absteht, am größten, und nimmt sowohl nach dem Boden als auch nach den Ufern des Flußbettes ab. Es tritt hier ganz dasselbe Verhältniß wie bei der Bewegung des Wassers in Röhrenleitungen ein (s. §. 22); vermöge seiner Klebrigkeit bildet das Wasser zunächst einen Ueberzug über das Flußbette, welcher an der Bewegung gar keinen Antheil nimmt, diesem folgt eine Wasserschicht, welche nur eine kleine Geschwindigkeit hat, hierauf kommt eine zweite Wasserschicht mit größerer Geschwindigkeit, dann eine dritte mit noch größerer Geschwindigkeit u. s. w.; der innerste, von dem Boden und von den Ufern des Bettes am meisten abstehende Wasserfaden *C*, der sogenannte Stromstrich, hat endlich die größte Geschwindigkeit. Diesen verschiedenen Geschwindigkeiten des Wassers in einem Querprofile entspricht eine mittlere Geschwindigkeit c, welche

Fig. 109.

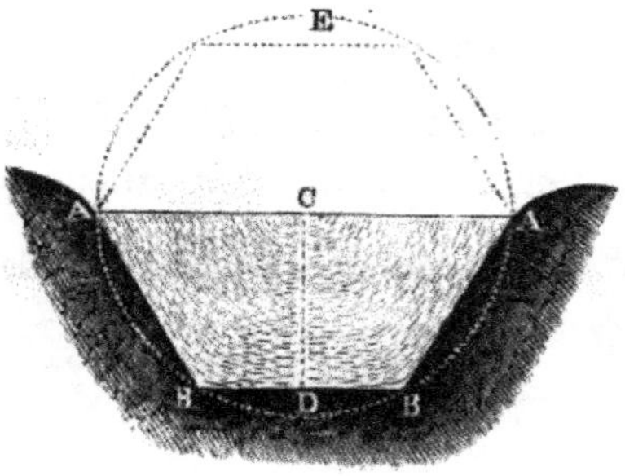

sich aus dem in jeder Secunde durch das Querprofil fließenden Wasserquantum Q und aus dem Inhalte F dieses Querprofiles durch die bekannte Formel

$$c = \frac{Q}{F} \text{ bestimmen läßt.}$$

Es ist anzunehmen, daß die mittlere Geschwindigkeit des Wassers in rectangulären und trapezoidalen Querprofilen ohngefähr 84 Procent von der Maximalgeschwindigkeit c_1 oder Geschwindigkeit im Stromstriche beträgt. Ist daher die letztere gemessen worden, oder überhaupt bekannt, so hat man die Wassermenge

$$Q = Fc = 0{,}84\, Fc_1 \,.$$

Wenn es nicht besonders erwähnt wird, so soll in der Folge unter c oder v nur mittlere Geschwindigkeit in einem Querprofile verstanden werden.

Hat ein Kanal- oder Flußbette AB, Fig. 110, auf eine längere Strecke einen constanten Abhang und ein unveränderliches Querprofil, so bewegt sich das Wasser längst dieser Strecke gleichförmig

Fig. 110.

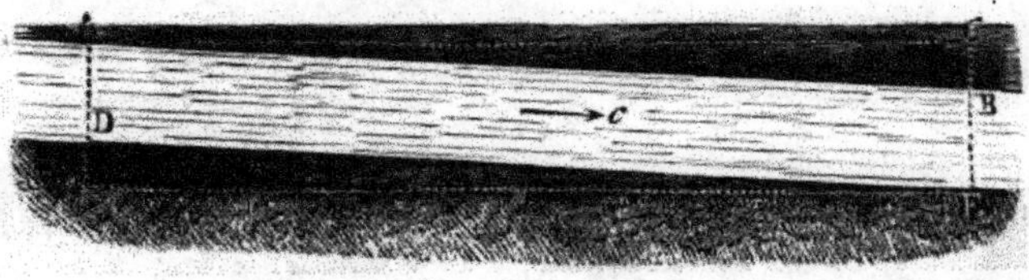

fort, indem seine bewegende Kraft von dem Widerstande des Bettes aufgehoben wird. Dieser letztere ist, wie bei Röhrenleitungen, der Reibungsfläche und der Geschwindigkeitshöhe $\frac{c^2}{2g}$ proportional, wogegen die erstere durch das sogenannte Gefälle h, d. i. durch die Höhe BC gemessen wird, um welche der Wasserspiegel am Endpunkte B der Flußstrecke $AB = l$ tiefer steht als am Anfangspunkte A derselben Bezeichnet nun noch p den Umfang $ABBA$ (Fig. 109) des Querprofiles, oder vielmehr nur desjenigen Theiles desselben, in welchem das Bette vom Wasser benetzt wird, und F den Inhalt desselben, so haben wir das Maß des mittleren Reibungswiderstandes für jede Einheit des Querprofiles:

$$\frac{pl}{F} \cdot \frac{c^2}{2g}, \text{ und daher}$$

$$h = \zeta \cdot \frac{pl}{F} \cdot \frac{c^2}{2g}$$

zu setzen, wenn ζ eine Erfahrungszahl, oder den sogenannten **Reibungscoefficienten** bezeichnet.

Es ist hiernach zu ermessen, daß das Gefälle h für eine Kanal- oder Flußstrecke nicht allein der Länge l und der Geschwindigkeitshöhe $\frac{c^2}{2g}$ proportional wächst, sondern auch in demselben Maße zu- oder abnimmt, je größer das Verhältniß $\frac{p}{F}$ des Umfanges p zum Inhalte F des Querprofiles ist.

Unter allen Sechsecken hat bekanntlich das regelmäßige Sechseck DE, Fig. 109 bei gegebenem Inhalte F den kleinsten Umfang p, oder bei gegebenem Umfange p den größten Inhalt; es ist also auch bei ihm $\frac{p}{F}$ ein Minimum; nun wird aber durch die Horizontale AA nicht allein der Inhalt F, sondern auch der Umfang oder Perimeter p halbirt, wenn man die Halbirungslinie AA dem letzteren nicht mit einrechnet; folglich ist auch unter allen trapezoidalen Querprofilen $ABBA$ das halbe regelmäßige Sechseck, dessen Ufer AB und AB, also 60^0 Böschung haben, dasjenige, welchem der kleinste Werth von $\frac{p}{F}$ entspricht.

Fig. 109.

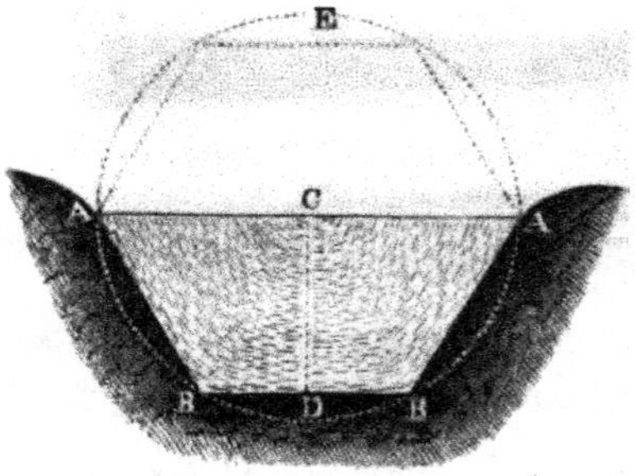

Wenn es also die Verhältnisse, und namentlich die Beschaffenheit des Bodens erlauben, so soll man, um dem Wasser bei der Bewegung in seinem Bette so wenig wie möglich Hindernisse entgegenzusetzen, Kanäle so ausgraben, oder so ausmauern u. s. w., daß ihre Querprofile halbe regelmäßige Sechsecke bilden. Bei Kanälen mit anderen Querprofilen, namentlich auch bei solchen mit größeren oder kleineren Uferböschungen, ist $\frac{p}{F}$, und folglich auch der Reibungswiderstand des Bettes größer als bei dem Kanale mit dem angegebenen Querprofile. Ist s die Seite von diesem Querprofile, so hat man die Tiefe desselben:

$$a = s \sin 60^0 = s \sqrt{\frac{3}{4}} = 0{,}866\, s,$$

ferner die untere Breite

$b = s$ und die obere Breite

$b_1 = 2s$; ferner den Perimeter

$p = 3s$ und den Inhalt

$F = \frac{3}{4}\sqrt{3} \,.\, s^2$, also das Verhältniß

$$\frac{p}{F} = \frac{4}{s\sqrt{3}} = \frac{2\sqrt[4]{3}}{\sqrt{F}} = \frac{2,632}{\sqrt{F}}.$$

Bei einem rectangulären Querprofile von der Gestalt eines halben Quadrates, dessen Breite $b = 2a$, die doppelt so groß als die Tiefe a ist, fällt

$p = b + 2a = 4a$,

$F = ab = 2a^2$, und folglich

$$\frac{p}{F} = \frac{2}{a} = \frac{2\sqrt{2}}{\sqrt{F}} = \frac{2,828}{\sqrt{F}}$$ aus.

Bei einem halbkreisförmigen Querprofile vom Halbmesser r hat man dagegen

$p = \pi r$,

$F = \frac{\pi r^2}{2}$ und

$$\frac{p}{F} = \frac{2}{r} = 2\sqrt{\frac{\pi}{2F}} = \frac{2,507}{\sqrt{F}}.$$

Mehreres hierüber s. des Verfassers Ingenieur- und Maschinenmechanik. Bd. I, §. 400 u. s. w.

Was den Reibungscoefficienten ζ anlangt, so kann man denselben für mittlere Geschwindigkeiten von 0,3 bis 1,5 Meter

$\zeta = 0,00810$ und daher

1) $$h = 0,00810 \,.\, \frac{pl}{F} \,.\, \frac{c^2}{2g} = 0,0004128 \frac{pl}{F} c^2$$ Meter setzen.

Umgekehrt ist dagegen

2) $$c = \sqrt{\frac{F}{\zeta pl} \,.\, 2gh} = \sqrt{\frac{F}{0,00810\, pl} \,.\, 2gh}$$

$$= 11,11\sqrt{\frac{F}{pl} \,.\, 2gh} = 49,2\sqrt{\frac{Fh}{pl}}$$ Meter.

Aus der Geschwindigkeit c und der Größe F des Querprofiles folgt dann noch das Wasserquantum pr. Sec.

3) $$Q = Fc.$$

Ist Letzteres gegeben, so hat man umgekehrt

$$c = \frac{Q}{F} \text{ und}$$

$$h = \zeta \cdot \frac{pl}{F} \cdot \frac{1}{2g} \cdot \frac{Q^2}{F^2} = \zeta \cdot \frac{1}{2g} \cdot \frac{plQ^2}{F^3},$$

oder wenn noch $\frac{p}{F} = \frac{\psi}{\sqrt{F}}$ einführt, wofern ψ eine von der Gestalt des Querprofiles unabhängige Zahl ist,

$$h = \zeta \cdot \frac{1}{2g} \cdot \frac{\psi l Q^2}{F^{\frac{5}{2}}}, \text{ so daß nun folgt:}$$

$$F = \left(\zeta \frac{\psi l Q^2}{2gh}\right)^{\frac{2}{5}} = 0{,}919 \left(\frac{\psi l Q^2}{2gh}\right)^{\frac{2}{5}} = 0{,}280 \left(\frac{\psi l Q^2}{h}\right)^{\frac{2}{5}}.$$

Allerdings ist der Reibungscoefficient nicht ganz constant, sondern nimmt, namentlich bei kleineren Geschwindigkeiten, größere Werthe an, wie wir dies auch schon oben bei der Bewegung des Wassers in Röhren gefunden haben (s. §. 23).

Vielfachen Messungen zu Folge kann man

$$\zeta = 0{,}007409 \left(1 + \frac{0{,}05853}{c}\right) \text{ setzen.}$$

Nach dieser Formel ist auch folgende für den praktischen Gebrauch sehr nützliche Tabelle berechnet worden, in welcher die eine Zeile die Geschwindigkeiten c in Metern, und die andere die entsprechenden Reibungs- oder Widerstandscoefficienten ζ enthält.

c	0,1	0,2	0,3	0,4	0,5	0,6	0,7	0,8 Meter
ζ	0,01175	0,00958	0,00885	0,00849	0,00828	0,00813	0,00803	0,00795

c	0,9	1,0	1,2	1,5	2,0	3,0	5,0	10 Meter
ζ	0,00789	0,00784	0,00777	0,00771	0,00763	0,00755	0,00750	0,00745

Während also hiernach der Widerstandscoefficient für die Geschwindigkeit $c = 1$ Meter, $\zeta = 0{,}00784$ ist, hat man denselben für $c = 0{,}4$ Meter, $\zeta = 0{,}00849$ für $c = 3$ Meter, $\zeta = 0{,}00775$ u. s. w.

Wenn das Gefälle eines fließenden Wassers, oder das Querprofil seines Bettes variabel ist, so fällt auch die Geschwindigkeit v desselben veränderlich aus, und es reicht nun die obige Formel

$$h = \zeta \frac{lp}{F} \cdot \frac{v^2}{2g}$$

nicht mehr aus, um das Bewegungsgesetz des fließenden Wassers auszudrücken.

In diesem Falle, ist natürlich auch die Geschwindigkeit des fließenden Wassers veränderlich, und wir müssen daher

1) die ganze Flußstrecke in kleinere Theile theilen, innerhalb welcher die Veränderlichkeit von F und v nicht sehr groß ist, damit wir mittlere Werthe von diesen Werthen in die Rechnung einführen können, und

2) die lebendige Kraft des Wassers für jedes dieser Flußtheile in Betracht ziehen.

Fig. 111.

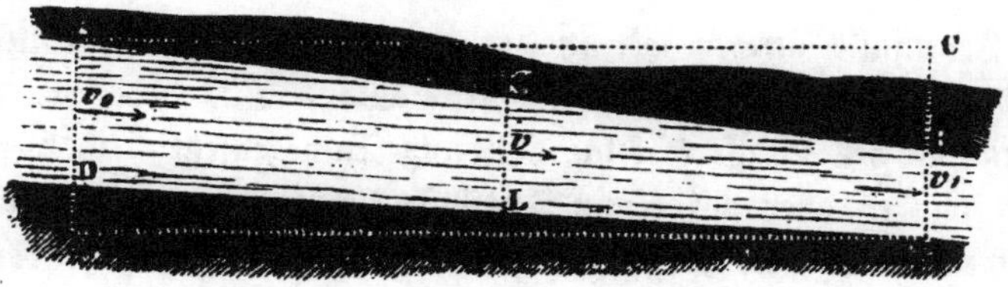

Es seien $ABDE$, Fig. 111 und Fig. 112 solche kleinere Strecken des fließenden Wassers; und es bezeichnen für beide

h das Gefälle BC des Wasserspiegels,

f das Gefälle DH des Bettes,

l die Länge AB der in Betrachtung zu ziehenden Strecke, und

$sin. \delta$ oder $\delta = \frac{f}{l}$ den Abhang oder die Neigung des Bettes;

nehmen wir ferner an, daß das Wasser mit der Geschwindigkeit v_0 bei AD in die Flußstrecke ein=, und mit der Geschwindigkeit v_1 bei BE

Fig. 112.

aus derselben heraustrete, und daß das anfängliche Querprofil AD die Tiefe a_0, den Umfang p_0 und den Inhalt F_0, und dagegen das letzte Querprofil BE, die Tiefe a_1, den Umfang p_1 und den Inhalt F_1 habe, so daß die mittlere Geschwindigkeit auf die ganze Strecke $AB = l$,

$$v = \frac{v_0 + v_1}{2}, \text{ der mittlere Umfang}$$

$$p = \frac{p_0 + p_1}{2}, \text{ und der mittlere Inhalt}$$

$$F = \frac{F_0 + F_1}{2} \text{ gesetzt werden kann.}$$

Der Eintrittsgeschwindigkeit v_0 entspricht die Geschwindigkeitshöhe $\frac{v_0^2}{2g}$, der Austrittsgeschwindigkeit die Geschwindigkeitshöhe $\frac{v_1^2}{2g}$, und der Reibung des Wassers in seinem Bette, die Widerstandshöhe

$$\zeta \frac{lp}{F} \frac{v^2}{2g}.$$

Jedenfalls ändern wir in den Bewegungsverhältnissen nichts, wenn wir den Wasserspiegel durch eine feste Wand AB bedecken, welche der Bewegung des Wassers keine Reibung entgegensetzt; in diesem Falle haben wir es aber mit einem Ausflusse bei BE unter Wasser zu thun, für welchen die die Geschwindigkeit erzeugende Druckhöhe der Niveaubestand h der beiden Wasserspiegel in A und B ist (vergl. §. 5, VIII), daher hat man denn zu setzen:

$$h + \frac{v_0^2}{2g} = \frac{v_1^2}{2g} + \zeta \frac{pl}{F} \frac{v^2}{2g}, \text{ oder}$$

I. $$h = \frac{v_1^2 - v_0^2}{2g} + \zeta \frac{pl}{F} \cdot \frac{v^2}{2g},$$

und es findet zwischen den beiden in den Figuren 111 und 112 abgebildeten Fällen nur der Unterschied statt, daß in dem einen Falle

$$F_1 < F_0, \text{ daher } v_1 > v_0, \text{ also } \frac{v_1^2 - v_0^2}{2g}$$

positiv, und dagegen im zweiten

$$F_1 > F_0, \text{ daher } v_1 < v_0, \text{ also } \frac{v_1^2 - v_0^2}{2g}$$

negativ ist.

Da $AH = CE$, oder $AD + DH = CB + BE$, d. i. $a_0 + f = h + a_1$ ist, so kann man noch in die gefundene Formel I, $h = f + a_0 - a_1 = l \sin. \delta + a_0 - a_1$ einführen, und daher

$$\text{II.} \qquad \left(\sin.\,\delta - \zeta \frac{p}{F} \cdot \frac{v^2}{2g}\right) l = \frac{v_1{}^2 - v_0{}^2}{2g} + a_1 - a_0$$

setzen, wonach sich aus den gegebenen Geschwindigkeiten und Querprofilen die entsprechende Länge l der Flußstrecke finden läßt.

Da noch das Wasserquantum $Q = F_1 v_1 = F_0 v_0 = Fv$ ist, so kann man auch

$$v = \frac{F_0 v_0}{F} \text{ und } v_1 = \frac{F_0 v_0}{F_1}$$

einsetzen, so daß man

$$\text{III.} \left[\sin.\,\delta - \zeta \frac{p}{F}\left(\frac{F_0}{F}\right)^2 \cdot \frac{v_0{}^2}{2g}\right] l = \left[\left(\frac{F_0}{F_1}\right)^2 - 1\right]\frac{v_0{}^2}{2g} + a_1 - a_0$$

erhält.

Ist endlich die Breite b des fließenden Wassers auf der Strecke AB nahe constant, so läßt sich

$$\frac{F_0}{F} = \frac{a_0}{a} = \frac{2a_0}{a_0 + a_1} \text{ und } \frac{F_0}{F_1} = \frac{a_0}{a_1}$$

einsetzen, so daß nun

$$\left[\sin.\,\delta - \zeta \frac{p}{F}\left(\frac{a_0}{a}\right)^2 \frac{v_0{}^2}{2g}\right] l = \left(\frac{a_0 + a_1}{a_1{}^2} \cdot \frac{v_0{}^2}{2g} - 1\right)(a_0 - a_1)$$

oder

$$\text{IV.} \quad \frac{a_0 - a_1}{l} = \frac{\sin.\,\delta - \zeta \frac{p}{F}\left(\frac{a_0}{a}\right)^2 \frac{v_0{}^2}{2g}}{\frac{a_0 + a_1}{a_1{}^2} \cdot \frac{v_0{}^2}{2g} - 1} \text{ oder}$$

$$= \frac{\zeta \frac{p}{F}\left(\frac{a_0}{a}\right)^2 \frac{v_0{}^2}{2g} - \sin.\,\delta}{1 - \frac{a_0 + a_1}{a_1{}^2} \cdot \frac{v_0{}^2}{2g}} \text{ folgt.}$$

In vielen Fällen kann man in dieser Formel $a_1 = a_0 = a$, so wie $p = p_0$, $F = F_0$ und $v = v_0$ annehmen, so daß sich nun

$$\text{V.} \quad \frac{a_0 - a_1}{l} = \frac{\zeta \frac{p_0}{F_0} \cdot \frac{v_0{}^2}{2g} - \sin.\,\delta}{1 - \frac{2}{a_0} \cdot \frac{v_0{}^2}{2g}}$$

ergiebt, und hiernach aus den Dimensionen eines Querprofiles F_0, der mittleren Geschwindigkeit v_0 des Wassers in demselben leicht die einer gegebenen Flußstrecke entsprechende Tiefenveränderung $a_0 - a_1$ bestimmen läßt. Hat man durch diese Formel a_1 ermittelt, so ergiebt sich die Tiefenveränderung $a_1 - a_2$ einer folgenden Strecke

$$\frac{a_1 - a_2}{l} = \frac{\zeta \frac{p_1}{F_1} \cdot \frac{v_1^2}{2g} - sin.\, \delta}{1 - \frac{2}{a_1} \cdot \frac{v_1^2}{2g}} \text{ u. s. w.}$$

§. 44. Versuche zur Ausmittelung des Reibungscoefficienten ζ bei der Bewegung des Wassers in einem Kanale.

Zu den Versuchen über die Bewegung des Wassers in Kanälen und offenen Wasserleitungen überhaupt diente ein blechernes Gerinne AC, Fig. 113, welches sich aus zwei Stücken AB und BC von je 1 Meter Länge zusammensetzen und mit der bekannten Vorlage RS verbinden ließ. Die innere Weite dieses Gerinnes betrug 3 Centimeter, und die Höhe desselben 6 Centimeter. Um ihm nach Belieben verschiedene Neigungen geben zu können, wurde es mit einer kurzen parallelepipedischen Ansatzröhre A durch ein Scharnier verbunden, während sich diese Ansatzröhre auf die bekannte Weise (s. Fig. 64, §. 28) mittelst einer Kopfplatte an die Vorlage anlegen und durch vier Schrauben mit dieser fest verbinden ließ. Zur Unterstützung dieses Gerinnes dienten noch zwei auf Dreifüßen stehende Stäbe TW und $T_1 W_1$ mit verschiebbaren Querarmen W und W_1. Die specielle Construction und Zusammensetzung des Gerinnes ist aus den Figuren 114 und 115 zu ersehen, von welchen die eine den vertikalen Längendurchschnitt und die andere den Grundriß von drei Stücken desselben in der halben natürlichen Größe darstellt. Man ersieht auch hier in AB die kurze parallelepipedische Röhre, durch welche das Wasser aus der Vorlage RS dem Gerinne zugeführt wird, so wie auch die Schrauben, womit die Kopfplatte dieser Ansatzröhre an die Vorlage befestigt wird. Ferner zeigt C das Scharnier, wodurch das Gerinne mit der Ansatzröhre verbunden ist, so wie DED die Verbindungsweise der beiden Gerinnstücke mit einander, und S eine Schraube, wodurch diese Verbindung die nöthige Festigkeit erhält. Damit die Seitenwände des Gerinnes nicht auseinander gehen, oder sich zusammenziehen, ist dasselbe noch mit Stege, wie z. B. F, ausgerüstet.

Die Höhe des Wassers im Gerinne wurde durch vier Zeigerstifte X_1, X_2, X_3, X_4, Fig. 113, angegeben, welche durch Stege hindurchgingen, die sich durch Preßschrauben fest mit dem Gerinne verbinden ließen. Die Art und Weise, wie diese Zeiger ein- und festzustellen

Fig. 113.

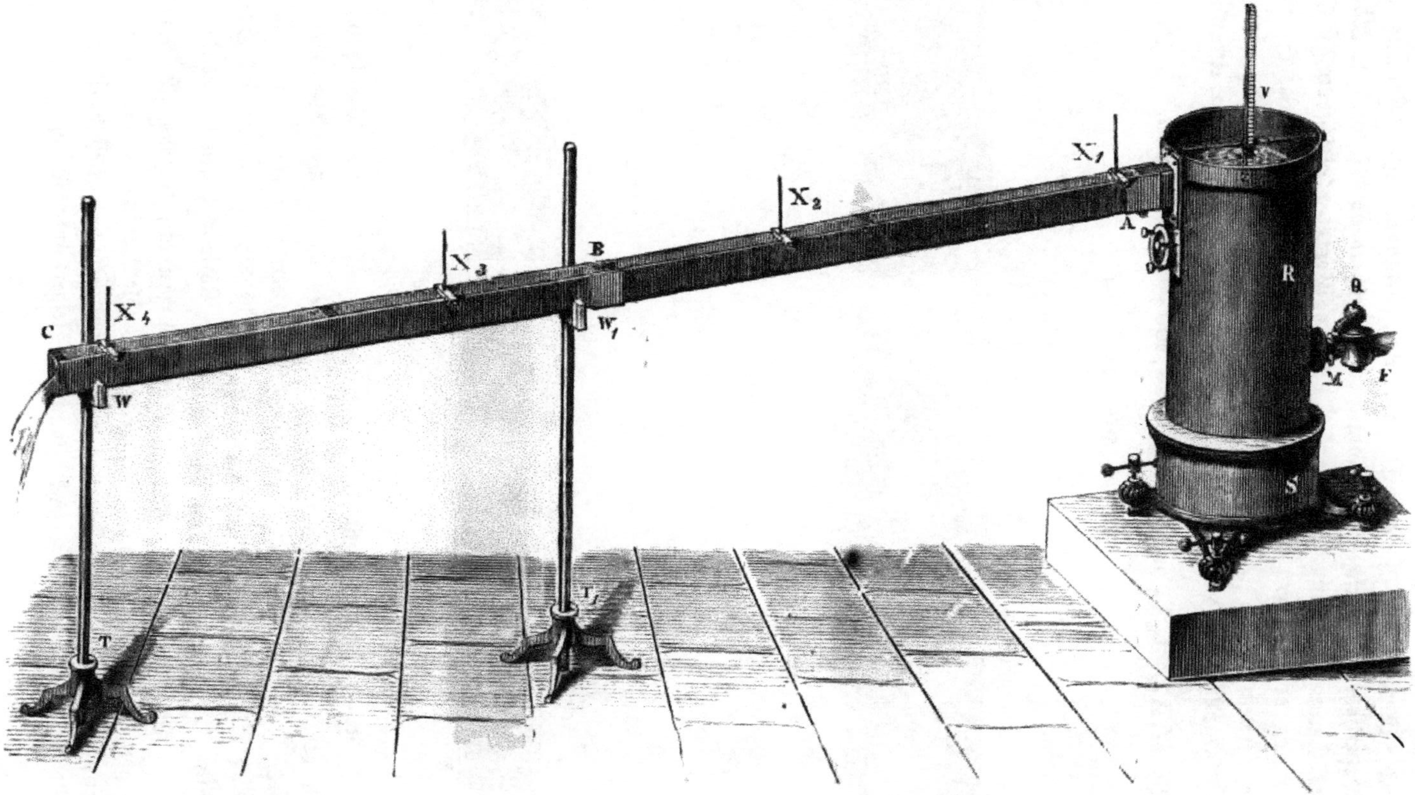

sind, ist schon aus §. 28, II, Fig. 64, bekannt. Die Messung der Wasserhöhen an verschiedenen Punkten war deshalb nöthig, weil die Kürze des Gerinnes es unmöglich machte, eine vollkommen gleichförmige Bewegung des Wassers in demselben herzustellen. Die Gerinnlänge, von der ersten Spitze X_1 bis zur letzten Spitze X_4 gemessen, betrug 1,800 Meter und der Abstand der benachbarten Spitzen von einander, also X_1X_2, X_2X_3 und X_3X_4, $\frac{1}{3} . 1,800 = 0,600$ Meter.

Fig. 114.

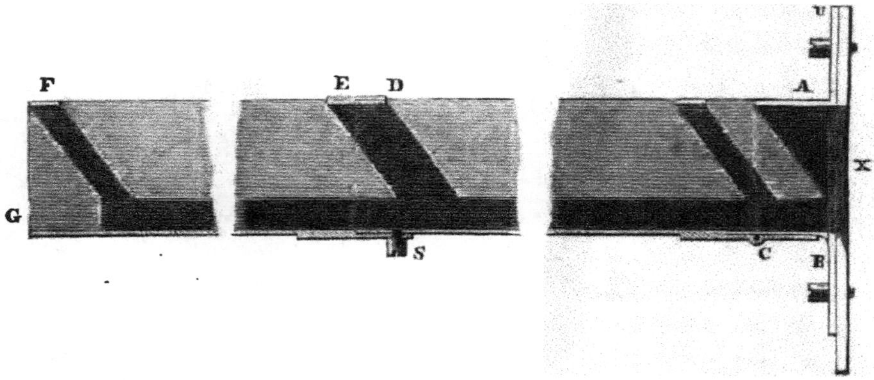

Fig. 115.

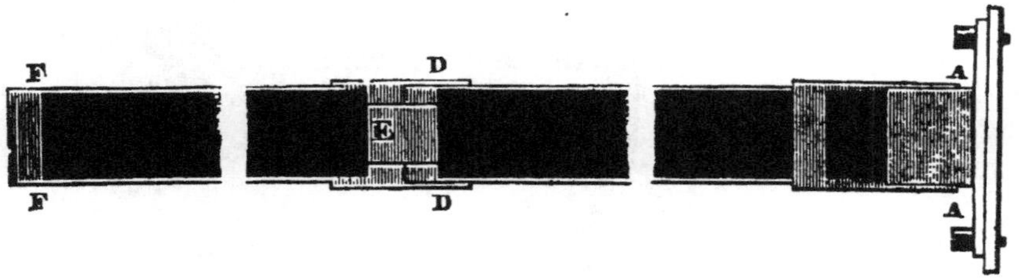

Der Zufluß des Wassers wurde durch den bekannten Stellhahn Q in der Art regulirt, daß während der ganzen Versuchszeit die Spitze Z des Zeigers VZ vom Wasserspiegel in der Vorlage berührt blieb. Das Wasserquantum ließ sich wieder mittelst des Hauptreservoirs ABC, Fig. 1, messen, aus dem das Wasser der Vorlage zugeleitet wurde.

Die Gefäll- und Tiefenmessungen wurden auf folgende Weise vollzogen, zuerst sperrte man durch ein Einsatzblech entweder das ganze oder nur einen Theil des Gerinnes von unten ab und ließ denselben mit Wasser anfüllen; dann senkte man die Zeigerspitzen so weit herab, bis sie mit dem zur Ruhe gelangten Wasserspiegel in Berührung kamen und las mittelst der Theilstriche auf den Zeigern die Tiefen des Wasserspiegels unter den Stegen der entsprechenden Zeiger ab. Hierauf ließ man die Zeiger herab, bis ihre Spitzen auf dem Gerinnboden aufstanden und las ebenso auch die Tiefen dieses Bodens unter den Stegen an den Eintheilungen der Stifte ab. Die Subtraction der Ablesungen an einem und demselben Stifte von einander gab die verschiedenen Tiefen des Gerinnbodens unter dem Wasserspiegel, und durch weitere Subtraction dieser Tiefen von einander bestimmten sich die Gefälle des Gerinnbodens von Zeiger zu Zeiger, d. i. von 0,6 zu 0,6 Meter Entfernung. Nachdem während des Versuches die Zeigerspitzen nun auch mit dem bewegten Wasserspiegel in Berührung gebracht worden waren, las man die Zeigerstände vom Neuen ab, und es ließen sich endlich auch durch Subtraction dieser Ablesungen von den vorhergehenden die Wassertiefen an den vier Punkten X_1, X_2, X_3 und X_4 bestimmen.

Die Höhe der während eines Versuches zum Durchflusse gelangten Wasserschicht war bei allen Versuchen, $s = 0{,}177$ Meter, folglich das Volumen dieser Schicht, $V = Gs = 0{,}12504 . 0{,}1770 = 0{,}022132$ Cubikmeter. Ist nun F der Querschnitt des Wasserstromes und t die Zeit des Durchflusses, so hat man die mittlere Geschwindigkeit des durch F fließenden Wassers:

$$v = \frac{V}{Ft} = \frac{0{,}022132}{Ft} \text{ oder } = \frac{0{,}022132}{abt},$$

wenn a die Höhe und b die Breite des Wasserstromes bezeichnen.

Nun ist aber b im Mittel $= 0{,}029$ Meter, daher folgt

$$v = \frac{0{,}022132}{0{,}029\, at} = \frac{0{,}7632}{at} \text{ Meter,}$$

und die entsprechende Geschwindigkeitshöhe

$$\frac{v^2}{2g} = \frac{0{,}02969}{(at)^2} \text{ Meter.}$$

Der Umfang des Wasserprofiles ist

$p = 2a + b$, und folglich der Quotient

$$\frac{p}{F} = \frac{2a + b}{ab} = \frac{2}{b} + \frac{1}{a} = 68{,}965 + \frac{1}{a}.$$

Bei der Berechnung der Versuche konnte man die Hauptformel I, §. 43.

$$h = \frac{v_1{}^2 - v_0{}^2}{2g} + \zeta \frac{pl}{F} \frac{v^2}{2g}$$

zu Grunde legen.

Da wir nicht allein am Anfangs- und am Endpunkt, sondern auch in zwei Zwischenpunkten Tiefenmessungen angestellt haben, so ließen sich für

$$\zeta \frac{pl}{F} \cdot \frac{v^2}{2g}$$

vier Werthe berechnen und es konnte daraus ein Mittelwerth genommen werden. Bezeichnen wir in dieser Absicht für die Punkte

X_1, X_2, X_3 und X_4

die Tiefen mit a_1, a_2, a_3 und a_4,

die Umfänge mit p_1, p_2, p_3 und p_4,

die Inhalte mit F_1, F_2, F_3 und F_4, und

die Geschwindigkeiten mit v_1, v_2, v_3 und v_4:

dann haben wir den Mittelwerth von

$$\zeta \frac{pl}{F} \cdot \frac{v^2}{2g} = \frac{\zeta l}{8}\left(\frac{p_1}{F_1} \cdot \frac{v_1^2}{2g} + \frac{3p_2}{F_2} \cdot \frac{v_2^2}{2g} + \frac{3p_3}{F_3} \cdot \frac{v_3^2}{2g} + \frac{p_4}{F_4} \cdot \frac{v_4^2}{2g}\right)$$

$$= \frac{\zeta l}{8} \cdot \frac{0{,}02969}{t^2}\left[68{,}965\left(\frac{1}{a_1^2} + \frac{3}{a_2^2} + \frac{3}{a_3^2} + \frac{1}{a_4^2}\right) + \frac{1}{a_1^3} + \frac{3}{a_2^3} + \frac{3}{a_3^3} + \frac{1}{a_4^3}\right],$$

und daher zur Bestimmung des Widerstandscoefficienten ζ folgenden Ausdruck

$$\zeta = \frac{h - \frac{v_4^2 - v_1^2}{2g}}{\frac{pl}{F} \cdot \frac{v^2}{2g}}$$

$$= \frac{h - \frac{0{,}02969}{t^2}\left(\frac{1}{a_4^2} - \frac{1}{a_1^2}\right)}{\frac{l}{8} \cdot \frac{0{,}02969}{t^2}\left[68{,}965\left(\frac{1}{a_1^2} + \frac{3}{a_2^2} + \frac{3}{a_3^2} + \frac{1}{a_4^2}\right) + \frac{1}{a_1^3} + \frac{3}{a_2^3} + \frac{3}{a_3^3} + \frac{1}{a_4^3}\right]}$$

oder, da $l = 1{,}800$ Meter maß:

$$\zeta = \frac{33{,}68\, ht^2 + \frac{1}{a_1^2} - \frac{1}{a_4^2}}{0{,}225\left[68{,}965\left(\frac{1}{a_1^2} + \frac{3}{a_2^2} + \frac{3}{a_3^2} + \frac{1}{a_4^2}\right) + \frac{1}{a_1^3} + \frac{3}{a_2^3} + \frac{3}{a_3^3} + \frac{1}{a_4^3}\right]}.$$

Erste Versuchsreihe, bei dem Gefälle $f = 0{,}1504$ Meter angestellt.

Versuch I. Die Durchflußzeit war $t = 33{,}75$ Sec., und die Wassertiefen waren folgende:

$a_1 = 2{,}73$ | $a_2 = 2{,}02$ | $a_3 = 1{,}71$ | $a_4 = 1{,}73$ Centimeter.

Hiernach berechnet sich

$$h = f + a_1 - a_2 = 0{,}1504 + 0{,}0273 - 0{,}0173 = 0{,}1604 \text{ Meter},$$

ferner

$$ht^2 = 0{,}1604 \, . \, (33{,}75)^2 = 182{,}76$$

$$\frac{1}{a_1^{\,2}} - \frac{1}{a_4^{\,2}} = \left(\frac{1}{0{,}0273}\right)^2 - \left(\frac{1}{0{,}0173}\right)^2 = 1342 - 3341 = -1999$$

$$\frac{1}{a_1^{\,2}} + \frac{3}{a_2^{\,2}} + \frac{3}{a_3^{\,2}} + \frac{1}{a_4^{\,2}} = 1342 + 7352 + 10260 + 3341 = 22295$$

$$\frac{1}{a_1^{\,3}} + \frac{3}{a_2^{\,3}} + \frac{3}{a_3^{\,3}} + \frac{1}{a_4^{\,3}} = 49150 + 363970 + 599930 + 193130 = 1205180,$$

so daß nun der gesuchte Reibungscoefficient

$$\zeta = \frac{33{,}68 \, . \, 182{,}76 - 1999}{0{,}225 \, (68{,}965 \, . \, 22295 + 1205180)}$$

$$= \frac{6156 - 1999}{0{,}225 \, . \, 2742800} = 0{,}00674 \text{ folgt.}$$

Die mittlere Wassertiefe ist

$$\frac{a_1 + 3a_2 + 3a_3 + a_4}{8} = 0{,}01956 \text{ Meter}$$

und folglich die mittlere Geschwindigkeit des Wassers:

$$v = \frac{0{,}7632}{at} = \frac{0{,}7632}{0{,}01956 \, . \, 33{,}75} = 1{,}149 \text{ Meter.}$$

Versuch II. Die Durchflußzeit war $t = 48{,}5$ Sec., und die Wassertiefen waren folgende:

$a_1 = 2{,}00 \mid a_2 = 1{,}50 \mid a_3 = 1{,}30 \mid a_4 = 1{,}30$ Centimeter.

Hieraus folgt

$$h = f + a_1 - a_4 = 0{,}1574 \text{ Meter},$$

$$ht^2 = 0{,}1574 \, . \, 48{,}5^2 = 370{,}24$$

$$\frac{1}{a_1^{\,2}} - \frac{1}{a_4^{\,2}} = 2500 - 5917 = -3417$$

$$\frac{1}{a_1^{\,2}} + \frac{3}{a_2^{\,2}} + \frac{3}{a_3^{\,2}} + \frac{1}{a_4^{\,2}} = 37002,$$

$$\frac{1}{a_1^{\,3}} + \frac{3}{a_2^{\,3}} + \frac{3}{a_3^{\,3}} + \frac{1}{a_4^{\,3}} = 2834550,$$

und hieraus ergiebt sich der Reibungscoefficient

$$\zeta = \frac{33{,}68 \, . \, 370{,}24 - 3417}{0{,}225 \, (68{,}965 \, . \, 37002 + 2834550)}$$

$$= \frac{15953 - 3417}{0,225 . 5386400} = 0,00747,$$

wobei die mittlere Wassertiefe

$$\frac{1}{8}(a_1 + 3a_2 + 3a_3 + a_4) = 0,01462 \text{ Meter},$$

und folglich die mittlere Wassergeschwindigkeit

$$v = \frac{0,7632}{0,01462 . 48,5} = 1,076 \text{ Meter beträgt.}$$

Versuch III. Die Durchflußzeit betrug $t = 68,333$ Sec., und die Wassertiefen waren folgende:

$a_1 = 1,50$ | $a_2 = 1,08$ | $a_3 = 0,87$ | $a_4 = 0,96$ Centimeter.

Hieraus folgt

$$h = 0,1504 + 0,0150 - 0,0096 = 0,1558 \text{ Meter},$$

$$ht^2 = 0,1558 . (68,333)^2 = 727,5,$$

$$\frac{1}{a_1^2} - \frac{1}{a_4^2} = 4444 - 10851 = -6407,$$

$$\frac{1}{a_1^2} + \frac{3}{a_2^2} + \frac{3}{a_3^2} + \frac{1}{a^{22}} = 80650,$$

$$\frac{1}{a_1^3} + \frac{3}{a_2^3} + \frac{3}{a_3^2} + \frac{1}{a_4^2} = 8364000,$$

und der Widerstandscoefficient

$$\zeta = \frac{33,68 . 727,5 - 6407}{0,225 . (68,965 . 80650 + 8364000)}$$

$$= \frac{24940}{0,225 . 13926000} = 0,00578.$$

Hierbei ist die mittlere Wassertiefe $a = 0,01039$ Meter, und daher die mittlere Wassergeschwindigkeit

$$v = \frac{0,7632}{0,01039 . 68,333} = 1,075 \text{ Meter}.$$

Zweite Versuchsreihe, bei dem Gerinnsohlengefälle $f = 0,1208$ Meter angestellt.

Versuch I. Es war die Durchflußzeit $t = 33$ Sec., und es waren die Wassertiefen folgende:

$a_1 = 2,93$ | $a_2 = 2,15$ | $a_3 = 1,92$ | $a_4 = 1,85$ Centimeter,

folglich $h = 0,1208 + 0,0293 - 0,0185 = 0,1316$ Meter,

und $ht^2 = 143,31$; ferner

$$\frac{1}{a_1^2} + \frac{3}{a_4^2} = -1757.$$

$$\frac{1}{a_1^2} + \frac{3}{a_2^2} + \frac{3}{a_3^2} + \frac{1}{a_4^2} = 18715, \text{ und}$$

$$\frac{1}{a_1^3} + \frac{3}{a_2^3} + \frac{3}{a_3^3} + \frac{1}{a_4^3} = 923405.$$

Hieraus folgt nun

$$\zeta = \frac{33,68 \,.\, 143,31 - 1757}{0,225\,(68,965 \,.\, 18715 + 923405)}$$

$$\doteq \frac{4418}{0,225 \,.\, 2214100} = 0,00616, \text{ wobei}$$

$$a = 0,02124 \text{ Meter, und}$$

$$v = \frac{0,7632}{0,02124 \,.\, 33} = 1,089 \text{ Meter beträgt.}$$

Versuch II. Hier war $t = 53,833$ Sec., und

$a_1 = 2,00 \mid a_2 = 1,50 \mid a_3 = 1,21 \mid a_4 = 1,20$ Centimeter, folglich $h = 0,1208 + 0,0080 = 0,1288$ Meter und $ht^2 = 373,26$; ferner

$$\frac{1}{a_1^2} - \frac{1}{a_4^2} = -4444$$

$$\frac{1}{a_1^2} + \frac{3}{a_2^2} + \frac{3}{a_3^2} + \frac{1}{a_4^2} = 43267, \text{ und}$$

$$\frac{1}{a_1^3} + \frac{3}{a_2^3} + \frac{3}{a_3^3} + \frac{1}{a_4^3} = 3286010.$$

Hieraus folgt

$$\zeta = \frac{33,68 \,.\, 373,26 - 4444}{0,225\,(68,965 \,.\, 43267 + 3286010)}$$

$$= \frac{11639}{0,225 \,.\, 6269900} = 0,00576, \text{ wobei}$$

$$a = 0,01416 \text{ Meter und}$$

$$v = 1,001 \text{ Meter war.}$$

Dritte Versuchsreihe. Hier war $f = 0,0970$ Meter.

Versuch I. Es wurde gefunden $t = 33,89$ Sec., und

$a_1 = 3,05 \mid a_2 = 2,40 \mid a_3 = 2,05 \mid a_4 = 1,95$ Centimeter, woraus folgt

$$h = 0,0970 + 0,0110 = 0,1080 \text{ Meter}$$

$$ht^2 = 123,30,$$

$$\frac{1}{a_1^2} - \frac{1}{a_4^2} = -1555$$

$$\frac{1}{a_1^2} + \frac{3}{a_2^2} + \frac{3}{a_3^2} + \frac{1}{a_4^2} = 16052, \text{ und}$$

$$\frac{1}{a_1^3} + \frac{3}{a_2^3} + \frac{3}{a_3^3} + \frac{1}{a_4^3} = 745336; \text{ woraus}$$

$$\zeta = \frac{33,68 \,.\, 123,30 - 1555}{0,225\,(68,965 \,.\, 16052 + 745336)} = 0,00624 \text{ und}$$

$v = 0,985$ Meter folgt.

Versuch II. Hier war $t = 76,53$ Sec., und

$a_1 = 1,55 \mid a_2 = 1,15 \mid a_3 = 1,10 \mid a_4 = 1,05$ Centimeter;

woraus sich ergiebt

$h = 0,0970 + 0,0050 = 0,1020$ Meter, $ht^2 = 597,40$,

$$\frac{1}{a_1^2} - \frac{1}{a_4^2} = -4908,$$

$$\frac{1}{a_1^2} + \frac{3}{a_2^2} + \frac{3}{a_3^2} + \frac{1}{a_4^2} = 60709,$$

$$\frac{1}{a_1^3} + \frac{3}{a_2^3} + \frac{3}{a_3^3} + \frac{1}{a_4^3} = 5358810, \text{ und}$$

$\zeta = 0,00709$, wobei $v = 0,853$ Meter.

Vierte Versuchsreihe. Das Gefälle f des Gerinnes betrug hier nur 0,0690 Meter.

Versuch I. Es war $t = 45,667$ Sec., und

$a_1 = 2,50 \mid a_2 = 1,99 \mid a_3 = 1,85 \mid a_4 = 1,74$ Centimeter;

folglich $h = 0,0690 + 0,0076 = 0,0766$ Meter, $ht^2 = 159,74$,

$$\frac{1}{a_1^2} - \frac{1}{a_4^2} = -1703,$$

$$\frac{1}{a_1^2} + \frac{3}{a_2^2} + \frac{3}{a_3^2} + \frac{1}{a_4^2} = 21244,$$

$$\frac{1}{a_1^3} + \frac{3}{a_2^3} + \frac{3}{a_3^3} + \frac{1}{a_4^3} = 1108310, \text{ und}$$

$\zeta = 0,00635$, bei $v = 0,848$ Meter.

Versuch II. Es war $t = 69,5$ Sec., und

$a_1 = 1,80 \mid a_2 = 1,42 \mid a_3 = 1,30 \mid a_4 = 1,26$ Centimeter.

Hiernach

$h = 0,0690 + 0,0054 = 0,0744$ Meter, $ht^2 = 359,37$

$$\frac{1}{a_1^2} - \frac{1}{a_4^2} = -3212,$$

$$\frac{1}{a_1^2} + \frac{3}{a_2^2} + \frac{3}{a_3^2} + \frac{1}{a_4^2} = 41912,$$

$$\frac{1}{a_1^3} + \frac{3}{a_2^3} + \frac{3}{a_3^3} + \frac{1}{a_4^3} = 3077410, \text{ und folglich}$$

$\zeta = 0{,}00662$, wobei $v = 0{,}783$ Meter betrug.

Fünfte Versuchsreihe. Das Gefälle f des Gerinnes war $f = 0{,}0418$ Meter.

Versuch I. Die Zeit war $t = 29{,}375$, und die Wassertiefen waren folgende:

$a_1 = 3{,}61$ | $a_2 = 3{,}25$ | $a_3 = 3{,}25$ | $a_4 = 3{,}28$ Centimeter;

hiernach ergab sich

$$h = 0{,}0418 + 0{,}0033 = 0{,}0451, \; ht^2 = 38{,}92,$$

$$\frac{1}{a_1^2} - \frac{1}{a_4^2} = -162{,}2,$$

$$\frac{1}{a_1^2} + \frac{3}{a_2^2} + \frac{3}{a_3^2} + \frac{1}{a_4^2} = 7377,$$

$$\frac{1}{a_1^3} + \frac{3}{a_2^3} + \frac{3}{a_3^3} + \frac{1}{a_4^3} = 224378, \text{ und folglich}$$

$\zeta = 0{,}00696$, wobei $v = 0{,}788$ Meter betrug.

Versuch II. Es war $t = 40{,}5$ Sec., und

$a_1 = 2{,}90$ | $a_2 = 2{,}50$ | $a_3 = 2{,}53$ | $a_4 = 2{,}50$ Centimeter.

Hieraus folgt

$$h = 0{,}0418 + 0{,}0040 = 0{,}0448 \text{ Meter}, \; ht^2 = 73{,}48;$$

$$\frac{1}{a_1^2} - \frac{1}{a_4^2} = -411,$$

$$\frac{1}{a_1^2} + \frac{3}{a_2^2} + \frac{3}{a_3^2} + \frac{1}{a_4^2} = 12276,$$

$$\frac{1}{a_1^3} = \frac{3}{a_2^3} + \frac{3}{a_3^3} + \frac{1}{a_4^3} = 482252, \text{ und nun}$$

$\zeta = 0{,}00690$, $v = 0{,}736$ Meter.

Versuch III. Hier war $t = 67{,}167$ Sec., und

$a_1 = 2{,}00$ | $a_2 = 1{,}63$ | $a_3 = 1{,}69$ | und $a_4 = 1{,}66$ Centimeter.

Hieraus folgt

$$h = 0{,}0418 + 0{,}0034 = 0{,}0452, \; ht^2 = 203{,}9;$$

$$\frac{1}{a_1^2} - \frac{1}{a_4^2} = -1129,$$

$$\frac{1}{a_1^2} + \frac{3}{a_2^2} + \frac{3}{a_3^2} + \frac{1}{a_4^2} = 27924,$$

$$\frac{1}{a_1^3} + \frac{3}{a_2^3} + \frac{3}{a_3^3} + \frac{1}{a_4^3} = 1657900,$$

und es bestimmt sich

$$\zeta = 0{,}00712\,,\ v = 0{,}667 \text{ Meter.}$$

Zusammenstellung der vorstehenden Versuchsergebnisse.

Nummer der Versuche.		Geschwindigkeit v Meter	Reibungscoefficient ζ
Erste Versuchsreihe,	I	1,149	0,00674
	II	1,076	0,00747
	III	1,075	0,00578
Zweite " "	I	1,089	0,00616
	II	1,001	0,00576
Dritte " "	I	0,985	0,00624
	II	0,853	0,00709
Vierte " "	I	0,848	0,00635
	II	0,783	0,00662
Fünfte " "	I	0,788	0,00696
	II	0,736	0,00690
	III	0,667	0,00712
Mittelwerthe		0,921	0,00660.

Die Formel (auf Seite 202)

$$\zeta = 0{,}007409\left(1 + \frac{0{,}05835}{c}\right), \text{ giebt für } c = 0{,}921,$$

$$\zeta = 0{,}007409\left(1 + \frac{0{,}05835}{0{,}921}\right) = 0{,}00788,$$

also einen größeren Werth als unsere Versuche.

Zieht man in Betracht, daß diese Formel aus Messungen an Kanälen und Flüssen hervorgegangen ist, deren Querprofile die Querprofile des fließenden Wassers bei diesen Versuchen um das Hundert-, Tausend-, Zehntausend- und Mehrfache übertreffen, so ist die Abweichung 0,00128 des durch letztere bestimmten Coefficienten $\zeta = 0{,}00788$ von dem mittelst der Formel berechneten Werthes: $\zeta = 0{,}00660$, gewiß noch eine sehr mäßige zu nennen, um so mehr, da wir es hier mit einem glatten Bette zu thun hatten, während die der Formel zu Grunde liegenden Versuche in Flüssen und Kanälen mit rauhen Betten angestellt worden sind.

Wenn man die Formel

$$h = \zeta \frac{lp}{F} \cdot \frac{v^2}{2g}$$

in Beziehung auf ζ und v differenzirt, so erhält man

$$o = -v^2 d\zeta + \zeta . 2 v dv, \text{ und daher}$$

$$\frac{dv}{v} = -\frac{1}{2}\frac{d\zeta}{\zeta}.$$

Es ist also der relative Fehler $\frac{dv}{v}$ in der Geschwindigkeit v nur halb so groß als der entsprechende relative Fehler $\frac{d\zeta}{\zeta}$ in dem Widerstandscoefficienten ζ. Hier haben wir

$$\frac{d\zeta}{\zeta} = \frac{0{,}00128}{0{,}00788} = 0{,}162,$$

und folglich ist die entsprechende Abweichung der Geschwindigkeiten

$$\frac{dv}{v} = -\frac{1}{2} . 0{,}162 = -0{,}081, \text{ d. i. nur 8 Procent.}$$

§. 45. Versuche über die Stauverhältnisse bei Ueberfällen, Durchlässen und anderen Einbauen im Gerinne.

Durch Einbaue, welche den Querschnitt des Gerinnes verengen, kann man die freie Bewegung des Wassers in demselben verhindern und das letztere nach Belieben aufstauen. Die Höhe dieser Aufstauung, oder die sogenannte Stauhöhe, läßt sich nach der bekannten Theorie des Aus- oder Abflusses (s. §. 7) beurtheilen, und die Längenausdehnung der Aufstauung, oder die sogenannte Stauweite, ist mit Hilfe der Theorie der ungleichförmigen Bewegung des Wassers in oben offenen Betten (s. §. 43) zu ermitteln. Die Verengung des Querprofiles eines Flußbettes kann auf mehrerlei Weise erfolgen; es kann sich dieselbe entweder nur auf die Höhe oder nur auf die Breite oder auf beide zugleich erstrecken. Durch den sogenannten Ueberfall und durch den Durchlaß wird in der Regel nur die Höhe oder Tiefe des Querprofiles vermindert, wogegen Buhnen, Brückenpfeiler u. s. w. die Breite des Flußbettes zusammenziehen.

Bei Beurtheilung der Stauhöhe hat man stets zu unterscheiden, ob das Wasser frei- oder unter dem Unterwasser abfließt. Für die mittlere

Geschwindigkeit des frei abfließenden Wassers gilt die bekannte Formel II aus §. 7:

$$v = \frac{2}{3}\sqrt{2g}\,\frac{h_1^{\frac{3}{2}} - h_0^{\frac{3}{2}}}{h_1 - h_0},$$

wogegen die Geschwindigkeit des unter Wasser abfließenden Wassers durch den einfachern Ausdruck

$$v = \sqrt{2gh_1},$$

bestimmt ist, in welchem h_1 die Stauhöhe oder die Höhe des Oberwasserspiegels über dem Unterwasserspiegel bezeichnet.

Der Anschluß des aufgestauten Wassers an das frei zufließende Wasser oberhalb des Einbaues erfolgt bei einem beinahe söhligen Gerinne oder Flußbette in einem unmeßbar großen Abstande vom Einbaue; ist aber der Abhang des Flußbettes ein größerer, so bildet sich an einer gewissen Stelle oberhalb des Einbaues ein Sprung oder eine sogenannte Wasserschwelle BD, Fig. 116, in welcher sich die Tiefe, und folglich

Fig. 116.

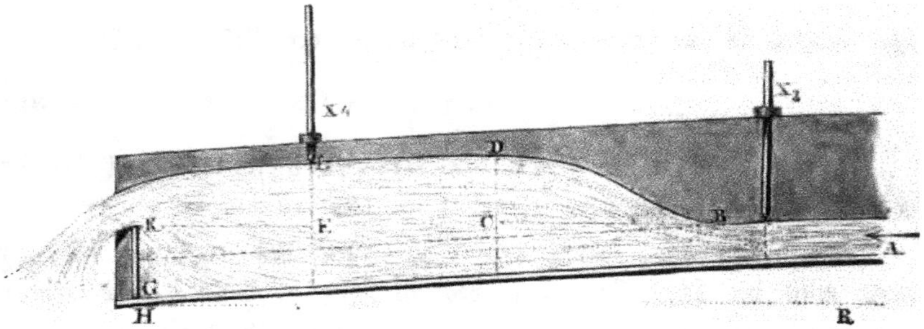

auch die Geschwindigkeit des Wassers, fast momentan ändert. Ist v die Geschwindigkeit des ankommenden und v_1 die des fortfließenden oder aufgestauten Wassers nahe bei der Wasserschwelle, so hat man theoretisch die Höhe CD des Sprunges

$$z = \frac{v^2 - v_1^2}{2g} \text{ oder}$$

$$z = a_1 - a = \left[1 - \left(\frac{a}{a_1}\right)^2\right]\frac{v^2}{2g},$$

wenn a die Tiefe des frei zufließenden und a_1 die des aufgestauten Wassers bezeichnen.

I. Versuche mit scharfkantigen Ueberfällen, gebildet durch das an der oberen Kante KK abgeschrägte Einsatzblech GK, Fig. 117. Die Höhe dieses Bleches war 3 Centimeter und die Breite desselben

2,92 Centimeter; um es leicht in das Gerinne einsetzen zu können, war es auf drei Seiten mit einem umgebogenen Rande versehen. Mit der unteren Kante GG kam es auf den Boden und mit den Seitenkanten GK, GK an die Seitenwände AF, AF des Gerinnes ADF, Fig. 115, und zwar so zu stehen, daß die umgebogenen Ränder dem abfließenden Wasser zugekehrt waren. Während der Versuche wurden die Wassertiefen an sämmtlichen vier Zeigern X_1, X_2, X_3, X_4 beobachtet. Es stand das Einsatzblech GK,

Fig. 117.

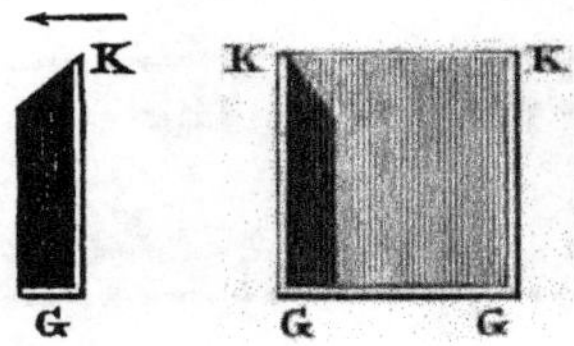

Fig. 116, um $KE = 10$ Centimeter von der letzten Spitze X_4 ab. Bei den Berechnungen der Versuche wurde der Wasserstand LE beim Zeiger X_4 über dem Niveau der Ueberfallsschwelle K als Druckhöhe h eingeführt, und die Geschwindigkeit des dem Ueberfalle zufließenden Wassers nicht weiter in Betracht gezogen. Es ist hiernach zur Bestimmung des Ausflußcoefficienten für einen solchen Ueberfall die Formel

$$\mu = \frac{3\,Gs}{2\,bt\sqrt{2\,gh^3}} = \frac{3\,.\,0{,}02823\,.\,0{,}177}{2\,.\,0{,}0292\,t\sqrt{h^3}} = \frac{0{,}2567}{t\sqrt{h^3}}$$

in Anwendung zu bringen.

Zur Berechnung der mittleren Geschwindigkeit des Wassers in einem Querprofile $F = ab$, dient die aus dem vorigen Paragraphen bekannte Formel

$$v = \frac{Gs}{Ft} = \frac{Gs}{abt} = \frac{0{,}12504\,.\,0{,}177}{0{,}029\,at} = \frac{0{,}7632}{at} \text{ Meter,}$$

woraus sich wieder die entsprechende Geschwindigkeitshöhe

$$\frac{v^2}{2g} = \frac{0{,}02969}{(at)^2} \text{ ergiebt}$$

Folgende Tabelle enthält die Ergebnisse von vier Versuchen.

№	Druckhöhe h Meter	Ausflußzeit t Secunden	Ausflußcoefficient μ
1	0,0267	$77^2/_3$	0,757
2	0,0280	76,3	0,718
3	0,0283	71	0,759
4	0,0269	82,5	0,705
		Mittelwerth:	0,7345.

Dieser große Mittelwerth hat theils in der partiellen, theils in der unvollkommenen Contraction seinen Grund.

Die bei den vorstehenden vier Versuchen beobachteten Abhänge und Wassertiefen enthält folgende zweite Tabelle.

№	Abhang des Gerinnes $\sin. \delta = \frac{f}{l}$	Wassertiefen in Metern bei dem Zeiger X_1	X_2	X_3	X_4
1	$\frac{12{,}05}{180} = 0{,}0669$	0,0150	0,0105	0,0095	0,0490
2	$\frac{9{,}7}{180} = 0{,}0539$	0,0150	0,0115	0,0103	0,0520
3	$\frac{6{,}9}{180} = 0{,}0383$	0,0180	0,0142	0,0130	0,0540
4	$\frac{4{,}15}{180} = 0{,}02305$	0,0163	0,0140	0,0416	0,0545.

Hieraus berechnet sich wieder Folgendes:

№	Vor der Wasserschwelle			Hinter der Wasserschwelle			Höhe der Wasserschwelle	
	a	v	$\frac{v^2}{2g}$	a_1	v_1	$\frac{v_1{}^2}{2g}$	beobachtet $a_1 - a$	berechnet $\frac{v^2}{2g} - \frac{v_1{}^2}{2g}$
1	0,0095	1,034	0,0545	0,0490	0,201	0,0020	0,0395	0,0525
2	0,0103	0,971	0,0481	0,0520	0,192	0,0019	0,0417	0,0462
3	0,0130	0,827	0,0349	0,0540	0,199	0,0020	0,0410	0,0329
4	0,0140	0,661	0,0223	0,0416	0,222	0,0025	0,0276	0,0198
						Mittelwerthe	0,03745	0,03785.

Die hier gefundenen Abweichungen der beobachteten Sprunghöhen $CD = (a_1 - a)$ von den Differenzen $\left(\frac{v^2}{2g} - \frac{v_1{}^2}{2g}\right)$ der Geschwindigkeitshöhen findet in dem großen Abstande $\left(\frac{180}{3} = 0{,}60 \text{ Meter}\right)$ zwischen den beobachteten Zeigern und in der größeren Neigung des Gerinnes eine vollständige Erklärung.

Fig. 118.

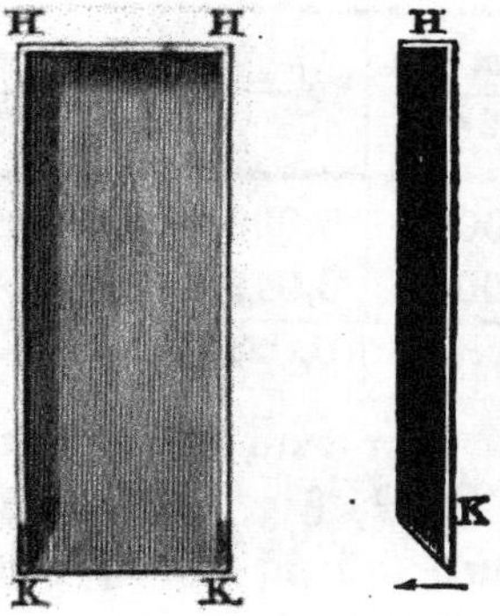

II. Versuche an einem scharfkantigen Durchlaß, hervorgebracht durch das in Fig. 118 abgebildete Einsatzblech HK. Dasselbe wurde mittelst seiner umgebogenen Ränder so zwischen die Seitenwände des Gerinnes eingeklemmt, daß unten zwischen dem Gerinnboden und der zugeschärften Kante KK eine Abflußöffnung KM, Fig. 119, übrig blieb. Die Wassertiefen wurden wieder an den vier Zeigern X_1, X_2, X_3, X_4, abgelesen, und die Druckhöhen an dem Zeiger X_4 beobachtet.

Fig. 119.

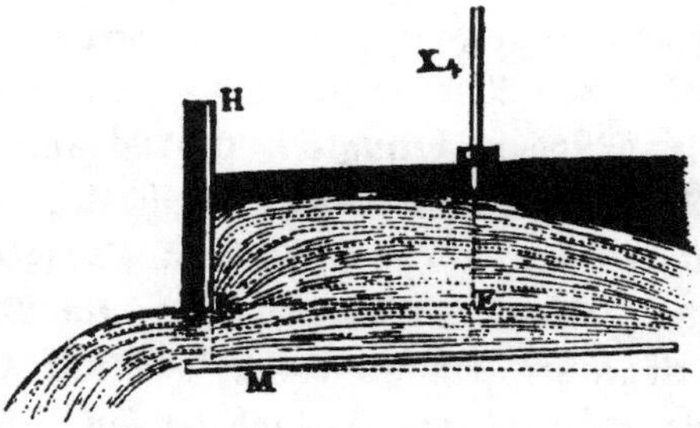

Für diese Versuche bestimmt sich der Ausflußcoefficient durch die Formel

$$\mu = \frac{Gs}{abt\sqrt{2gh}} = \frac{0,17112}{at\sqrt{h}},$$

worin a die Mündungshöhe und h die Druckhöhe bis Mitte der Mündung bezeichnet.

Die Ergebnisse zweier Versuche enthält folgende Tabelle.

№	Mündungshöhe a Meter	Druckhöhe h Meter	Ausflußzeit t Secunden	Ausflußcoefficient μ
1	0,0187	0,0450	69,75	0,612
2	0,0243	0,0423	53,875	0,636
			Mittelwerth	0,624 .

Die entsprechenden Abhänge und Wassertiefen waren folgende:

№	Abhang $\sin. \delta = \frac{f}{l}$	Wassertiefen in Metern bei den Zeigern X_1	X_2	X_3	X_4
1	$\frac{6,9}{180} = 0,0383$	0,0180	0,0141	0,0133	0,0513
2	$\frac{4,15}{180} = 0,02305$	0,0231	0,0195	0,0390	0,0527 .

Die hieraus gerechneten Schwellenhöhen sind folgende:

№	a	v	$\frac{v^2}{2g}$	a_1	v_1	$\frac{v_1{}^2}{2g}$	$a_1 - a$	$\frac{v^2}{2g} - \frac{v_1{}^2}{2g}$
1	0,0133	0,823	0,0345	0,0513	0,213	0,0023	0,0380	0,0322
2	0,0195	0,727	0,0269	0,0390	0,363	0,0067	0,0195	0,0202
						Mittelwerthe	0,02875	0,0262 .

III. Versuche an einem Durchlaß M, welcher durch eine rectanläre Mündung in einem dünnen Bleche $FFGG$, Fig. 120, gebildet wurde. Dieses Blech ließ sich mittelst seines umgebogenen Randes ebenfalls so zwischen die Seitenwände des Gerinnes einklemmen, daß an seinem Umfange ringsherum ein wasserdichter Abschluß statt hatte. Die Breite dieser Mündung betrug $b = 0{,}0194$ und die Höhe $a = 0{,}0297$ Meter, folglich der Inhalt derselben, $ab = 0{,}0005762$ Quadratmeter. Dieses Einsatzblech wurde ein Mal so eingesetzt, daß die Kante GG und das andere Mal so, daß die Kante FF auf den Gerinnboden zu stehen kam. Im ersteren Falle stand die untere Mündungskante 1, und dagegen im zweiten 2 Centimeter über dem Gerinnboden. Uebrigens wurden die Versuche genau so wie die vorigen durchgeführt.

Fig. 120.

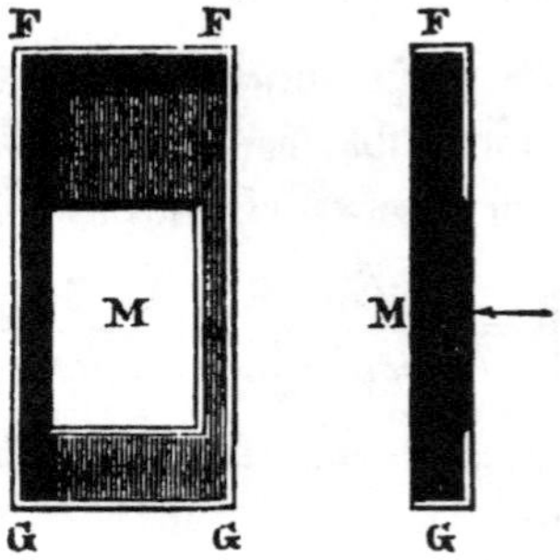

Für den Fall, daß das abfließende Wasser die Mündung ganz ausfüllt, ist

$$\mu = \frac{Gs}{Ft\sqrt{2gh}} = \frac{7{,}795}{t\sqrt{h}},$$

und dagegen für den Fall, daß es blos als Ueberfall über der unteren Mündungskante abfließt,

$$\mu = \frac{3\,Gs}{2\,bt\sqrt{2gh^3}} = \frac{0{,}38635}{t\sqrt{h^3}}.$$

Die Versuche bei vollem Ausflusse gaben Folgendes:

№	Druckhöhe h Meter	Ausflußzeit t Secunden	Schwellenhöhe in Metern	Ausflußcoefficient μ
1	0,03275	67,8	0,01	0,645
2	0,01865	84,75	0,02	0,683 .

Es sind die gefundenen Ausflußcoefficienten, da hier die Contraction vollständig und fast vollkommen war, mit dem in §. 16 und §. 28 gefundenen Werthe im guten Einklang.

Die Versuche mit Ueberfällen führten auf Folgendes:

№	Druckhöhe h über der Schwelle	Ausflußzeit t Secunden	Schwellenhöhe über der Gerinnsohle in Metern	Ausflußcoefficient μ
1	0,0254	115,75	0,01	0,824
2	0,0279	102,20	0,02	0,811.

Da hier die Contraction bedeutend unvollkommen ist, so sind die großen Werthe von μ ganz erklärlich. (Vergl. §. 28, II.)

Die Abhänge und Wassertiefen waren bei den letzten vier Versuchen folgende:

№	Abhang $sin.\,\delta = \frac{f}{l}$	Wassertiefen in Metern bei den Zeigern X_1	X_2	X_3	X_4
1	$\frac{4,15}{180} = 0,02305$	0,0198	0,0165	0,0420	0,0542
2		0,0160	0,0133	0,0402	0,0515
3		0,0121	0,0103	0,0112	0,0324
4		0,0130	0,0110	0,0345	0,0464

Folgendes sind die hieraus berechneten Schwellenhöhen:

№	a	v	$\frac{v^2}{2g}$	a_1	v_1	$\frac{v_1^2}{2g}$	$a_1 - a$	$\frac{v^2}{2g} - \frac{v_1^2}{2g}$
1	0,0165	0,682	0,0237	0,0420	0,268	0,0037	0,0255	0,0200
2	0,0133	0,677	0,0234	0,0402	0,224	0,0026	0,0269	0,0208
3	0,0112	0,589	0,0177	0,0324	0,203	0,0021	0,0211	0,0156
4	0,0110	0,679	0,0234	0,0345	0,217	0,0024	0,0235	0,0210
						Mittelwerthe	0,02425	0,01935

IV. Versuche an abgerundeten Ueberfällen, gebildet durch halbkreisförmig gebogene Bleche *GKH*, Fig. 121, welche sich zwischen die Seitenwände des Gerinnes so einklemmen ließen, daß unten und zu beiden Seiten desselben ein wasserdichter Abschluß stattfand. Der eine dieser beiden Ueberfälle hatte einen Krümmungshalbmesser von 2 und der andere einen solchen von 3 Centimeter. Bei dem folgenden Versuche wurde dieser Einbau am Ende des Gerinnes eingesetzt; um aber einen sogenannten unvollkommenen Ueberfall herzustellen, wobei das Unterwasser über den Gipfel des Ueberfalles wegreicht, ist derselbe in der Mitte oder am Anfange des Gerinnes einzusetzen, und dann hat man, wie Fig. 122 vor Augen führt, mittelst zweier Zeigerspitzen, I und II, nicht allein die Höhe LE des Oberwasserspiegels über der Ueberfallschwelle K, sondern auch den Niveauabstand FM zwischen dieser Schwelle und dem Unterwasserspiegel M zu messen. Liegt M unter F, so hat man es mit

Fig. 121.

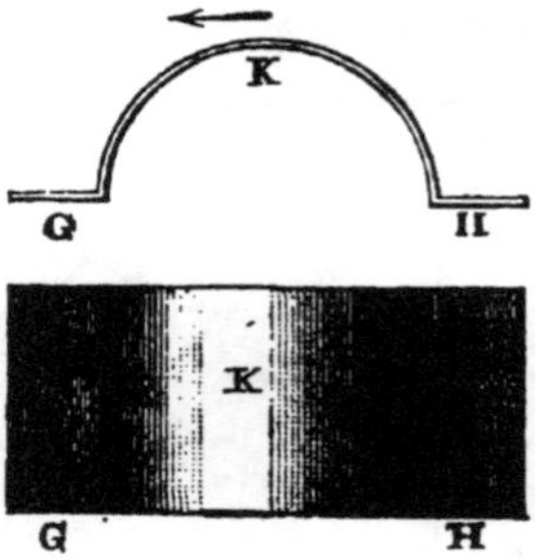

Fig. 122.

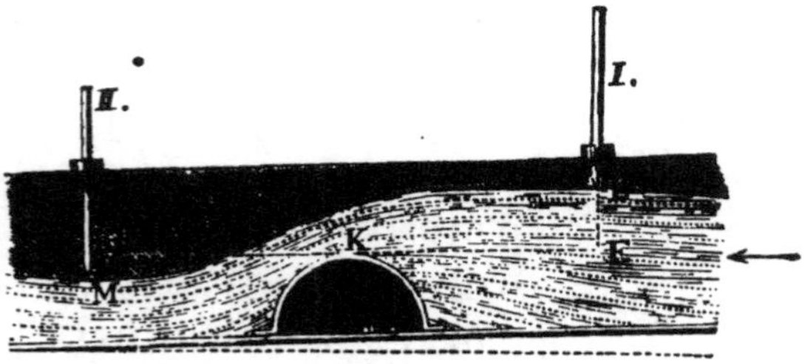

einem vollkommenen Ueberfall zu thun, und es ist dann LE als Druckhöhe anzusehen; ist hingegen M über F, so hat man es mit einem unvollkommenen Ueberfall zu thun; es fließt dann nur das Wasser über M frei und als im Ueberfall, dagegen das Wasser zwischen M und F unter Wasser, und zwar mit der Druckhöhe $LE - MF$ ab.

Die mit Hilfe der Formel $\mu = \frac{0{,}2567}{t\sqrt{h^3}}$ berechneten Versuche gaben Folgendes:

№	Krümmungshalbmesser der Schwelle	Druckhöhe h Meter über der Schwelle	Ausflußzeit t Secunden	Ausflußcoefficient μ
1	0,030 Meter	0,0277	.71	0,784
2	0,030 „	0,0244	98	0,687
3	0,020 „	0,0210	99	0,852
4	0,020 „	0,0330	42,66	1,004 .

Der große Werth für μ hat seine Begründung darin, daß bei dem entsprechenden Versuche das Wasser schon mit einer großen Geschwindigkeit vor dem Ueberfalle ankam. Richtiger rechnet man in diesem Falle mit der Formel

$$\mu = \frac{3\,G s}{2\,b t \sqrt{2g}\left[(h+k)^{\frac{3}{2}} - k^{\frac{3}{2}}\right]},$$

worin k die Geschwindigkeitshöhe des zufließenden Wassers bezeichnet. (S. Ingen.= und Maschinenmechanik, Bd. I, §. 355.)

Die Tiefe des zufließenden Wassers war $a = 0{,}053$ Meter, folglich die Geschwindigkeit desselben

$$v = \frac{0{,}7632}{a t} = \frac{0{,}7632}{0{,}053 \,.\, 42{,}667} = 0{,}3375,$$

und die entsprechende Geschwindigkeitshöhe

$$k = \frac{v^2}{2g} = 0{,}0058\,.$$

Setzt man diesen Werth in die letzte Formel ein, so folgt

$$\mu = \frac{0{,}2567}{t\left[(h+k)^{\frac{3}{2}} - k^{\frac{3}{2}}\right]} = \frac{0{,}2567}{42{,}667\,(0{,}0388^{\frac{3}{2}} - 0{,}0058^{\frac{3}{2}})}$$

$$= \frac{0{,}2567}{42{,}667 \,.\, 0{,}00720} = 0{,}836\,.$$

V. Ein Versuch an einem Durchlaß mit abgerundeten Kanten, gebildet durch das umgekehrt eingesetzte halbcylindrische Blech in Fig. 122. Hier war also die Contraction an allen Seiten aufgehoben. Die Höhe der Mündung vom Gerinnboden bis tiefen Punkt des runden Bleches gemessen, betrug $a = 0{,}0201$ Meter, die Breite derselben, $b = 0{,}0292$ Meter, die Druckhöhe, bis Mitte der Mündung gemessen, $h = 0{,}0429$ Meter und die Abflußzeit $t = 42\,^1/_2$ Sec., folglich ist der entsprechende Ausflußcoefficient

$$\mu = \frac{0{,}17112}{a t \sqrt{h}} = \frac{0{,}17112}{0{,}0201 \,.\, 42{,}5\,\sqrt{0{,}0429}} = 0{,}967\,.$$

VI. Zwei Versuche an einem Einbau in Form eines aufrechtstehenden Cylinders K, Fig. 123.

Hier wurden die Wasserstände mittelst zweier Zeigerspitzen I und II, gemessen, wovon die eine (I) 10 Centimeter vor und die andere (II)

10 Centimeter hinter der Axe des Cylinders (Brückenpfeilers) stand. Der Durchmesser des Cylinders war 0,0200 Meter, die Gerinnweite

Fig. 123.

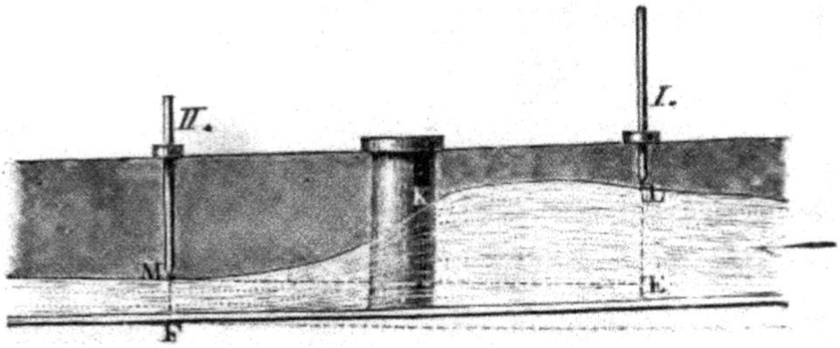

0,0280 Meter, folglich die Summe der Weiten der Durchgangsöffnung zu beiden Seiten des Cylinders, $b = 0{,}0080$ Meter. Für diese Versuche hat man

$$\mu = \frac{Gs}{bt\sqrt{2gh}\left(\frac{2}{3}h + a\right)} = \frac{0{,}02823\,.\,0{,}177}{0{,}008\,t\left(\frac{2}{3}h + a\right)\sqrt{h}}$$

$$= \frac{0{,}6246}{t\left(\frac{2}{3}h + a\right)\sqrt{h}},$$

da ein Theil des Wassers als Ueberfall und der andere als Durchlaß mit der Höhe $MF = a$ und unter der Druckhöhe $LE = h$ abfließt.

Versuch 1. Hier war $a = 0{,}0145$, $h = 0{,}0363$ Meter und $t = 85{,}75$ Sec., und es folgt

$$\mu = \frac{0{,}6246}{0{,}0387\,.\,85{,}75\,\sqrt{0{,}0363}} = 0{,}988.$$

Versuch 2. Es wurde $a = 0{,}0113$, $h = 0{,}0302$ und $t = 118$ Sec. gefunden, woraus sich

$$\mu = \frac{0{,}6246}{0{,}0314\,.\,118\,\sqrt{0{,}0302}} = 0{,}970 \text{ ergiebt.}$$

Dreizehntes Kapitel.

Versuche über die Kraft und mechanische Arbeit des Wassers.

---

§. 46. Die Reaction des Wassers bei seinem Ausflusse aus Gefässen.

Sowohl vermöge seiner Schwere als auch vermöge seiner Trägheit, kann das Wasser dieselbe mechanische Arbeit verrichten, wie jeder starre Körper. Ist V das Volumen und γ die Dichtigkeit eines Körpers, also $V\gamma$ dessen Gewicht, so beträgt die mechanische Arbeit, welche dieser Körper beim langsamen oder gleichförmigen Herabsinken von einer senkrechten Höhe h in Folge seiner Schwere verrichten kann, und welche er umgekehrt, bei seinem langsamen oder gleichförmigen Emporsteigen um die vertikale Höhe h in Folge seines Gewichtes in Anspruch nimmt,

$$V\gamma h = Vh\gamma.$$

Gelangen in jeder Secunde n solcher Körper zum Niedersinken oder Aufsteigen, so ist natürlich auch die entsprechende Arbeit pr. Sec.

$$L = n \, . \, Vh\gamma.$$

Nun haben aber auch diese Körper zusammen das Volumen

$Q = nV$, daher ist auch

I. $$L = Qh\gamma,$$

und man hat, wenn man diese Formel auf ein langsam fließendes Wasser anwendet, unter Q das pr. Sec. zufließende und entweder niedersinkende oder emporgehobene Wasserquantum zu verstehen.

Geht dieses Niedersinken oder Aufsteigen mit der Geschwindigkeit v vor sich, so hat man die entsprechende Kraft oder Last

II. $$P = \frac{L}{v} = \frac{Qh\gamma}{v}.$$

Die Formeln I und II finden bei allen hydraulischen Maschinen ihre Anwendung, wo, wie z. B. bei den oberschlägigen Wasserrädern und Wassersäulenmaschinen das Wasser durch seinen Druck oder durch sein Gewicht wirkt, und wo, wie z. B. bei den Pumpen, das Wasser auf eine gewisse Höhe zu heben ist.

Wenn ferner die Geschwindigkeit c einer Masse M nach und nach in eine kleinere Geschwindigkeit v übergeht, so vermag diese Masse, in Folge ihrer Trägheit, die mechanische Arbeit

$$\frac{M(c^2-v^2)}{2}$$

zu verrichten, und wenn, umgekehrt, die Geschwindigkeit c dieser Masse allmälig in eine größere Geschwindigkeit v übergeht, so bindet oder übernimmt sie, vermöge ihrer Trägheit die mechanische Arbeit

$$\frac{M(v^2-c^2)}{2} \text{ in Arbeit.}$$

Hat man es mit der Masse eines fließenden Wassers zu thun, dessen Menge pr. Sec. $= Q$ Raumeinheiten ist, so hat man

$$M = \frac{Q\gamma}{g},$$

wenn g die Beschleunigung der Schwere bezeichnet und es ist folglich die entsprechende mechanische Arbeit oder Leistung

III. $$L = \pm \left(\frac{c^2-v^2}{2g}\right) Q\gamma.$$

Diese Formel findet bei der Beurtheilung aller derjenigen hydraulischen Maschinen ihre Anwendung, wo das Wasser durch seine lebendige Kraft oder Trägheit wirkt, wie z. B. bei den unterschlägigen Wasserrädern und Turbinen.

Fließt das Wasser aus einem Gefäße oder strömt es durch eine Röhre oder einen ringsumschlossenen Kanal überhaupt, so übt es auf dasselbe eine Kraft aus, welche man die Reaction des aus- oder durchfließenden Wassers nennt, wodurch das Gefäß in Bewegung und in den Stand gesetzt wird, mechanische Arbeit zu verrichten.

Es sei AB, Fig. 124, ein solches Gefäß, das Wasser ströme demselben bei A zu und fließe bei B aus demselben mit einer gewissen Geschwindigkeit v. Nehmen wir an, daß sich dieses Gefäß mit einer gewissen Geschwindigkeit $\overline{Aw} = \overline{Bw} = w$ in einer gewissen Richtung fortbewege und daß das Wasser in demselben von einer senkrechten Höhe $BC = h$ herabsinke. Ist nun die relative Ge-

Fig. 124.

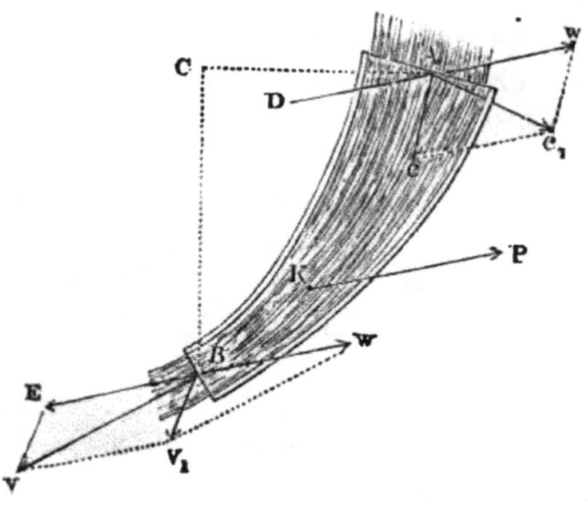

schwindigkeit des Wassers im Gefäße an der Eintrittsstelle $\overline{Ac} = c$, ferner der Winkel cAD, um welchen die Richtung dieser Geschwindigkeit von der Bewegungsrichtung Aw des Gefäßes abweicht, $= \beta$ und dagegen der Winkel vBE, um welchen die Richtung der Ausflußgeschwindigkeit von eben dieser Richtung Bw abweicht, $= \alpha$, so haben wir die für die absolute Geschwindigkeit c_1 des bei A eintretenden Wassers:

$$c_1^2 = c^2 - 2cw \cos\beta + w^2,$$

und dagegen für die absolute Geschwindigkeit v_1 des bei B ausfließenden Wassers:

$$v_1^2 = v^2 - 2vw \cos\alpha + w^2.$$

Hiernach ist die von dem durchfließenden Wasser auf das Gefäß AB übergegangene mechanische Arbeit nach I) und III)

$$L = hQ\gamma - \frac{v_1^2 - c_1^2}{2g} Q\gamma$$

$$= \left[h - \frac{v^2 - c^2 - 2(v\cos\alpha - \cos\beta)w}{2g}\right] Q\gamma.$$

Nun ist aber, der Theorie des Ausflusses zu Folge,
$v^2 - c^2 = 2gh$, und daher folgt

$$L = \frac{(v\cos\alpha - c\cos\beta)w}{g} Q\gamma,$$

und die entsprechende Reactionskraft: $\overline{KP} =$

$$P = \frac{L}{w} = \frac{(v\cos\alpha - c\cos\beta)}{g} Q\gamma.$$

Hat die Ausmündung B den Inhalt F, und die Einmündung A, den Inhalt G, so läßt sich setzen

$Q = Fv = Gc$, daher

$v = \frac{Q}{F}$ und $c = \frac{Q}{G}$, folglich auch

$$P = \left(\frac{\cos\alpha}{F} - \frac{\cos\beta}{G}\right) Q^2\gamma$$

$$= \left(\frac{\cos\alpha}{F} - \frac{\cos\beta}{G}\right) \frac{F^2v^2}{g}\gamma$$

$$= \left(\frac{\cos\alpha}{F} - \frac{\cos\beta}{G}\right) \frac{G^2c^2}{g}\gamma.$$

Ist der Querschnitt F der Mündung klein gegen den Querschnitt G des Gefäßes, so kann man $\frac{\cos\beta}{G}$ gegen $\frac{\cos\alpha}{F}$ vernachlässigen und daher

$$P = \frac{\cos\alpha}{F} \cdot \frac{F^2 v^2}{g} \gamma = \frac{v^2}{g} F\gamma \cos\alpha ,$$

oder, da dann $\frac{v^2}{2g} = h$ ist.

$$P = 2Fh\gamma \cos\alpha ,$$

und wenn man $\alpha = 0$, also $\cos\alpha = 1$ annimmt,

$$P = 2Fh\gamma = F.2h\gamma \text{ setzen.}$$

Es ist also dann die Reaction des aus einem Gefäße ausströmenden Wassers dem ausfließenden Strahle entgegengesetzt gerichtet und gleich dem Gewichte einer Wassersäule, welche den Querschnitt F des ausfließenden Wassers zur Basis und die doppelte Druckhöhe $(2h)$ zur Länge hat.

Ist $F = G$, hat man es z. B. mit einer überall gleich weiten gekrümmten Röhre zu thun, so folgt

$$P = (\cos\alpha - \cos\beta) \frac{v^2}{g} F\gamma ,$$

und nimmt man nun wieder $\alpha = 0$, so folgt die Reaction, entgegengesetzt der Richtung des ausfließenden Strahles,

$$P_1 = (1 - \cos\beta) \frac{v^2}{g} F\gamma ,$$

und es ist dann β auch zugleich der Krümmungs- oder Centriwinkel δ der Röhrenaxe. Bewegt man das Gefäß in Richtung rechtwinkelig gegen die der Ausflußgeschwindigkeit v, so hat man $\alpha = 90$ Grad, also $\cos\alpha = 0$, und daher die Reaction des Wassers

$$P_2 = -\cos\beta . \frac{v^2}{g} F\gamma .$$

Dann ist aber auch $\beta = 90 + \delta$, daher $\cos\beta = -\sin\delta$, und folglich

$$P_2 = \frac{v^2}{g} F\gamma \sin\delta .$$

Aus beiden Kräften P_1 und P_2 folgt nun die vollständige Reaction des Wassers gegen die Röhre

$$P = \sqrt{P_1^2 + P_2^2} = \sqrt{(1-\cos\delta)^2 + (\sin\delta)^2} . \frac{v^2}{g} F\gamma$$

$$= \sqrt{2(1-\cos in\,\delta)} . \frac{v^2}{g} F\gamma$$

$$= 2\frac{v^2}{g} F\gamma \sin\left(\frac{\delta}{2}\right) = 4Fh\gamma \sin\left(\frac{\delta}{2}\right) .$$

Z. B. für einen rechtwinkeligen Kropf hat man $\delta = 90$ Grad, und daher

$$P = 2\sqrt{2}.Fh\gamma,$$

und dagegen für einen halbkreisförmigen Kropf, wo $\delta = 180$ Grad ist,

$$P = Fh\gamma.$$

§. 47. Der hydraulische Stoß des bewegten Wassers.

Trifft das bewegte Wasser einen festen Körper, und wird es dadurch genöthigt, eine andere Richtung anzunehmen, so übt es gegen denselben einen sogenannten hydraulischen Stoß aus. Diese Wirkung ist von der Reaction des Wassers dadurch verschieden, daß man es hier mit einem freien Strahle zu thun hat, welcher entweder auf gar keiner oder wenigstens nicht auf allen Seiten von einer festen Wand umgeben ist, wogegen das Wasser nur dann durch Reaction wirkt, wenn es den Querschnitt des Kanales oder Gefäßes, durch welchen es hindurchfließt, vollständig ausfüllt. Man unterscheidet noch den Stoß des isolirten Strahles, den des zum Theil begrenzten und den des unbegrenzten oder vielmehr als unbegrenzt anzusehenden Wasserstromes von einander.

Trifft ein isolirter Wasserstrahl eine feste Rotationsfläche BAB, Fig. 125, in der Richtung AP ihrer geometrischen Axe, so wird er von derselben nach allen Richtungen hin um einen und denselben Winkel $vBc_1 = \delta$ abgelenkt, und übt dabei eine gewisse Kraft oder einen sogenannten hydraulischen Stoß $\overline{AP} = P$, in der Axenrichtung der Fläche auf diese Fläche aus. Nehmen wir an, daß das Wasser mit der absoluten Geschwindigkeit c ankomme und die Fläche mit der Geschwindigkeit v ausweiche, so haben wir die relative Geschwindigkeit des Wassers, d. i. diejenige, mit welcher es gegen die Fläche antrifft, und an derselben hinläuft, $= c - v$. Diese Geschwindigkeit ist, wenn wir von der Reibung des Wassers an der Fläche absehen, auch die Geschwindigkeit $\overline{Bc_1} = c_1$, mit der es die Fläche verläßt, und wenn man folglich

Fig. 125.

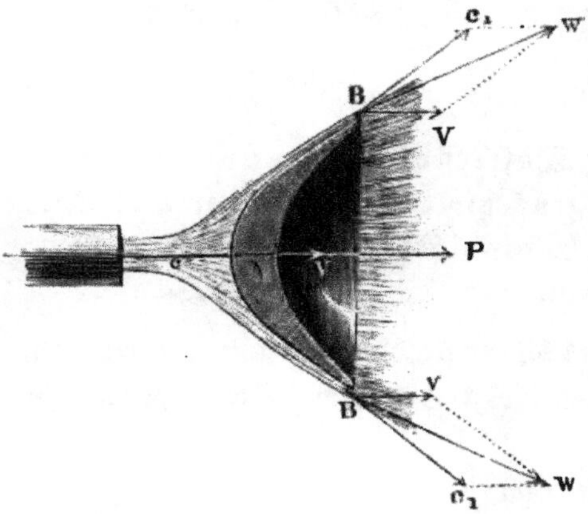

dieselbe mit der Geschwindigkeit $\overline{Bv} = v$, welche das Wasser mit der Fläche gemeinschaftlich hat, durch das Parallelogramm der Geschwindigkeiten vereinigt, so erhält man die absolute Geschwindigkeit des abströmenden Wassers:

$$w = \sqrt{c_1^2 + v^2 + 2\,c_1\,v \cos\delta}$$
$$= \sqrt{(c-v)^2 + v^2 + 2\,(c-v)\,v \cos\delta}\,.$$

und die entsprechende Geschwindigkeitshöhe

$$\frac{w^2}{2g} = \frac{c^2 - 2\,(1-\cos\delta)\,(c-v)\,v}{2g} = \frac{c^2}{2g} - \frac{(1-\cos\delta)\,(c-v)\,v}{g}\,.$$

Es ist daher nach Formel III das Arbeitsquantum, welches bei diesem Wasserstoße das Wasser auf die Fläche übergetragen hat,

$$L = \left(\frac{c^2 - w^2}{2g}\right) Q\gamma = (1-\cos\delta)\,\frac{(c-v)\,v}{g}\,Q\gamma\,,$$

und der entsprechende Wasserstoß selbst

$$P = \frac{L}{v} = (1-\cos\delta)\,\frac{(c-v)}{g}\,Q\gamma\,.$$

Bewegt sich die Fläche dem Strahle mit der Geschwindigkeit v entgegen, ist also v negativ, so hat man natürlich diesen Stoß

$$P = (1-\cos\delta)\,\frac{(c+v)}{g}\,Q\gamma\,,$$

und ist die Fläche in Ruhe, hat man also $v = 0$, so fällt

$$P = (1-\cos\delta)\,\frac{c}{g}\,Q\gamma \text{ aus.}$$

Es ist also hiernach der Wasserstoß einer und derselben Wassermenge Q, unter übrigens gleichen Umständen und Verhältnissen, der relativen Geschwindigkeit $(c \mp v)$ des ankommenden Wassers proportional.

Aus dem Querschnitte F des Wasserstrahles und aus der relativen Geschwindigkeit $(c \mp v)$ desselben folgt das zum Stoße gelangende Wasserquantum

$Q = F\,(c \mp v)$, und daher auch

$$P = (1-\cos\delta)\,\frac{(c \mp v)^2}{g}\,F\gamma\,;$$

also z. B. für eine ruhende Fläche

$$P = (1-\cos\delta)\,\frac{c^2}{g}\,F\gamma\,.$$

Bei gleichem Querschnitte des Strahles wächst also hiernach der Wasserstoß wie das Quadrat der relativen Geschwindigkeit $(c \mp v)$ des zufließenden Wassers.

Die Größe des Wasserstoßes eines und desselben Wasserstrahles hängt noch vorzüglich von der Größe des Ablenkungswinkels δ ab. Stößt das Wasser rechtwinkelig gegen eine ebene Fläche *BAB*, Fig. 126, so ist $\delta = 90$ Grad, also $\cos \delta = 0$ und daher

Fig. 126.

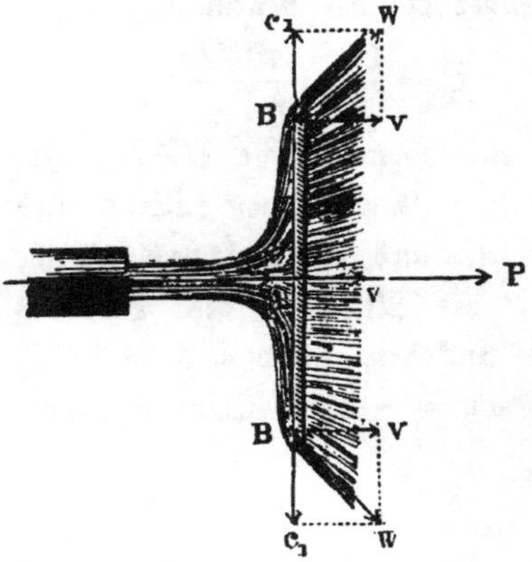

$$P = \left(\frac{c \mp v}{g}\right) Q\gamma.$$

Diese Formel setzt allerdings voraus, daß diese ebene Fläche hinreichend ausgedehnt sei, um die Richtung des Wassers um volle 90 Grad ablenken zu können. Ist der Inhalt dieser Fläche nicht mindestens 9 mal so groß als der Querschnitt des stoßenden Strahles, so wird das Wasser noch um einen spitzen Winkel δ abgelenkt, und es ist folglich

$$P < \frac{(c \mp v)\, Q\gamma}{g}.$$

Fig. 127.

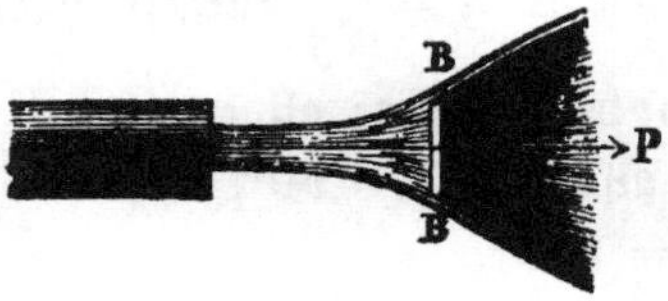

Bei einer Fläche *BB*, Fig. 127, welche mit dem Querschnitte des Strahles einerlei Inhalt hat, ist z. B. δ nahe 30 Grad, und folglich

$$P = (1 - \cos 30^0) \frac{(c \mp v)\, Q\gamma}{g} = \frac{1}{2} \frac{(c \mp v)\, Q\gamma}{g}.$$

Giebt man der Fläche ringsherum einen vorstehenden Rand, wie z. B. *BB*, Fig. 128, so wird dagegen der Strahl um mehr als einen Rechtwinkel von seiner ursprünglichen Richtung abgelenkt, dann ist also $\cos \delta$ negativ und folglich der Stoß

Fig. 128.

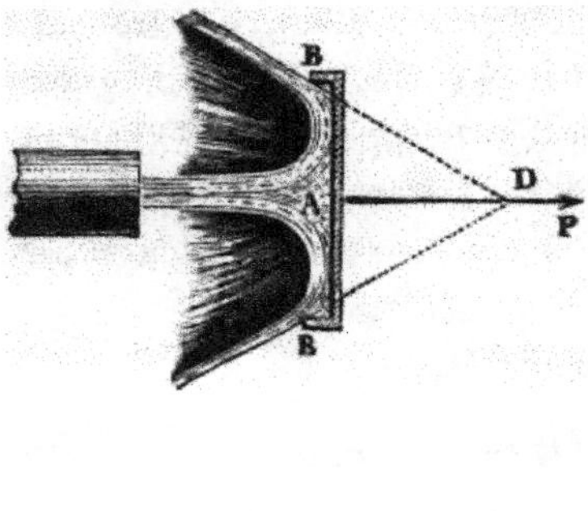

$$P > \frac{(c \pm v)\, Q\gamma}{g},$$

d. i. größer als gegen die große ebene Fläche ohne Einfassung.

Da der Wasserstrahl durch eine convexe Fläche BAB, Fig. 125, um einen spitzen, und durch eine concave Fläche BAB, Fig. 129, um einen stumpfen Winkel $BDP = \delta$, abgelenkt wird, so ist der Wasserstoß im ersten Falle kleiner und im zweiten größer als der Normalstoß

Fig. 129.

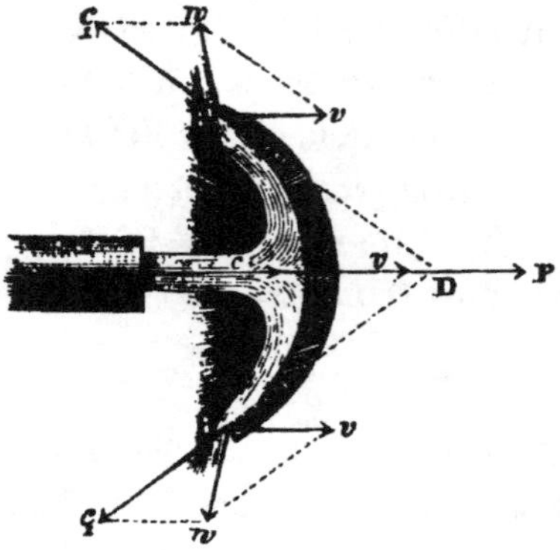

$$P = \frac{(c \mp v)\, Q\gamma}{g}$$

gegen eine ebene Fläche BAB, Figur 126. Am größten fällt natürlich derselbe aus, wenn die hohle Fläche BAB die Richtung des Strahles genau umkehrt, so daß $\delta = 180^0$, also $\cos\delta = -1$ ist. Dann hat man

$$P = 2\frac{(c \pm v)}{g} Q\gamma.$$

$$= 2 . \frac{(c \pm v)^2}{g} F\gamma; \text{ also für } v = 0,$$

$$P = 2\frac{c^2}{g} . F\gamma.$$

Führen wir noch die Geschwindigkeitshöhe $h = \frac{c^2}{2g}$ ein, so haben wir hiernach für den Stoß gegen eine ruhende Fläche, allgemein

$$P = (1 - \cos\delta)\, 2hF\gamma, \text{ also für } \delta = 90^0,$$

$$P = 2hF\gamma, \text{ und für } \delta = 180^0,$$

$$P = 4hF\gamma.$$

Es ist also der normale Wasserstoß gegen eine ebene Fläche unter gleichen Verhältnissen gleich der Reaction des ausfließenden Wasserstrahles gegen das Ausflußgefäß, nämlich gleich dem Gewichte einer Wassersäule, die zur Basis den Querschnitt und zur Länge die doppelte Geschwindigkeitshöhe des Wasserstrahles hat, und dagegen der Stoß gegen eine hohle Fläche, wie z. B. gegen eine hohle Halbkugel, welche dem Strahle die entgegengesetzte Richtung giebt, doppelt so groß, d. i. dem Gewichte eines Wasserprisma gleich, dessen Grundfläche dem Querschnitte des Strahles und dessen Länge der vierfachen Geschwindigkeitshöhe des Wassers gleichkommt.

Die mechanische Arbeit des Wasserstoßes:

$$L = (1 - \cos\delta)\frac{(c - v)\, v}{g} Q\gamma = (1 - \cos\delta)\frac{(c - v)^2 v}{g} F\gamma$$

ist natürlich für verschiedene Geschwindigkeiten v der gestoßenen Fläche F sehr verschieden. Sie ist z. B. nicht allein bei einer ruhenden Fläche, also für $v = 0$, sondern auch für $c - v = 0$, d. i. $v = c$ Null, und dagegen ein Maximum, und zwar

1) bei gegebenem Wasserquantum Q,

für $v = \frac{c}{2}$, und

2) bei gegebenem Querschnitte F des Strahles

für $v = \frac{c}{3}$.

Im ersteren Fall fällt diese Maximalleistung

$$L_1 = (1 - \cos\delta)\frac{c^2}{4g} Q\gamma = \tfrac{1}{2}(1 - \cos\delta) Qh\gamma,$$

und im zweiten

$$L_2 = (1 - \cos\delta) \cdot \frac{4}{27} \cdot \frac{c^3}{g} F\gamma = \frac{8}{27}(1 - \cos\delta)\frac{c^2}{2g} Fc\gamma$$

$$= \frac{8}{27}(1 - \cos\delta) Q_1 h\gamma$$

aus, wenn im letzteren Falle Q_1 das zufließende Wasserquantum Fc [nicht das stoßende $Q = F(c - v)$] bezeichnet.

Nehmen wir noch $\delta = 90^0$, setzen wir also eine ebene Fläche voraus, so erhalten wir

$$L_1 = \frac{1}{2} Qh\gamma \quad \text{und} \quad L_2 = \frac{8}{27} Q_1 h\gamma,$$

und nehmen wir dagegen $\delta = 180^0$, setzen wir also dem Wasserstrom eine hohle Fläche entgegen, welche den Strahl in die entgegengesetzte Richtung zurückbiegt, so folgt

$$L_1 = Qh\gamma \quad \text{und} \quad L_2 = \frac{16}{27} Q_1 h\gamma.$$

Es ist also die größte mechanische Arbeit einer gegebenen Wassermenge Q, welche wirklich zum Stoße gelangt, 1) beim Stoße gegen eine ebene Fläche das halbe, und 2) beim Stoße gegen eine halbkugelförmige hohle Fläche das ganze Arbeitsvermögen $Qh\gamma$ des Wassers, und dagegen die größte mechanische Arbeit einer zufließenden Wassermenge, von welcher nur zwei Drittheile zur Ausübung des Stoßes gelangen, 1) beim Stoße gegen eine ebene Fläche, $\frac{8}{27}$ und 2) beim Stoße gegen die angegebene hohle Fläche, $\frac{16}{27}$ des ganzen Arbeitsvermögens $Qh\gamma$ des Wassers.

Die Formel

$$P = (1 - \cos\delta)\frac{c-v}{g} Q\gamma$$

für den Wasserstoß P ist nicht blos dann anwendbar, wenn das Wasser nach allen Seiten hinabgelenkt wird, sondern sie behält auch noch ihre Richtigkeit, wenn durch theilweise Einfassung des Strahles oder der gestoßenen Fläche die Richtung des Wassers nur nach einer Seite hin um den Winkel δ abgeändert wird. Nur ist dann P nicht mehr die Mittel- sondern nur eine Seitenkraft des ganzen Wasserstoßes. Setzen wir die entsprechende Mittel- oder Normalkraft $= N$, so haben wir den Componenten in der Richtuug des ankommenden Strahles:

$$P = N \sin\delta,$$

und dagegen die Seitenkraft rechtwinkelig zu dieser Richtung

$$S = N \cos\delta.$$

Es folgt also umgekehrt,

$$N = \frac{P}{\sin\delta} = \left(\frac{1-\cos\delta}{\sin\delta}\right)\frac{c-v}{g} Q\gamma = \frac{c-v}{g} Q\gamma \tan\frac{\delta}{2}, \text{ und}$$

$$S = (1 - \cos\delta)\cos\delta . \frac{c-v}{g} Q\gamma .$$

Z. B. für die Ablenkung $\delta = 90$ Grad,

$$N = \frac{c-v}{g} Q\gamma .$$

Wenn der stoßende Wasserstrahl so begrenzt ist, daß er nur nach zwei entgegengesetzten Seiten AB und AC, Fig. 130, ausweichen kann, so läßt sich der Stoß auf diese Fläche wie folgt ermitteln. Ist das Wasserquantum, welches auf der Seite des spitzen Winkels $BAP = \delta$ ausweicht, $= Q_1$ und das, welches auf der Seite des stumpfen Winkels $CAB = 180^0 - \delta$ fortgeht, $= Q_2$, so haben wir den Parallelstoß des ersteren

Fig. 130.

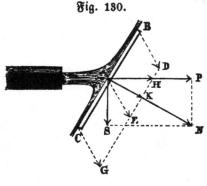

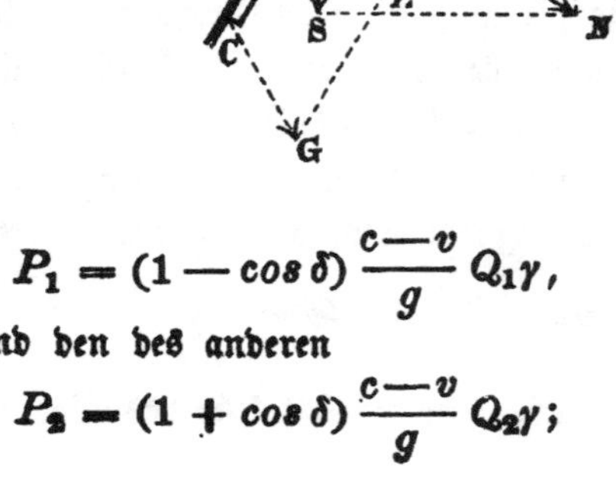

$$P_1 = (1 - \cos\delta)\frac{c-v}{g} Q_1\gamma,$$

und den des anderen

$$P_2 = (1 + \cos\delta)\frac{c-v}{g} Q_2\gamma;$$

folglich den ganzen Parallelstoß

$$P = P_1 + P_2 = [(1 - \cos\delta)\, Q_1 + (1 + \cos\delta)\, Q_2]\, \frac{c - v}{g}\, \gamma.$$

Die Kraftverhältnisse bleiben jedenfalls dieselben, wenn das Wasser umgekehrt strömt, wenn also zwei Strahlen in der Richtung BA und CA gegen einander stoßen und sich in A zu einem Strahle vereinigen; folglich sind auch die Kräfte, mit welchen beide Strahlen in der Richtung BC auf einander reagiren, einander gleich, es ist also

$$P_1 = P_2 = (1 - \cos\delta)\, \frac{(c - v)}{g}\, Q_1\gamma = (1 + \cos\delta)\, \frac{(c - v)}{g}\, Q_2\gamma,$$

woraus $(1 - \cos\delta)\, Q_1 = (1 + \cos\delta)\, Q_2$ folgt,
und sich, da $Q_1 + Q_2 = Q$ ist,

$$Q_1 = \left(\frac{1 + \cos\delta}{2}\right) Q \text{ und } Q_2 = \left(\frac{1 - \cos\delta}{2}\right) Q, \text{ folglich}$$

$$P = [1 - (\cos\delta)^2] \left(\frac{c - v}{g}\right) Q\gamma = \frac{c - v}{g}\, Q\gamma\, (\sin\delta)^2 \text{ ergiebt.}$$

Der entsprechende Normalstoß ist

$$N = \frac{P}{\sin\delta} = \frac{c - v}{g}\, Q\gamma \sin\delta,$$

und der Seitenstoß, rechtwinkelig zur anfänglichen Richtung des Strahles:

$$S = N \cos\delta = \frac{c - v}{g}\, Q\gamma \sin\delta \cos\delta$$

$$= \frac{c - v}{2g}\, Q\gamma \sin 2\delta.$$

Weicht die Fläche nicht, wie wir seither angenommen, in der Richtung des auffallenden Strahles, sondern in irgend einer anderen Richtung $AE \parallel BD \parallel CG$ aus, welche um den Winkel $ABD = CAE = AEH = \delta_1$ von der Fläche BC abweicht, so findet zwischen der Geschwindigkeit $AH = v$ in der ersten Richtung und der Geschwindigkeit $AE = v_1$ in der anderen Richtung folgende Beziehung statt:

$$\frac{v}{v_1} = \frac{AH}{AE} = \frac{\sin\delta_1}{\sin\delta}, \text{ daher ist}$$

$$N = \frac{(c \sin\delta - v_1 \sin\delta_1)}{g}\, Q\gamma,$$

und folglich der Stoß in der Bewegungsrichtung der Fläche

$$N . \sin\delta_1 = \frac{(c \sin\delta - v_1 \sin\delta_1)}{g}\, Q \sin\delta_1 \gamma.$$

Bewegt sich die Fläche rechtwinkelig gegen die anfängliche Richtung des Strahles, so hat man $\delta + \delta_1 = 90^0$, und daher $\delta_1 = 90^0 - \delta$, und

$$N = \frac{(c \sin \delta - v_1 \cos \delta)}{g} Q\gamma,$$

oder, wenn man noch

$$Q = F(c - v)\, c \sin \delta = F(c \sin \delta - v_1 \sin \delta_1)$$ einsetzt:

$$N = \frac{(c \sin \delta - v_1 \cos \delta_1)^2}{g} F\gamma,$$

woraus endlich die Kraft in der Bewegungsrichtung der Fläche

$$S = N \cos \delta = \frac{(c \sin \delta - v_1 \cos \delta)^2}{g} \cos \delta\, F\gamma,$$

und dagegen die in der Richtung des auffallenden Strahles

$$P = N \sin \delta = \frac{(c \sin \delta - v_1 \cos \delta)^2 \sin \delta}{g} F\gamma$$ folgt.

Trifft das Wasser schief, und zwar unter dem Winkel δ vollkommen frei gegen eine uneingefaßte ebene Fläche, so breitet sich der Strahl nach allen Seiten hin auf der Fläche aus und es ist annähernd die Größe des sogenannten Parallelstoßes, oder der Stoß in der Richtung des Strahles:

$$P = \frac{2 (\sin \delta)^2}{1 + (\sin \delta)^2} \cdot \frac{c - v}{g} Q\gamma,$$

also der Normalstoß

$$N = \frac{2 \sin \delta}{1 + (\sin \delta)^2} \cdot \frac{c - v}{g} Q\gamma.$$

Siehe des Verfassers Ingen.- und Masch.-Mechanik, Bd. I, §. 427.

Fig. 131.

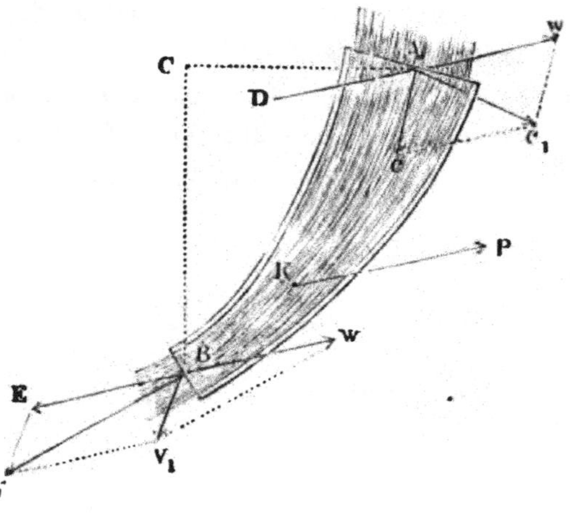

Wir haben oben bei der Ausmittelung der Reaction des durch ein Gefäß fließenden Wassers angenommen, daß das Wasser ohne Stoß in das Gefäß eintrete; und dies ist auch stets der Fall, wenn seine absolute Geschwindigkeit c_1, Fig. 131, sich in zwei andere Geschwindigkeiten w und c zerlegen läßt, wovon die eine der Geschwindigkeit w des Gefäßes und die andere der relativen Geschwindigkeit c des Wassers im Gefäße, und zwar an der Eintrittsstelle A gleich ist. Weicht hingegen der Component der Zutrittsgeschwindigkeit c_1 in der Axenrichtung des Gefäßes von der relativen Geschwindigkeit c des Wassers in eben dieser Richtung ab, so findet ein Stoß des eintretenden Wassers gegen das Wasser, welches bereits im Gefäß enthalten ist, statt, und es ist damit ein im Folgenden zu bestimmender Arbeitsverlust verbunden.

Fig. 132.

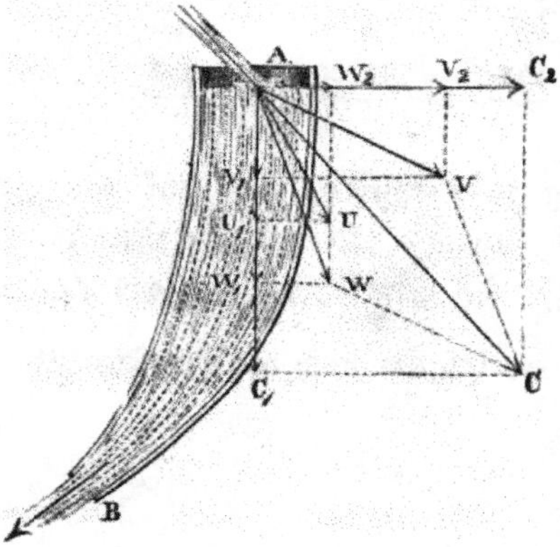

Das Wasser trete mit der Geschwindigkeit c bei A in das Gefäß AB, Fig. 132, ein, deren Richtung um den Winkel $c_1 A c = \alpha$ von der Axe des Gefäßes in A oder von der Richtung der relativen Geschwindigkeit u_1 des Wassers im Gefäße abweicht, und das Gefäß selbst bewege sich mit der Geschwindigkeit v fort, dessen Richtung um den Winkel $c_1 A v$ von jener Axe abweicht. Zerlegen wir nun jede der Geschwindigkeiten c und v nach der gedachten Axenrichtung Ac_1 und rechtwinkelig gegen dieselbe in die Seitengeschwindigkeiten

$$c_1 = c \cos \alpha \text{ und } c_2 = c \sin \alpha,$$
$$v_1 = v \cos \beta \text{ und } v_2 = v \sin \beta,$$

so erhalten wir die relative Geschwindigkeit des zufließenden Wassers in der ersteren Richtung

$$w_1 = c_1 - v_1 = c \cos \alpha - v \cos \beta,$$

und dagegen in der zweiten Richtung

$$w_2 = c_2 - v_2 = c \sin \alpha - v \sin \beta.$$

Soll nun das Wasser ohne Stoß, d. i. gleich mit derjenigen relativen Geschwindigkeit eintreten, mit welcher es im Gefäße fortströmt, so muß sein:

1) $w_2 = 0$, d. i. $c \sin \alpha = v \sin \beta$, und

2) $w_1 = u_1$, also $c \cos \alpha - v \cos \beta = u_1$.

Ist hingegen weder der einen noch der anderen Bedingung Genüge geschehen, so hat das einströmende Wasser in Beziehung auf das fortströmende noch die relative Geschwindigkeit

$\sqrt{(w_1 - u_1)^2 + w_2^2}$, welcher die Höhe

$$k = \frac{(w_1 - u_1)^2 + w_2^2}{2g}$$

$$= \frac{(u_1 - c\cos\alpha + v\cos\beta)^2 + (c\sin\alpha - v\sin\beta)^2}{2g}$$

$$= \frac{u_1^2 + c^2 + v^2 - 2u_1(c\cos\alpha - v\cos\beta) - 2cv(\cos\alpha\cos\beta + \sin\alpha\sin\beta)}{2g}$$

$$= \frac{u_1^2 + c^2 + v^2}{2g} - \frac{u_1(c\cos\alpha - v\cos\beta)}{g} - \frac{cv\cos(\alpha - \beta)}{g}$$

entspricht, und die auf die Bildung eines Wirbels und auf das Zerreißen des Wassers verwendet wird, folglich für die Verrichtung von Arbeit verloren geht. Da das Wasser bei seinem Eintritte das Arbeitsvermögen $\frac{c^2}{2g} Q\gamma$ besitzt, so behält es folglich nach seinem Eintritte in das Gefäß noch die Arbeitsfähigkeit

$$L = \left(\frac{c^2 - k^2}{2g}\right) Q\gamma$$

$$= \left[\frac{u_1(c\cos\alpha - v\cos\beta)}{g} + \frac{cv\cos(\alpha - \beta)}{g} - \left(\frac{u_1^2 + v^2}{2g}\right)\right] Q\gamma.$$

Wenn das Wasser im Gefäße angesammelt wird, also gar kein Ausfluß statt hat, so ist u_1 = Null, und daher

$$L = \left(\frac{cv\cos(\alpha - \beta)}{g} - \frac{v^2}{2g}\right) Q\gamma,$$

und behält das Wasser bei seinem Entleeren die Geschwindigkeit v des Gefäßes, so nimmt es noch das Arbeitsvermögen $\frac{v^2}{2g} Q\gamma$ mit sich fort, und es bleibt folglich die Arbeit, welche vom Wasser auf das Gefäß übergegangen ist:

$$L = \left(\frac{cv\cos(\alpha - \beta)}{g} - \frac{v^2}{2g} - \frac{v^2}{2g}\right) Q\gamma,$$

$$= \frac{[c\cos(\alpha - \beta) - v]\, v}{g} Q\gamma = \frac{(c\cos\delta - v)\, v}{g} Q\gamma,$$

wenn δ den Winkel $\overline{cAv} = \alpha - \beta$ bezeichnet, um welchen die Richtungen der Geschwindigkeiten c und v von einander abweichen. Die entsprechende Kraft in der Bewegungsrichtung des Gefäßes ist

$$P = \frac{L}{v} = \left(\frac{c\cos\delta - v}{g}\right) Q\gamma,$$

und wenn $\delta = \alpha - \beta = 0$, also $\alpha = \beta$, und $\cos \delta = 1$ ist,

$$P = \left(\frac{c - v}{g}\right) Q\gamma .$$

Steht das Gefäß still, ist also $v = 0$, so hat man

$$P = \frac{c}{g} Q\gamma = \frac{c^2}{g} F\gamma = 2 Fh\gamma ,$$

wenn F den Querschnitt und h die Geschwindigkeitshöhe des Strahles bezeichnen. Es ist hiernach der Stoß des Wassers ins Wasser gleich der Reaction, und auch gleich dem winkelrechten Stoße des Wassers gegen eine ebene Fläche, und zwar so groß wie das Gewicht einer Wassersäule, welche F zur Grundfläche und $2h$ zur Höhe hat.

Bei dem Stoße des unbegrenzten Wassers findet eine Doppelwinkelwirkung auf den eingetauchten Körper statt; es wird durch denselben 1) der hydrostatische Druck auf die Vorderfläche dieses Körpers vergrößert, und 2) dagegen der hydrostatische Druck auf die Hinterfläche desselben vermindert, und es ist folglich die Gesammtwirkung die Summe von jener Vergrößerung und dieser Verminderung. Beide Wirkungen sind ebenfalls der Geschwindigkeitshöhe $\frac{v^2}{2g}$ des Wassers und dem Querschnitte F des Körpers, rechtwinkelig zur Stromrichtung, proportional, außerdem hängen sie aber auch noch von der Gestalt des Körpers, und zumal von der Form seiner gegen den Strom gerichteten Vorder- und nächstdem von der seiner Hinterfläche ab. Es läßt sich folglich auch die vollständige Stoßwirkung des unbegrenzten Wasserstromes:

$$P = \zeta \frac{v^2}{2g} F\gamma$$

setzen, wobei ζ eine von der Gestalt des Körpers abhängige Erfahrungszahl, der sogenannte Stoßcoefficient ist. Dieser Coefficient ist am größten bei einer ebenen Fläche BB, Fig. 133, und zwar $= 1,86$; und fällt um so kleiner aus, je länger der

Fig 133.

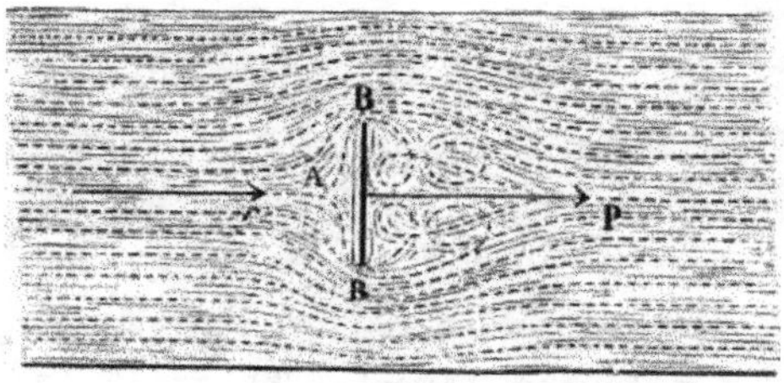

Fig. 134.

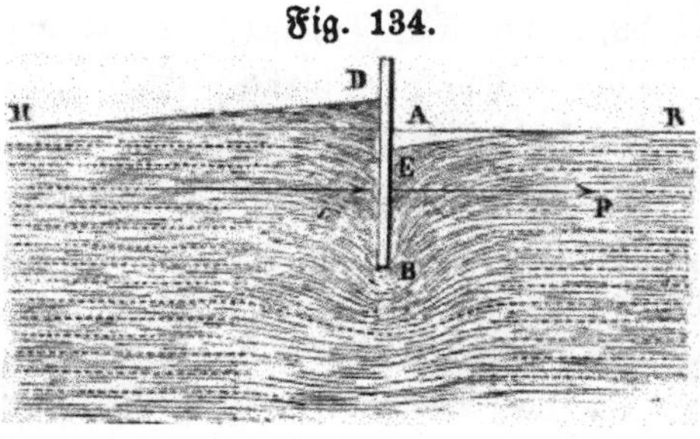

Körper ist. Taucht die ebene Fläche AB, Fig. 134, nur zum Theil in das Wasser, so macht sich die Vergrößerung des Druckes auf die Vorderfläche durch eine Aufstauung HD, und die Verminderung des Druckes an der Hinterfläche durch eine Senkung ER des bewegten Wassers bemerklich.

Weicht der Körper in der Richtung des Stromes mit einer Geschwindigkeit v aus, so ist die relative Geschwindigkeit des Wassers $c-v$, und daher der Stoß

$$P = \zeta \frac{(c-v)^2}{2g} F\gamma \text{ zu setzen:}$$

Ist v negativ, bewegt sich also die Fläche, oder der Körper überhaupt, dem Strome entgegen, so hat man

$$P = \zeta \frac{(c+v)^2}{2g} F\gamma.$$

Ist hierbei $v > c$, so geht der Stoß in den sogenannten Widerstand des unbegrenzten Wassers und der Stoßcoefficient ζ in den Widerstandscoefficienten dieses Wassers über. Steht die Fläche still, ist also $c = 0$, so hat man den entsprechenden Widerstand

$$P = \zeta \frac{v^2}{2g} Q\gamma.$$

Ausführlicheres hierüber s. die Ingen.= und Maschinen=Mechanik, Bd. I, §. 431 u. s. w.

§. 48. Die mechanische Arbeit des Wassers in einem Reactionsrade.

Fig. 135.

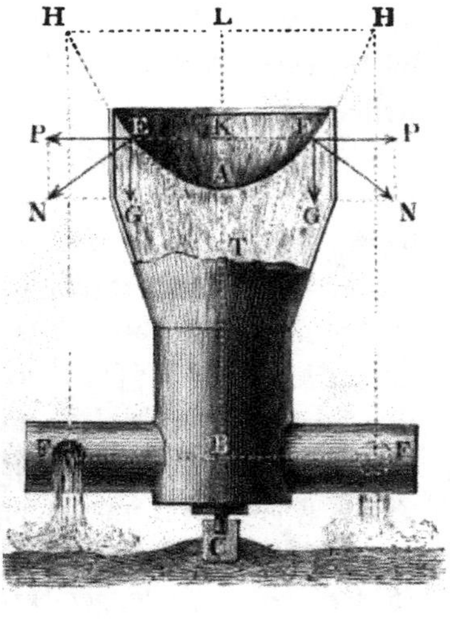

Versieht man ein Ausflußreservoir $AFBF$, Fig. 135, mit einer vertikalen Drehungsaxe AC, so wird dasselbe durch die Reaction des aus seinen Seitenöffnungen F, F ausfließenden Wassers um diese Axe in Umdrehung versetzt, und erhält dadurch die Fähigkeit zur Verrichtung einer mechanischen Arbeit. Ein solches Ausflußgefäß bildet dann eine wirkliche Umtriebsmaschine, und heißt ein Reactionsrad, in Deutschland auch gewöhnlich ein Segnersches Wasserrad und in England Barkers mill. Um die Winkelgeschwindigkeit dieser

Maschine herabzuziehen, bringt man die Ausflußmündungen in einer Röhre FF, der sogenannten Schwungröhre an, welche man mit dem Hauptgefäße AB so verbindet, daß das oben bei A zugeführte Wasser bei B ungehindert nach F und F strömen und hierbei die Axe dieser Röhre in einer Horizontalebene umdrehen kann. Um eine Wirkung der Reaction auf die Umdrehungsaxe zu vermeiden, wendet man mindestens zwei, zuweilen aber auch drei, vier oder noch mehr solcher Schwungröhren an, und vertheilt dieselben gleichmäßig auf den Umfang des Kreises; um ferner die Bewegungshindernisse in der Röhre möglichst herabzuziehen, macht man entweder diese Röhren in Beziehung auf den Mündungsdurchmesser, sehr weit, wobei das Wasser in derselben sehr langsam fließt, oder man giebt ihnen eine Krümmung, wobei das Wasser allmälig aus seiner Bewegungsrichtung im Hauptreservoir in die Axenrichtungen der Mündungen geführt wird; und um endlich den Widerstand, welchen die Luft dem umlaufenden Rade entgegen setzt, so viel wie möglich zu vermindern, wendet man wohl statt der Schwungröhren einen einzigen Schwungring an, oder umgiebt wenigstens die Schwungröhren mit einem solchen Ringe.

Damit das Rad während seiner Umdrehung Kraft ausüben, und also auch Arbeit verrichten könne, ist dasselbe mit einem Zahn- oder Riemenrade auszurüsten, dessen Axe mit der Umdrehungsaxe zusammenfällt.

Bei dem stillstehenden oder sehr langsam umlaufenden Rade bildet der Wasserspiegel in der Hauptröhre eine horizontale Ebene und es ist die Druckhöhe des ausfließenden Wassers die senkrechte Tiefe $AB = h$ der Mitte einer Ausmündung F unter dem Wasserspiegel, folglich die Reaction des Wassers in einer Schwungröhre (s. Ende §. 46), $2 F h \gamma$ und daher die Umdrehungskraft des ganzen Rades, wenn dasselbe n Ausmündungen, jede von dem Inhalte F hat,

$$R = 2 n F h \gamma.$$

Fließt das Wasser in uncontrahirten Strahlen aus den Mündungen (F), und ist der Widerstandscoefficient für die Bewegung des Wassers durch die Maschine, $= \zeta$, also der Geschwindigkeits- oder Ausflußcoefficient des ausströmenden Wassers

$$\varphi = \mu = \frac{1}{\sqrt{1 + \zeta}} \text{ (S. §. 19)},$$

so hat man die effective Ausflußgeschwindigkeit des Wassers:

$$v = \mu \sqrt{2 g h} = \sqrt{\frac{2 g h}{1 + \zeta}}, \text{ daher } \frac{v^2}{2g} = \mu^2 h = \frac{h}{1 + \zeta},$$

und die effective Reaction oder Umdrehungskraft

$$R = \mu^2 . 2nFh\gamma = \frac{2nFh\gamma}{1+\zeta}.$$

Ist die Maschine in Umdrehung begriffen, so nimmt die Ausflußgeschwindigkeit in Folge der Centrifugalkraft des Wassers in derselben einen größeren Werth an, und es ist aus diesem Grunde die Reaction oder Umdrehungskraft der Maschine eine andere. Es verliert dann der Wasserspiegel seine Ebenheit und erhält eine trichterförmige Vertiefung, welche die Gestalt eines Rotationsparaboloides hat. Die Centrifugalkraft P eines Wasserelementes E, ist aus dem Gewichte G der Umdrehungsgeschwindigkeit u und dem Umdrehungshalbmesser $KE = y$, desselben durch die bekannte Formel

$$P = \frac{u^2}{gy} G$$

bestimmt, und es ist daher für den Winkel $\alpha = PEN = ETL$, welchen diese Kraft mit der Mittelkraft N aus P und G, und folglich auch die Tangente ET mit der Axe LT oder, was auf eins hinauskommt, der sich gegen N rechtwinkelig stellende Wasserspiegel in E mit der Vertikalen einschließt,

$$tang\ \alpha = \frac{G}{P} = \frac{gy}{u^2}.$$

In Folge der Cohäsion oder Klebrigkeit des Wassers, nimmt dasselbe eine Drehung im Ganzen, oder wie ein fester Körper an, wobei also die Winkelgeschwindigkeit ω überall dieselbe und folglich die lineare Geschwindigkeit $v = \omega y$ dem Drehungshalbmesser y proportional ist; folglich hat man für den Tangentenwinkel der Erzeugungscurve EAE der Wasseroberfläche:

$$tang\ \alpha = \frac{gy}{\omega^2 y^2} = \frac{g}{\omega^2 y}.$$

Es ist also die Tangente des Tangentenwinkels der Ordinate y umgekehrt proportional, folglich die Curve eine gemeine Parbel, und wenn die Abcisse AK derselben mit x bezeichnet wird, auch

$$tang\ \alpha = \frac{y}{2x}.$$

Hiernach folgt

$$x = \frac{\omega^2 y^2}{2g} = \frac{u^2}{2g}.$$

Es ist also die Höhe $AK = x$ des Wasserspiegels an irgend einer Stelle E über der Mitte A desselben gleich der Geschwindigkeitshöhe $\frac{u^2}{2g}$, welche der Umdrehungsgeschwindigkeit u des Wassers an dieser Stelle zukommt. Mit Hilfe dieser einfachen Formel läßt sich nun auch der Druck des Wassers an jeder Stelle des umlaufenden Gefäßes ermitteln. Ist die Druckhöhe eines Punktes B in der Umdrehungsaxe AB, $= h$, so hat man hiernach für eine Stelle, welche mit Geschwindigkeit u umläuft, diese Höhe $z = h + \frac{u^2}{2g}$, und folglich auch die in der Nähe der Ausmündungen F, deren Umdrehungsgeschwindigkeit v sein möge, dieselbe $h_1 = h + \frac{v^2}{2g}$.

Diese Formel bleibt auch dann noch wahr, wenn die Mündungen F über den Wasserspiegel EE hinausreichen, da der hydraulische Druck von der Form und Größe des Gefäßes nicht abhängt.

Uebrigens läßt sich die Richtigkeit dieser Formel leicht auch auf folgende Weise darlegen. Ein Wassertheilchen in Form eines Würfels, dessen Seitenlänge = Eins sein möge, wird durch die darüber stehende Wassersäule von der Höhe z mit der Kraft $1 . z\gamma = z\gamma$, und dagegen von der Centrifugalkraft des radialen Wasserfadens von der Länge r, da dessen Masse $= \frac{r\gamma}{g}$ und mittlerer Umdrehungshalbmesser $\frac{r}{2}$ ist, mit der Kraft

$$\frac{\omega^2 r\gamma}{g} . \frac{r}{2} = \frac{\omega^2 r^2 \gamma}{2g} = \frac{u^2\gamma}{2g}$$

gedrückt. Nun hat aber dieser Wasserfaden schon bei seinem Anfange in der Umdrehungsaxe den Druck $h\gamma$, daher ist zur Erhaltung des Gleichgewichtes nöthig

$$z\gamma = h\gamma + \frac{u^2}{2g}\gamma, \text{ d. i. } z = h + \frac{u^2}{2g}.$$

Es ist folglich auch die Geschwindigkeit des durch F ausfließenden Wassers:

$$c = \mu \sqrt{2gh + v^2},$$

und endlich die absolute Geschwindigkeit desselben, da das ausfließende Wasser mit der Röhre zugleich in umgekehrter Richtung mit der Geschwindigkeit v fortgeht,

$$w = c - v = \mu \sqrt{2gh + v^2} - v.$$

Hieraus erhält man nach §. 46, III, die mechanische Arbeit des Wasserrades, wenn man überdies noch den Arbeitsverlust $\zeta \frac{c^2}{2g} Q\gamma$ des Wassers bei seiner Bewegung durch die Maschine in Abzug bringt,

$$L = \left(h - \zeta \frac{c^2}{2g} - \frac{w^2}{2g}\right) Q\gamma = \left[h - \left(\left(\frac{1}{\mu^2} - 1\right)c^2 - w^2\right)\frac{1}{2g}\right] Q\gamma$$

$$= \left[h - \left((1-\mu^2)(2gh + v^2) - (\mu\sqrt{2gh + v^2} - v)^2\right)\frac{1}{2g}\right] Q\gamma$$

$$= \left(h - \frac{2gh + v^2 + v^2 - 2\mu v\sqrt{2gh + v^2}}{2g}\right) Q\gamma$$

$$= \frac{(\mu\sqrt{2gh + v^2} - v)\, v}{g} Q\gamma.$$

Die entsprechende Umdrehungskraft ist

$$R = \frac{L}{v} = \frac{\mu\sqrt{2gh + v^2} - v}{g} Q\gamma,$$

daher für $v = 0$, also bei stillstehendem Rade,

$$R = \frac{\mu\sqrt{2gh}}{g} Q\gamma = \frac{\mu\sqrt{2gh}}{g} . \mu n F\sqrt{2gh} = \mu^2 . 2nFh\gamma,$$

wie wir schon oben gefunden haben.

Die Leistung L ist bei gegebenem Gefälle h und gegebenem Wasserquantum Q ein Maximum, wenn

$(\mu\sqrt{2gh + v^2} - v)\, v$ ein solches ist.

Durch Differenziiren dieses Ausdruckes und durch Nullsetzen des erhaltenen Differenzialquotienten erhält man die Bedingungsgleichung

$$\mu\sqrt{2gh + v^2} + \frac{\mu v^2}{\sqrt{2gh + v^2}} = 2v; \text{ woraus}$$

$$\mu(gh + v^2) = v\sqrt{2gh + v^2}, \text{ oder}$$

$$\mu^2(g^2h^2 + 2ghv^2 + v^4) = v^2(2gh + v^2), \text{ oder}$$

$$v^4(1-\mu^2) + (1-\mu^2)\, 2ghv^2 = \mu^2 g^2 h^2, \text{ d. i.}$$

$$v^4 + 2ghv^2 = \frac{\mu^2 g^2 h^2}{1-\mu^2} \text{ folgt und sich}$$

$$v = \sqrt{gh}\left(\sqrt{\frac{1}{\sqrt{1-\mu^2}} - 1}\right) \text{ ergiebt.}$$

Die entsprechende Ausflußgeschwindigkeit ist

$$c = \sqrt{2gh + v^2} = \sqrt{gh}\sqrt{\frac{1}{\sqrt{1-\mu^2}} + 1},$$

und die Maximalleistung

$$L = \frac{(\mu c - v)\, v}{g}\, Q\gamma$$

$$= \left(\mu \sqrt{\frac{1}{\sqrt{1-\mu^2}} + 1} - \sqrt{\frac{1}{\sqrt{1-\mu^2}} - 1}\right) \sqrt{\frac{1}{\sqrt{1-\mu^2}} - 1} \, . \, Qh\gamma$$

$$= (1 - \sqrt{1-\mu^2})\, Q\gamma \, .$$

Die Aufschlagmenge $Q = \mu n F c = \mu n F \sqrt{2gh + v^2}$ eines Reactionsrades hängt nicht allein von dem Querschnitte nF der Mündungen und der Druckhöhe h, sondern auch von der Umdrehungsgeschwindigkeit v des Rades ab. Sie fällt um so größer aus, je größer die Radgeschwindigkeit ist, und beträgt z. B. bei der Maximalleistung:

$$Q = \mu n F \sqrt{2gh} \sqrt{\frac{1}{\sqrt{1-\mu^2}} - 1} \, .$$

§. 49. Versuche über die Kraft und Leistung eines Reactionsrades.

Zur Ausführung von Versuchen über die Größe und Arbeit des ausfließenden Wassers dient ein kleines Reactionsrad aus Messing, welches durch Fig. 136 in ein Fünftel der natürlichen Größe und zwar so vor Augen geführt wird, daß rechts der Durchschnitt und links das Aeußere des Rades zu sehen ist. Das Aufschlagwasser wird dem Rade durch ein Gerinne *AA* zugeführt, welches an die aus §. 2 bekannte und in Fig. 6 abgebildete Vorlage *RS* zum Hauptausflußapparat angesetzt wird, und das Reguliren der Ausschlagmenge wird durch den bekannten Hahn *Q* im Communicationsrohre zwischen der Vorlage und dem Hauptreservoir regulirt. Der Theil *BB* des Rades, in welchen das Aufschlagwasser zunächst tritt, bildet einen Cylinder von 10 Centimeter Weite und 8 Centimeter Höhe; die Fortsetzung der Maschine nach unten besteht ferner in einer Röhre *CE* von 22½ Centimeter Länge und 3 Centimeter Weite und die Theile des Rades, welche das Wasser von der Hauptröhre *CE* nach den Mündungen *F*, *F* leiten, die sogenannten Schwungröhren *EF*, *EF* sind zwei gerade Röhren von 14 Centimeter Länge und zwei Centimeter Weite. Die beiden Mundstücke *F*, *F* sind kurze cylindrische Ansatzröhren mit abgerundeten Einmündungen. Sie haben eine Länge von 1 Centimeter und eine Weite von ⅔ Centimeter, und sind, wie besonders aus einem horizontalen Durchschnitte und einem Grundrisse in Fig. 136 zu ersehen ist, nach derselben Umdrehungsseite gerichtet. Der Abstand der Mündungsmitte, oder vielmehr der Abstand der Axe des ausfließenden Strahles, von der Umdrehungsaxe, ist genau $12\frac{1}{2}$ Centimeter, und der vertikale Abstand desselben von der Kopffläche des Einfallcylinders *BB*, 29 Centimeter.

Fig. 136.

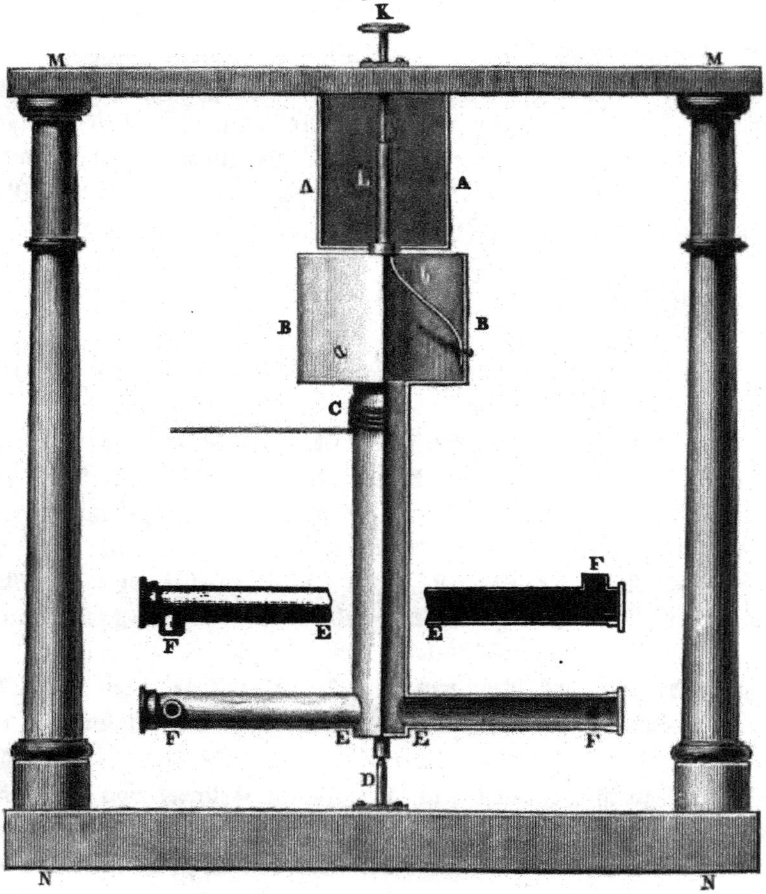

Dies ist natürlich auch die äußerste Grenze der Druckhöhe. Die ganze Maschine wird in ein Gestelle *MMNN* und zwar so eingesetzt, daß es unten bei *EE* auf einen Spitzzapfen *D* zu stehen kommt, und oben mittelst der Spitze einer Schraube *K*, welche in eine entsprechende Vertiefung in der Endfläche des durch drei Arme wie *b*, mit dem Umfange des Cylinders *BB* fest verbundenen Schaftes *L* eindringt, in aufrechter Lage erhalten.

Das Messen der Reaction oder Umdrehungskraft des Rades wird durch Gewichte bewirkt, welche mittelst einer über kleine messingene Leitrollen weggeführte seidene Schnur empor gehoben werden, indem sich dieselbe bei *C* auf den äußeren Umfang der Röhre *CE* aufwickelt.

Die ganze Zusammenstellung der arbeitenden Maschine ist aus einer monodimetrischen Ansicht derselben in Fig. 137 zu ersehen. Man bemerkt hier in *RS* die Vorlage, ferner in *Q* den Hahn, wodurch der Zufluß des Wassers aus dem Hauptreservoir regulirt wird, in *VZ* den Wasserstandszeiger, dessen Spitze *Z* vom Wasserspiegel berührt wird, und in

Fig. 137.

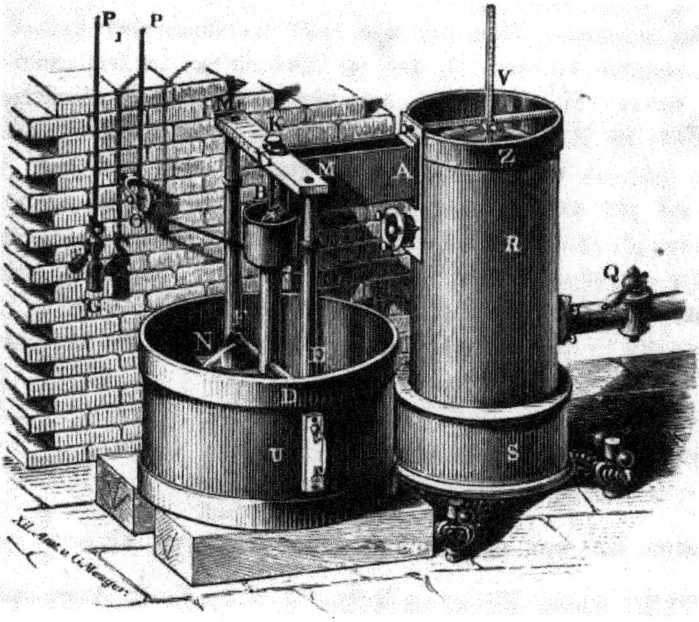

A das Gerinne, durch welches das Wasser aus der Vorlage dem Rade *BD* zugeführt wird. Das Radgestelle *MMN* steht in dem Gefäße *U*, welches zum Auffangen des durch die Mundstücke *F* ausfließenden Wassers dient. Die Figur zeigt auch noch bei *K* die Schraube, womit der Schaft *L* und folglich auch das ganze Rad während seiner Umdrehung in aufrechter Stellung erhalten wird. Die seidene Schnur, welche sich unterhalb *B* um die zugleich als Welle dienende Hauptröhre wickelt, läuft über zwei Leitrollen *O* und *P*, wovon jedoch in der Figur nur die erstere sichtbar ist. Während mittelst der Leitrolle *O* die horizontale Bewegungsrichtung in eine vertikale von oben nach unten verwandelt wird, dient die Leitrolle *P* dazu, die letztere in eine Vertikalbewegung von unten nach oben umzusetzen, damit das an dem Schnurende hängende

Gewicht G mittelst dieser Schnur von dem umlaufenden Rade emporgehoben werden könne.

Die mit diesem Rade angestellten Versuche begannen mit der Bestimmung des Ausflußcoefficienten μ oder des Widerstandscoefficienten $\zeta = \frac{1}{\mu^2} - 1$ für die Bewegung des Wassers durch die Maschine. Zu diesem Zwecke wurde zuerst eine Schnur um die Röhre herum gelegt, ein Ende derselben an der einen Säule MN des Radgestelles befestigt, und das andere Ende derselben über die Leitrolle O gelegt, und durch Gewichte gespannt. Nun gab man durch Eröffnung des Hahnes Aufschlag, regulirte denselben so, daß der Wasserspiegel in dem umlaufenden Rade beinahe die Kopffläche des Einfallcylinders B berührte und beobachtete die Zeit t und zählte die Umdrehungen u, welche das Rad machte, während der Wasserspiegel im Hauptreservoir von einer Zeigerspitze bis zur andern herabsank. Um diese Versuche bei verschiedenen Umdrehungsgeschwindigkeiten anstellen zu können, durften nur verschiedene Gewichte angehängt werden. Ist a der Kraftarm des Rades, oder der Abstand der Mündungsmitten von der Umdrehungsaxe desselben, so hat man zunächst die Umdrehungsgeschwindigkeit des ausfließenden Wasserstrahles

I. $$v = \frac{\pi u a}{30\, t},$$

woraus sich die Ausflußgeschwindigkeit desselben:

$$c = \sqrt{2gh + v^2} \text{ bestimmt.}$$

Nun hat man aber in dem Sinne des §. 2, $Q = \frac{V}{t} = \frac{Gs}{t}$, während der obigen Theorie zu Folge, $Q = 2\,\mu F c$ ist, daher folgt der gesuchte Ausflußcoefficient

$$\mu = \frac{Q}{2\,Fc} = \frac{Gs}{2\,Fct} = \frac{Gs}{2\,Ft\sqrt{2gh + v^2}},$$

wobei F den Inhalt einer Ausflußmündung und $V = Gs$ das in der Zeit t ausgeflossne Ausflußquantum bezeichnet.

Bei unseren Versuchen war G oder der Inhalt des Querschnittes von dem Aichreservoir AB zum Hauptapparate Fig. 1, $= 0{,}12504$ Quadratmeter, und s der Abstand der Zeigerspitzen L_1 und L_2 von einander, $= 0{,}0991$ Meter, folglich $V = Gs = 0{,}12504 \,.\, 0{,}0991 = 0{,}01239$ Cubikmeter. Der Durchmesser einer Ausmündung maß $d = 6{,}6$ Millimeter, folglich ist der Inhalt derselben, $F = \frac{\pi d^2}{4} = \frac{\pi \,.\, (0{,}0066)^2}{4}$ $= 0{,}00003421$ Quadratmeter und

$$\frac{G s}{2F} = \frac{0{,}01239}{2 \,.\, 0{,}00003421} = 2{,}1811, \text{ so daß}$$

II. $$\mu = \frac{2{,}1811}{t\sqrt{2gh + v^2}} \text{ folgt.}$$

Die Ergebnisse von sechs Versuchen und die Resultate ihrer mittelst der Formeln I und II, bewirkten Berechnungen enthält folgende Tabelle. Die Druckhöhe in der Axe der Maschine war $h = 0{,}288$ Meter.

Beobachtungszeit t Secunden	Umdrehungszahl u des Rades	Umfangsgeschwindigkeit v Meter	Ausflußgeschwindigkeit c Meter	Ausflußcoefficient μ
78⅓	0	0	2,377	0,973
73,4	83	0,888	2,538	0,972
66,8	119⅔	1,407	2,762	0,981
59,5	150	1,980	3,093	0,984
62,2	166⅔	2,105	3,175	0,917
65,75	184	2,198	3,237	0,851 .

Wenn man die letzten zwei Versuche unberücksichtigt läßt, wobei das Wasser nicht mehr mit der nöthigen Langsamkeit zugeführt werden konnte, so erhält man als mittlern Werth des Ausflußcoefficienten des Rades, $\mu = 0{,}977$, und den entsprechenden Widerstandscoefficienten

$$\zeta = \frac{1}{\mu^2} - 1 = 0{,}0476\,.$$

Hiernach ist nun das Ausflußquantum des Rades pr. Sec.

$$Q = 2\mu F c = 2\mu F\sqrt{2gh + v^2}$$
$$= 0{,}00006685\; c = 0{,}00006685\sqrt{2gh + v^2} \text{ Cubikmeter.}$$

Die Widerstände des Rades ließen sich, wie folgt, bestimmen.

Die seidene Schnur wurde wieder auf die in Fig. 137 abgebildete Weise um die Welle des Rades gelegt, und an das Ende dieser Schnur, welches zu diesem Zwecke mit einem Haken versehen war, wurden Gewichte angehangen. Ist P die Reactions- oder Umtriebskraft des Rades, reducirt auf den Umfang der Welle, G das langsam von demselben aufgehobene Gewicht, W der constante Widerstand und δ der Coefficient von dem mit der Last G proportional wachsenden Widerstand δG, so haben wir

$$P = W + (1 + \delta)\, G\,.$$

Ist dagegen G_1 das Gewicht, wodurch das Rad in umgekehrter Richtung, also der Reaction entgegen, langsam umgedreht wird, so haben wir

$$G_1 = W + (1 + \delta) P,$$

und es folgt daher durch Elimination von P:

$$G_1 = W + (1 + \delta) W + (1 + \delta)^2 G.$$

Wenn man dagegen das unten zugestöpselte und mit Wasser angefüllte Rad durch ein Gewicht G_2 langsam umdrehen läßt, so hat man da dann $P =$ Null ist

$$G_2 = W,$$

und wenn man nun diesen Werth für W in vorige Gleichung einsetzt, so kann man mit Hilfe derselben auch δ bestimmen. Es ist

$$(1 + \delta)^2 + \frac{W}{2G}(1 + \delta) = \frac{G_1 - W}{G}, \text{ und daher}$$

$$1 + \delta = -\frac{W}{2G} + \sqrt{\frac{G_1 - W}{G} + \left(\frac{W}{2G}\right)^2}.$$

Die angestellten Versuche gaben Folgendes: Die Reaction hob ein Gewicht von 220 Gramm langsam auf, und ein Gewicht von 320 Gramm drehte dagegen das Rad in umgekehrter Richtung langsam um. Das verstöpselte Rad wurde sowohl nach der einen als auch nach der anderen Seite hin durch ein Gewicht von 12 Gramm umgedreht. Das Gewicht des Hakens sammt Schnur betrug 15 Gramm. Hiernach ist

$$W = G_2 = 12 + 15 = 27 \text{ Gramm; ferner}$$

$$G = 220 + 15 = 235 \text{ Gramm,}$$

$$G_1 = 320 + 15 = 335 \text{ Gramm, und}$$

$$1 + \delta = -\frac{27}{470} + \sqrt{\frac{335 - 27}{235} + \left(\frac{27}{470}\right)^2}$$

$$= 1{,}089, \text{ also } \delta = 0{,}089;$$

folglich die Formel zur Berechnung der Kraft des Wasserrades aus dem gehobenen Gewichte G:

$$P = 27 + 1{,}089\, G \text{ Gramm.}$$

Der erste Versuch gab für ein beinahe stillstehendes Rad

$$G = 220 + 15 + 235 \text{ Gramm,}$$

folglich ist die entsprechende Kraft, auf den Umfang der Welle reducirt:

$$P = 27 + 1{,}089 . 235 = 283 \text{ Gramm.}$$

Der Halbmesser der Welle oder Hauptröhre ist, mit Einschluß der halben Schnurdicke,

$$b = \frac{0{,}0325}{2} = 0{,}01625 \text{ Meter,}$$

dagegen der Hebelarm der Reaction des ausfließenden Wassers:

$a = 0{,}125$ Meter;

folglich ist die Reaction bei stillstehendem Rade:

$$R = \frac{b}{a} P = \frac{0{,}01625\,.\,283}{0{,}125} = 0{,}13\,.\,283 = 36{,}8 \text{ Gramm.}$$

Die in §. 48 entwickelte Theorie giebt

$R = \mu^2 . 2nFh\gamma$, da

$\mu^2 = (0{,}977)^2 = 0{,}9545$,

$2nF = 4\,.\,0{,}000034212 = 0{,}000136848$ Quadratmeter,

$h = 0{,}288$ Meter, und

γ das Gewicht eines Cubikmeters Wassers $= 1000000$ Gramm beträgt:

$$R = 0{,}9545\,.\,0{,}000136848\,.\,0{,}288\,.\,1000000$$
$$= 0{,}9545\,.\,0{,}288\,.\,136{,}848 = 37{,}6 \text{ Gramm.}$$

Es ist folglich die Uebereinstimmung zwischen der Theorie und der Erfahrung eine recht gute.

Die Ergebnisse einer ganzen Versuchsreihe sind in folgender Tabelle enthalten und die Bedeutungen der in den verschiedenen Vertikalcolumnen derselben enthaltenen Werthe geben die Ueberschriften vollständig an.

Man ersieht aus dieser Tabelle, daß während die Radgeschwindigkeit v allmälig von 0,197 Meter bis 2,033, also circa um das zehnfache wächst, die Ausflußgeschwindigkeit c allmälig von 2,330 bis 2,972 Meter zunimmt, daß ferner hierbei die Kraft am Umfange der Welle von 261 Gramm auf 71 Gramm sinkt, und dagegen die mechanische Arbeit oder Leistung anfangs von 6,80 bis 29,70 Meter-Gramm wächst und nachher von 29,70 bis 18,75 Meter-Gramm wieder herabgeht.

Bei dem Wirkungsgrade $\eta = \frac{Pv}{Qh\gamma}$ oder dem Verhältnisse der effectiven Leistung Pv_1 zum Arbeitsvermögen $Qh\gamma$, findet ein ähnliches Wachsen und Abnehmen statt, derselbe ist für $v = 1{,}382$ Meter ein Maximum, und zwar $= 0{,}561$. Die theoretische Formel

$$\eta = \frac{(c - v)\, v}{gh}$$

giebt, wie die vorletzte Columne ausweist, mit Ausnahme der ersten Nummer größere Werthe als die Versuche. Diese Abweichung liegt in dem Widerstande, welchen die Luft dem umlaufenden Rade entgegensetzt; sie wächst aus theoretischen Gründen, wie der Cubus der Umdrehungsgeschwindigkeit, was auch recht leidlich durch die letzte Columne bestätigt wird.

Tabelle.

Die Leistungen eines Reactionsrades bei verschiedenen Umdrehungsgeschwindigkeiten.

Der Ausflußcoefficient μ ist, mit Ausnahme des letzten Versuches (XI), durchgängig zu 0,977, der von Nr. XI, dagegen nur 0,950 angenommen werden. Dimensionen des Rades u. s. w. sind

	Gehobenes Gewicht G in Grammen	Last $P=27+1{,}089G$ in Grammen	Zeit t für 22 Umdrehungen in Secunden	Anzahl der Umdrehungen pr. Sec. $u=\frac{22}{t}$	Geschwindigkeit der Last $v_1=0{,}102u$ in Metern	Effective Leistung pr. Sec. $L=Pv_1$ in Met.Gramm	
I	215	261	87,5	0,252	0,026	6,80	0,197
II	190	234	38,1	0,578	0,059	13,80	0,453
II	165	207	20,5	1,073	0,110	22,75	0,843
IV	152	193	16,5	1,333	0,136	26,25	1,047
V	140	179	15	1,467	0,150	26,85	1,152
VI	127	165	12,5	1,760	0,180	29,70	1,382
II	115	152	11,6	1,894	0,193	29,35	1,486
I	102	138	10,5	2,095	0,214	29,55	1,646
	90	125	9,9	2,222	0,227	28,35	1,745
X	65	98	9,4	2,340	0,240	23,50	1,843
I	40	71	8,5	2,587	0,264	18,75	2,033

§. 50. Versuche über den hydraulischen Stoß mit Hilfe des Reactionsrades.

Wenn man mit den Schwungröhren eines Reactionsrades feste Flächen so verbindet, daß sie von den ausfließenden Strahlen getroffen werden, so setzt man der Reaction des Wassers einen hydraulischen Stoß entgegen und man ist nun dadurch in den Stand gesetzt, den Stoß des Wassers mit der Reaction desselben zu vergleichen. Eine solche Verbindung wird durch Fig. 138 im Grundrisse vor Augen geführt. Es sind hier CA, CA die beiden Schwungröhren, und es sind B, B die den Ausströ-

Fig. 138.

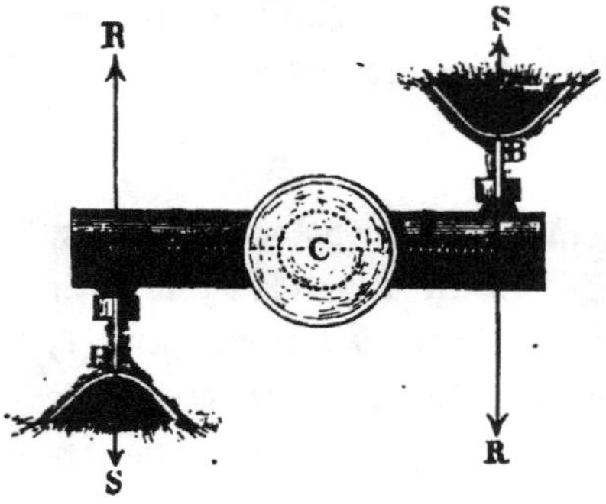

Querschnitt beider Mündungen $2F = 0,68424$ Quadratcentimeter,
Kraftarmlänge $a = 12,5$ Centimeter,
Lastarmlänge $b = 1,625$ " ,
Druckhöhe $h = 28,8$ " .

...n-...höhe	Wassergeschwindigkeit	Wasserquantum	Arbeitsvermögen der Wasserkraft	Wirkungsgrad		Differenz der Wirkungsgrade
				erfahrungsmäßig	theoretisch	
$\frac{v^2}{2g}$ ...ern	$c=4,429\mu\sqrt{h+h_1}$ in Metern	$Q=68,4c$ in Grammen	$L_1=Qh\gamma$ in Met. Gramm	$\eta = \frac{Pv_1}{Qh}$	$\eta_1=(c-v)\frac{v}{gh}$	$\eta_1-\eta$
02	2,330	159,5	45,90	0,148	0,079	—0,069
.0	2,364	161,7	46,60	0,296	0,306	+ 0,010
36	2,464	168,6	48,55	0,469	0,484	+ 0,015
56	2,537	173,6	50,00	0,525	0,553	+ 0,028
57	2,580	176,6	50,85	0,528	0,583	+ 0,055
97	2,687	183,8	52,95	0,561	0,638	+ 0,077
12	2,738	187,4	54,00	0,544	0,659	+ 0,115
38	2,824	193,3	55,65	0,531	0,687	+ 0,156
56	2,881	197,1	56,80	0,500	0,702	+ 0,202
73	2,939	201,1	57,90	0,406	0,715	+ 0,309
11	2,972	203,3	58,55	0,320	0,675	+ 0;355.

mungsmündungen A, A gegenüber gestellten converen Rotationsflächen, welche mit der Schwungröhre fest verbunden werden. Das aufschlagende Wasser übt auf diese Flächen einen Stoß S aus, welcher der Reaction R des Wassers in der Schwungröhre entgegenwirkt, so daß nun nur noch die Differenz $P = R - S$ als Umdrehungskraft übrig bleibt. Mißt man diese Differenz, so kann man umgekehrt, da R bekannt ist, den Stoß berechnen. Es ist nämlich

$$S = R - P.$$

Wir wissen aus dem Obigen (§. 47), daß der winkelrechte Wasserstoß gegen eine erhabene Fläche, wie z. B. in Fig. 138, kleiner, daß dagegen der Wasserstoß gegen eine hohle Fläche größer ist als unter übrigens gleichen Verhältnissen die Reaction des ausfließenden Wassers, und daß endlich der winkelrechte Stoß gegen eine ebene Fläche, so wie auch der des Wassers ins Wasser der Reaction gleichkommt; deshalb muß also auch in dem Falle, wenn erhabene Flächen an die Schwungröhren angesetzt sind, die Reaction das Uebergewicht behalten, und das Rad noch in der Richtung der Reaction umlaufen, dagegen dann, wenn hohle Flächen dem Stoß des ausfließenden Wassers ausgesetzt werden, der Stoß das Uebergewicht haben, und sich das Rad in der Richtung des Stoßes umdrehen, und endlich muß dann, wenn man das Wasser gegen ebene Platten rechtwinkelig stoßen läßt, welche mit den Schwungröhren fest verbunden sind, oder wenn man dasselbe in das Wasser fließen läßt, welches in Gefäßen enthalten ist, die ebenfalls mit den Schwungröhren in fester Verbindung stehen, der hydraulische Stoß der Reaction das Gleichgewicht halten, und daher das Rad weder nach der einen, noch nach der anderen Seite hin in Umdrehung gelangen. Durch die im Folgenden aufgeführten Versuche wird dies nicht allein bestätigt, sondern auch die Größe der jedesmaligen Stoßkraft bestimmt, und der Theorie entsprechend gefunden. Allerdings ist es aber auch noch nöthig, daß wir uns nicht mit der einfachen Theorie des Wasserstoßes in §. 47 begnügen, sondern daß wir auch noch auf den Arbeitsverlust in Folge der Reibung des Wassers an den Stoßflächen in Betracht ziehen, wie dies im Folgenden gezeigt werden soll.

Denken wir uns wieder eine Rotationsfläche BAB, Fig. 139,

Fig. 139.

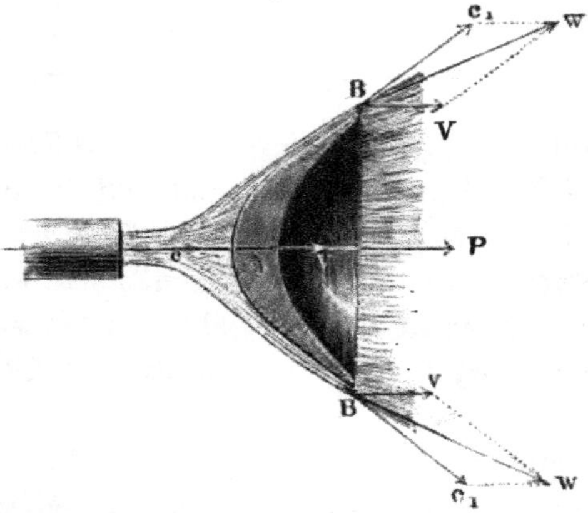

welche in ihrer Axenrichtung mit der Geschwindigkeit v ausweicht, während sie von einem Wasserstrahle mit der Geschwindigkeit c gestoßen wird. Während wir oben die relative Geschwindigkeit des an der Fläche hinfließenden Wassers: $c_1 = c - v$ gesetzt haben, müssen wir jetzt, wenn wir den Reibungswiderstand mit in Betracht ziehen wollen,

$$(1 + \varkappa)\, c_1^2 = (c - v)^2$$

setzen, wobei $\varkappa$ den Reibungscoefficienten bezeichnet. Auch können wir nun nicht mehr blos die vom Wasser auf die Fläche übertragene Arbeit

$$L = \frac{(c^2 - w^2)}{2g} Q\gamma$$

setzen, sondern wir müssen noch die durch die Reibung verloren gehende Arbeit $\varkappa \frac{c_1^2}{2g} Q\gamma$ in Abzug bringen, so daß nun

$$L = \frac{c^2 - \varkappa c_1^2 - w^2}{2g} Q\gamma,$$

oder, da für die absolute Geschwindigkeit w des Wassers, bei der Ablenkung δ:

$$w^2 = c_1^2 + 2 c_1 v \cos\delta + v^2 \text{ ist},$$

$$L = \left[\frac{c^2 - (1+\varkappa) c_1^2 - 2 c_1 v \cos\delta - v^2}{2g}\right] Q\gamma$$

$$= \left[\frac{c^2 - (c-v)^2 - 2 c_1 v \cos\delta - v^2}{2g}\right] Q\gamma$$

$$= \left[2cv - 2v^2 - \frac{2(c-v)}{\sqrt{1+\varkappa}} v \cos\delta\right] \frac{Q\gamma}{2g}$$

$$= \left(1 - \frac{\cos\delta}{\sqrt{1+\varkappa}}\right) \frac{(c-v) v}{g} Q\gamma,$$

und folglich die entsprechende Kraft:

$$P = \left(1 - \frac{\cos\delta}{\sqrt{1+\varkappa}}\right) \frac{c-v}{g} Q\gamma.$$

Hiernach wird also durch die Reibung des Wassers auf der Stoßfläche der Stoß bei einer convexen Fläche etwas vergrößert, und bei einer concaven Fläche etwas vermindert, und dagegen bei einer ebenen Fläche derselbe gar nicht verändert.

Was den Widerstandscoefficienten $\varkappa$ anlangt, so ist der bekannten Theorie in §. 43 zu Folge,

$$\varkappa = \zeta . \frac{O}{F}$$

zu setzen, wenn ζ den eigentlichen Reibungscoefficienten (S. Seite 216) ferner die O die Oberfläche der Stoßplatte, auf welcher das Wasser während des Stoßes hinläuft und F den ringförmigen Querschnitt des Wassers, in dem Augenblicke, wenn es die Stoßplatte verläßt, bezeichnen. Ist r der Oeffnungshalbmesser und h die Tiefe der Stoßplatte, so kann man annähernd

$$O = \pi (r^2 + h^2)$$

setzen, und ist d der Durchmesser des Wasserstrahles vor dem Stoße, so hat man annähernd auch $F = \frac{\pi d^2}{4}$ und daher

$$\varkappa = \zeta \frac{4(r^2 + h^2)}{d^2}.$$

§. 51. Stoßversuche bei stillstehendem Rade.

Bei stillstehendem Rade sind folgende Versuche angestellt worden.

I. Wasserstoß gegen ein Paar convexe hyperboloidische Umdrehungsflächen *ACA*, Fig. 140.

Diese Stoßflächen waren aus Messingblech, und jede derselben hatte zwei Bügel, womit sie an einem Ring *BF* befestigt wurden, der sich über das Mundstück einer Schwungröhre schieben ließ. Der Oeffnungshalbmesser *EA* dieser Fläche betrug 25 Millimeter, die Tiefe *CE* derselben 15 Millimeter, der kürzeste Abstand *BC* der Fläche von der Mündung der Schwungröhre, 20 Millimeter, und der Tangentenwinkel, oder die Ablenkung *ADE*, welchen der aufschlagende Wasserstrahl durch die Fläche erleidet, nahe 50 Grad. Nachdem man diese convexen Stoßplatten auf die angegebene Weise mit dem in Fig. 136 abgebildeten Reactionsrade verbunden und den nöthigen Aufschlag gegeben hatte, nahm zwar dieselbe, wie zu erwarten stand, eine Umdrehung in der Richtung der Reaction an, jedoch war die Umdrehungsgeschwindigkeit eine weit kleinere, als wenn die Stoßbleche nicht angesetzt sind. Hing man aber auf die bekannte Weise ein Gewicht von 95 Gramm an, so ging das Rad fast ganz zur Ruhe über, und verstärkte man endlich dieses Gewicht bis auf 160 Gramm, so nahm das Rad eine ganz langsame Bewegung in umgekehrter Richtung an.

Fig. 140.

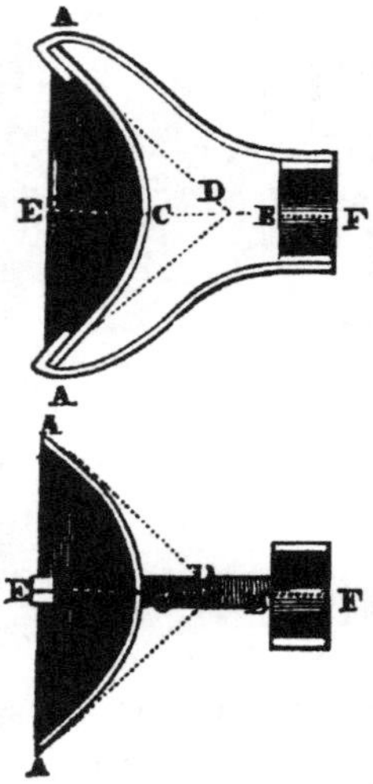

Ist *P* die Reaction und *S* der Stoß des Wassers, beide auf den Umfang der Welle reducirt, ist ferner *W* der constante Widerstand, *G* das angehängte Gewicht sammt Haken und δG der demselben proportionale Widerstand, so haben wir für den ersten Versuch

$$R = S + W + (1 + \delta)\,G, \text{ oder } S = R - [W + (1 + \delta)\,G],$$

daher

$$\frac{S}{R} = 1 - \frac{W + (1 + \delta)\,G}{R}$$

$$= 1 - \frac{27 + 1{,}089\,(95 + 15)}{283} = 1 - \frac{146{,}8}{283}$$

$$= 1 - 0{,}519 = 0{,}481\,.$$

Für den zweiten Fall ist hingegen das angehängte Gewicht

$G_1 = (1 + \delta)(R + W - S)$, oder $S = R + W - \frac{G_1}{1 + \delta}$, daher

$$\frac{S}{R} = 1 - \frac{G_1 - (1 + \delta) W}{(1 + \delta) R} = 1 - \frac{160 + 15 - 1{,}089 . 27}{1{,}089 . 283}$$

$$= 1 - \frac{175 - 29{,}4}{306{,}2} = 1 - \frac{145{,}6}{306{,}2} = 1 - 0{,}476 = 0{,}524 .$$

Hiernach folgt im Mittel das Verhältniß des Stoßes zur Reaction:

$$\frac{S}{R} = \frac{0{,}481 + 0{,}524}{2} = 0{,}5025 .$$

Der Theorie zu Folge hat man hingegen

$\frac{b}{a} S = \left(1 - \frac{\cos \delta}{\sqrt{1 + \varkappa}}\right) \frac{c - v}{g} Q\gamma$ und $\frac{b}{a} R = \frac{c - v}{g} Q\gamma$, folglich

$$\frac{S}{R} = 1 - \frac{\cos \delta}{\sqrt{1 + \varkappa}} .$$

Nun ist aber $\delta = 50^0$, also $\cos \delta = \cos 50^0 = 0{,}6428$, ferner $r = 25$, $h = 15$, $d = 6{,}6$ Millimeter, und, nach Seite 202, für $c = 2{,}33$, $\zeta = 0{,}00761$, daher folgt

$$\varkappa = 0{,}00761 . \frac{4 (25^2 + 15^2)}{(6{,}6)^2} = 0{,}00761 . \frac{4 . 850}{43{,}56}$$

$$= \frac{25{,}87}{43{,}56} = 0{,}594 \text{ und}$$

$$\frac{S}{R} = 1 - \frac{0{,}6428}{\sqrt{1{,}594}} = 1 - 0{,}509 = 0{,}491 ,$$

also mit dem durch Versuche gefundenen Verhältnisse im besten Einklange.

Fig. 141.

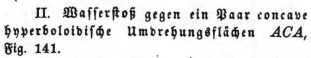

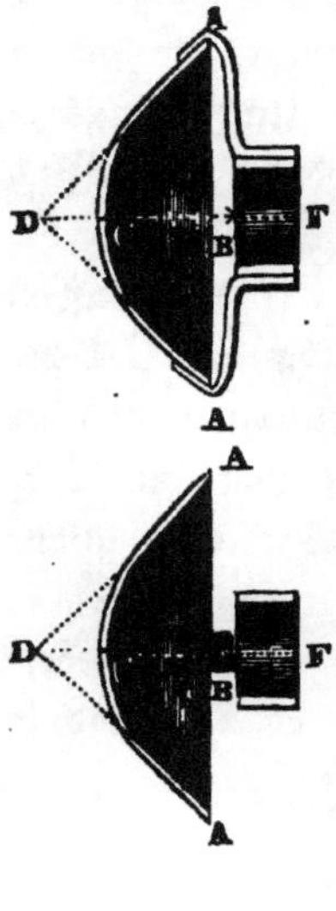

II. Wasserstoß gegen ein Paar concave hyperboloidische Umdrehungsflächen ACA, Fig. 141.

Ein solche Fläche bestand ebenfalls aus gedrücktem Messingblech und wurde auch durch je zwei Bügel mit einer Dille verbunden, die sich über das Mundstück einer Schwungröhre des Reactionsrades schieben ließ. Es war auch hier der Oeffnungshalbmesser $r = 25$ Millimeter, die Tiefe der Höhlung 15 Millimeter, der Abstand CB der Flächenmitte C von der Ausmündung B, 20 Millimeter und der Ablenkungswinkel $\delta = 180^0 - ADB = 180^0 - 50^0 = 130^0$.

Hier hatte natürlich der Stoß das Uebergewicht über die Reaction, und es ging daher auch das Rad in der umgekehrten Richtung, nämlich in der des Stoßes um. Diese Bewegung ließ sich jedoch durch ein steigendes Gewicht von 60 Gramm beinahe aufheben, wogegen durch ein sinkendes Gewicht von 138 Gramm eine langsame Bewegung in der Richtung der Reaction erzeugt wurde. Es ist hiernach ein Mal

$S = R + W + (1 + \delta) G$ und daher

$$\frac{S}{R} = 1 + \frac{W + (1 + \delta) G}{R} = 1 + \frac{27 + 1{,}089 . 75}{283} = 1{,}384,$$

und dagegen das andere Mal

$G = (1 + \delta)(S - R - W)$, daher

$$\frac{S}{R} = 1 + \frac{G + (1 + \delta) W}{(1 + \delta) R} = 1 + \frac{153 + 1{,}089 . 27}{1{,}089 . 283} = 1{,}592,$$

und folglich im Mittel

$$\frac{S}{R} = \frac{1{,}384 + 1{,}592}{2} = 1{,}488.$$

Nach der Theorie ist

$$\frac{S}{R} = 1 - \frac{\cos \delta}{\sqrt{1 + \varkappa}} = 1 + \frac{\cos 50^0}{\sqrt{1{,}594}} = 1{,}509,$$

also die Uebereinstimmung ebenfalls eine sehr gute.

III. Rechtwinkeliger Wasserstoß gegen ebene Platten, wie ACA, Fig. 142.

Fig. 142.

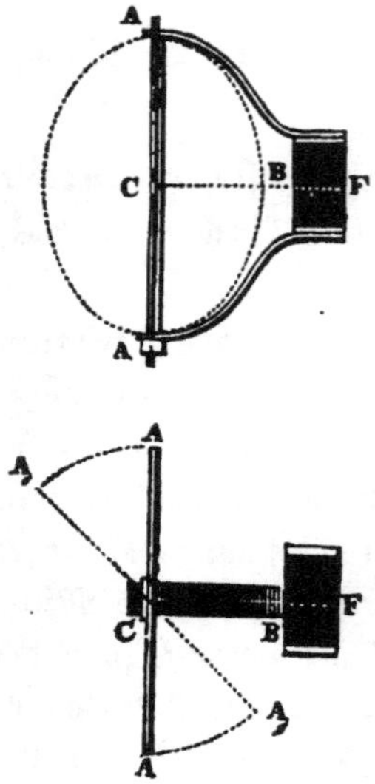

Diese Platten waren zwar ebenfalls durch je zwei Bügel mit Dillen BF verbunden, welche sich über die Mundstücke der Schwungröhren des Reactionsrades schieben ließen; sie hatten aber auch außerdem noch eine Umdrehungsaxe C, und eine Preßschraube, wodurch es möglich gemacht wurde, diese Fläche unter jedem beliebigen Stoßwinkel gegen die Axe des Wasserstrahles zu stellen. Der Halbmesser CA der Stoßplatte war wieder 25 Millimeter und der Normalabstand CB derselben von der Ausmündung 20 Millimeter. War diese Platte dem Strahle rechtwinkelig entgegengerichtet, so hatte die Reaction noch ein schwaches Uebergewicht über den Wasserstoß, da das Rad in der Richtung der Reaction langsam umlief und den Haken ohne Gewichte mit emporhob. Um dagegen das Rad umgekehrt umzudrehen, war ein sinkendes Gewicht von 45 Gramm nöthig. Der erste Fall giebt

$$\frac{S}{R} = 1 - \frac{W + (1 + \delta) G}{R} = 1 - \frac{27 + 1{,}089 . 15}{283} = 1 - 0{,}153$$

und der zweite

$$\frac{S}{R} = 1 - \frac{G - (1 + \delta) W}{(1 + \delta) R} = 1 - \frac{60 - 1{,}089 . 27}{1{,}089 . 283} = 1 - 0{,}099 .$$

Es ist folglich im Mittel

$$\frac{S}{R} = 1 - 0{,}131 = 0{,}869 .$$

Der Theorie zu Folge hat man allerdings, da $\delta = 90^0$ ist,

$$\frac{S}{R} = 1 - \frac{\cos \delta}{\sqrt{1 + \varkappa}} = 1 .$$

Diese Abweichung liegt vorzüglich darin, daß die Platte den Strahl noch nicht vollkommen 90 Grad ablenkte. Setzen wir z. B. $\delta = 80$ Grad, so erhalten wir

$$\frac{S}{R} = 1 - \frac{\cos 80^0}{\sqrt{1{,}594}} = 1 - 0{,}137 = 0{,}863 ,$$

also sogar etwas weniger als im vorigen Falle.

IV. Rechtwinkeliger Stoß gegen ebene Platten AA, Fig. 143, deren Durchmesser (6,6 Millimeter) gleich dem des aufschlagenden Strahles war.

Diese Platten waren durch einen Bügel, mit der Dille BF zum Aufschieben auf die Mundstücke so verbunden, daß ihr Normalabstand CB von der Mündung wieder 20 Millimeter betrug. Der Strahl bildete hier eine dünne horizontale Wasserglocke, und hatte eine Ablenkung δ von kaum 30 Grad, natürlich war also auch der Stoß viel kleiner als die Reaction, und es ging das unbelastete Rad, trotz des Stoßes auf die Flächen AA noch lebhaft in der Richtung der Reaction um. Ein steigendes Gewicht von 132,5 Gramm brachte erst das Rad fast zur Ruhe, und dagegen ein sinkendes Gewicht von 230 Gramm, führte das Rad langsam in der Richtung des Stoßes um. Es ist hiernach das eine Mal

Fig. 143.

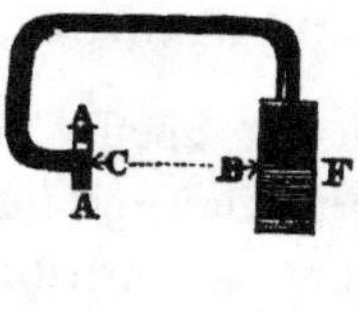

$$\frac{S}{R} = 1 - \frac{27 + 1{,}089\,(132{,}5 + 15)}{283} = 1 - 0{,}660$$

und das andere Mal

$$\frac{S}{R} = 1 - \frac{230 + 15 - 1{,}089 \,.\, 27}{1{,}089 \,.\, 283} = 1 - 0{,}700,$$

und folglich im Mittel

$$\frac{S}{R} = 1 - 0{,}680 = 0{,}320,$$

d. i. der Stoß circa nur $^1/_3$ der Reaction des Wassers.

V. Wasserstoß gegen Wasser in Gefäßen.

Es wurden die in Figur 144 abgebildeten cylindrischen Blechgefäße AA mittelst der an sie angelötheten Dillen BF an die Mundstücke der Schwungröhren des Reactionsrades angesteckt, so daß das Wasser aus dem Rade zunächst in diese Gefäße trat, dieselben ausfüllte, und am oberen Rande derselben rundherum abfloß. Die Weite eines solchen Gefäßes betrug 40 Millimeter und die Höhe 60 Millimeter; der oberste Rand desselben stand 40 Millimeter über der Axe der Dille oder des eintretenden Strahles, es stand also auch der Wasserspiegel in diesen Gefäßen mindestens 40 Millimeter über der Ausflußmündung, und es war folglich auch die Druckhöhe des aus dem Reactionsrade in das Gefäß fließenden Wassers um reichlich 41 Millimeter kleiner als beim freien Ausflusse. Wenn wir nun diese letztere zu 0,288 Meter angenommen haben, so können wir sie hier nur $h = 0{,}288 - 0{,}041 = 0{,}247$ Meter setzen. Demgemäß ist also dann auch die Reactionskraft $R = 283$ Gramm auf $\frac{247}{288} \,.\, 283 = 242{,}7$ Gramm zu reduciren.

Fig. 144.

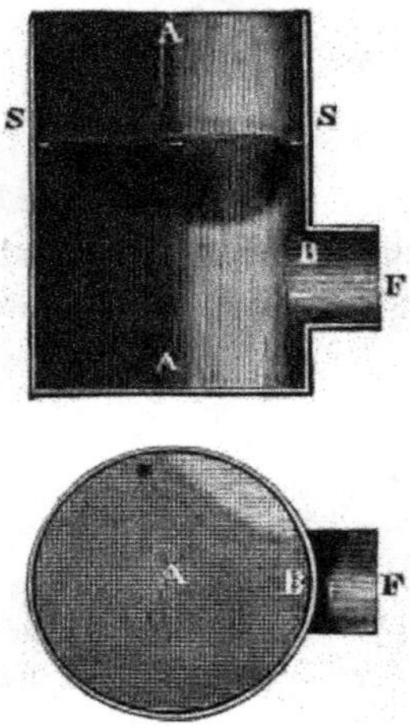

Da der Theorie zu Folge der Stoß des Wassers ins Wasser der Reaction gleich ist, so muß das Reactionsrad mit solchen Wassergefäßen gar keine Umdrehung annehmen und dies haben auch die Versuche gezeigt. Um eine Umdrehung in der Richtung der Reaction zu bewirken, war vielmehr noch ein Gewicht von 10 Gramm nöthig, und um dagegen das Rad langsam in der Stoßrichtung umzudrehen, mußte ein Gewicht von 15 Gramm angehangen werden.

Für den ersten Fall ist

$$\frac{S}{R} = 1 + \frac{G - (1 + \delta)\, W}{(1 + \delta)\, R} = 1 + \frac{25 - 1{,}089 \,.\, 27}{1{,}089 \,.\, 242{,}7} = 1 - 0{,}0166$$

und für den anderen

$$\frac{S}{R} = 1 - \frac{G - (1 + \delta) W}{(1 + \delta) R}$$

$$= 1 - \frac{30 - 1,089 . 27}{1,089 . 242,7} = 1 - 0,0023;$$

folglich im Mittel

$$\frac{S}{R} = 1 - 0,0095 = 0,9905;$$

also sehr nahe der Stoß S gleich der Reaction R.

§. 52. Stoßversuche bei umlaufendem Reactionsrade.

Bei umlaufendem Rade sind folgende Versuche angestellt worden.

I. Versuche mittelst der in Figur 140 abgebildeten convexen Stoßbleche.

Da die Reaction des Wassers größer ist als der Stoß gegen convexe Flächen, so nimmt natürlich das mit solchen Flächen ausgerüstete Reactionsrad stets eine Umdrehung in der Richtung der Reaction an, wenn das angehängte Gewicht noch nicht die Differenz zwischen der Reaction und dem Stoße erreicht. Beobachtet man nun hierbei die Umdrehungszahl des Rades in einer gegebenen Zeit und berechnet hieraus die Umdrehungsgeschwindigkeit des Rades, so kann man wieder die entsprechende Reaction finden, und wird dadurch in den Stand gesetzt, den Wasserstoß von Neuem mit der Reaction zu vergleichen.

Es ist die Stoßkraft

$$S = P - P_1,$$

wenn P die Umdrehungskraft des Rades ohne Stoßplatten und dagegen P_1 die Umdrehungskraft desselben mit Stoßplatten bezeichnet. Während die Kraft P_1 durch die Versuche gefunden wird, ist die Kraft P erst durch die Formel

$$P = R - W,$$

in welcher R die Reaction und W den Luftwiderstand bezeichnen, zu berechnen. Bestimmt man für sämmtliche in der Tabelle des §. 49 aufgeführten Versuche die Werthe für

$$R = \frac{a}{b} \frac{c - v}{g} Q\gamma = \frac{a}{b} \frac{(c - v)\, C}{g} F\gamma = 53,64\, c\, (c - v) \text{ Gramm},$$

und zieht man hiervon die entsprechenden Werthe der Umdrehungskraft P ab, so erhält man eine Reihe von Werthen für W, und wenn man diesen Widerstand dem Geschwindigkeitsquadrat v^2 proportional wachsend annimmt, so findet man durch Anwendung des arithmetischen Mittels $W = 17 . v^2$ Gramm.

Der Theorie zu Folge ist die Stoßkraft

$$S = \frac{a}{b}\left(1 - \frac{\cos\delta}{\sqrt{1+\varkappa}}\right)\frac{c}{g} Q\gamma = 0{,}491 \frac{a}{b} \frac{Fc^2}{g}\gamma = 0{,}491 . 53{,}64\, c^2$$

$$= 26{,}33\, c^2 \text{ Gramm.}$$

In wie weit die nach dieser theoretischen Formel berechneten Werthe mit den Versuchswerthen von S übereinstimmen, ist aus folgender Tabelle zu ersehen.

Nummer des Versuches	Zeit t Secunden für 22 Umdrehungen	Radgeschwindigkeit $v = \frac{17,28}{t}$	Ausflußgeschwindigkeit c	Differenz $c - v$	Reaction R	Stoß $S = 26,33\, c^2$ Gramm
I.	53,4	0,324	2,343	2,019	254	144
II.	48,5	0,356	2,348	1,992	251	145
III.	34,3	0,503	2,373	1,870	238	148
IV.	32,9	0,525	2,377	1,852	236	149
V.	25,75	0,671	2,412	1,741	225	153

Nummer des Versuches	Gehobenes Gewicht G_1	Umdrehungskraft P_1	Luftwiderstand W	Umdrehungskraft $P = R - W$	Stoß $S = P - P_1$
I.	65	98	2	252	154
II.	52	84	2	249	165
III.	40	71	4	234	163
IV.	27	56	5	231	175
V.	15	43	8	217	174.

Es ist hiernach durchgängig der effective Stoß $S = P - P_1$ etwas größer als der durch die theoretische Formel $S = 26,33\, c^2$ bestimmte Stoß.

II. Versuche mittelst der in Fig. 141 abgebildeten concaven Stoßbleche.

Wenn das aus dem Reactionsrade ausfließende Wasser gegen concave Flächen stößt, welche mit dem Rade fest verbunden sind, so wird die Reaction von dem Stoße übertroffen, und es läuft daher das Rad in der Richtung des letzteren um, so lange die Größe des angehängten Gewichtes noch nicht der Differenz zwischen dem Stoße und der Reaction gleich kommt. In diesem Falle ist

$S = P + P_1$, ferner

$P = R + W$,

$R = 53{,}64\, c\,(c + v)$, und theoretisch

$S = 1{,}509 \,.\, 53{,}64\, c^2 = 80{,}94\, c^2$ Gramm.

Folgende Tabelle enthält die nach diesen Formeln berechneten Versuche.

№	t	v	c	$c + v$	R	S
I.	49,8	0,347	2,347	2,694	339	446
II.	34,17	0,506	2,374	2,880	367	456
III.	28,75	0,601	2,390	2,991	383	462

№	G_1	P_1	W	$P = R + W$	$S = P + P_1$
I.	40	71	2	341	412
II.	27	56	4	371	427
III.	15	43	6	389	432.

Diese Versuche führen also auf etwas kleinere Werthe von

$S = P + P_1$ als die theoretische Formel

$S = 80{,}94\, c^2$ angiebt.

III. **Versuche mittelst der in Fig. 143 abgebildeten kleinen ebenen Stoßbleche.**

Diese Versuche sind genau wie die Versuche unter (I) zu berechnen. Die hierdurch erhaltenen Resultate sind folgende:

№	v	t	c	$c - v$	R	$S = 53{,}64\, c^2$
I.	31	0,557	2,386	1,829	234	305
II.	21	0,823	2,459	1,636	216	324
III.	16	1,080	2,553	1,473	202	350
IV.	14	1,234	2,618	1,384	194	368

№	G_1	P_1	W	$P = R - W$	$S = P - P_1$
I.	80	125	5	229	104
II.	65	98	12	204	106
III.	40	71	20	182	111
IV.	15	43	26	168	125.

Es ist hiernach, ganz in Uebereinstimmung mit dem Obigen, der effective Stoß $S = P - P_1$ gegen eine ebene Fläche, welche mit dem Querschnitt des Strahles gleichen Inhalt hat, circa nur $\frac{1}{3}$ so groß als der Stoß $S = 53{,}64\, c^2$ gegen eine ebene Fläche, deren Inhalt viel größer ist als der Strahlquerschnitt.

IV. Versuche über den schiefen Wasserstoß mittelst der in Fig. 142 abgebildeten ebenen Stoßplatten.

Die Wirkung des Wasserstoßes fällt hier verschieden aus, je nachdem die Stoßfläche auf der einen oder der anderen Seite gegen den Strahl geneigt ist. Bei der Stellung der Stoßflächen BB, welche Fig. 145 vor Augen führt, wo der spitze Stoßwinkel $ADB = \delta$ auf der innern Seite des Strahles liegt, wirken beide Componenten P und S der normalen Stoßkraft N der Reaction entgegen, und zwar der ersteren mit dem Momente

Fig. 145.

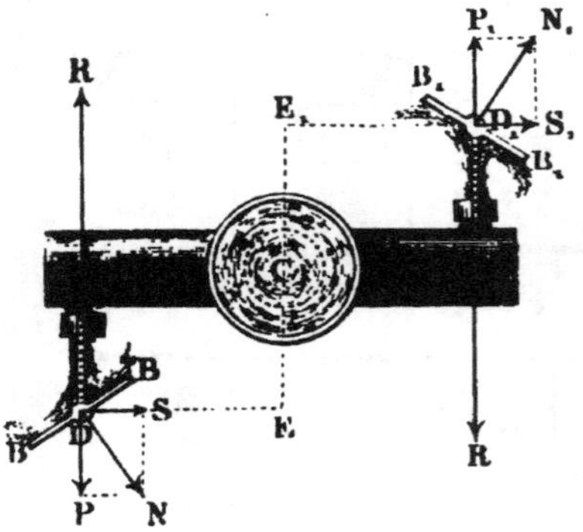

$$Pa = Na \sin \delta,$$

und der andere mit dem Momente

$$Sa_1 = Na_1 \cos \delta,$$

wenn a den Radhalbmesser CA, und a_1 den mittleren Abstand $AD = CE$ der Stoßfläche BB von Axe CA der Schwungröhre bezeichnet. Hiernach ist die Kraft, mit welcher der Wasserstoß der Reaction R entgegenwirkt,

$$K = \frac{Pa + Sa_1}{a} = P + \frac{Sa_1}{a} = N \left(\sin \delta + \frac{a_1}{a} \cos \delta\right).$$

Ist die Stoßfläche umgekehrt gestellt, so daß der spitze Stoßwinkel auf der äußeren Seite des Strahles liegt, so hat man S negativ und daher die der Reaction R entgegenwirkende Stoßkraft:

$$P - \frac{Sa_1}{a} = N \left(\sin \delta - \frac{a_1}{a} \cos \delta\right).$$

In beiden Fällen ist die Stoßfläche vertikal, läuft also parallel der Umdrehungsaxe; stellt man sie hingegen parallel der Axe der Schwungröhren, so influirt nur die Parallelkraft $P = N \sin \delta$ auf die Umdrehung des Rades.

A. Versuche bei einem Stoßwinkel δ von 63 Grad.

1) Die Stoßfläche stand vertikal, und es lag δ, wie in Fig. 145, auf der inneren Seite des Strahles.

Das Rad stand hierbei still; es war folglich $v = 0$,

$c = 0{,}977 \,.\, 4{,}429 \sqrt{0{,}288} = 2{,}322$ Meter,

$W = 0$, $P = R = 53{,}64 c^2 = 289$, $P_1 = 0$, und folglich die Stoßkraft $K = P - P_1 = 289$ Gramm.

Nach der oben mitgetheilten Formel ist ferner der Normalstoß

$$N = \frac{2 \sin \delta}{1 + \sin \delta^2} \,.\, \frac{c - v}{g} Q\gamma, \text{ also hier}$$

$$N = \frac{2 \sin 63^0}{1 + (\sin 63^0)^2} \,.\, \frac{c^2}{g} F\gamma = \frac{2 \,.\, 0{,}891}{1{,}794} \,.\, 53{,}64\, c^2$$

$$= \frac{1{,}782}{1{,}794} \,.\, 53{,}64\, c^2 = 53{,}28\, c^2 = 287 \text{ Gramm.}$$

Nun ist aber noch $a = 0{,}125$ und $a_1 = 0{,}04$ Meter, daher folgt auch

$$K = \left(\sin \delta + \frac{40}{125} \cos \delta\right) N = (0{,}891 + 0{,}32 \,.\, 0{,}454)\, N$$

$$= (0{,}891 + 0{,}145)\, N = 1{,}036\, N = 297 \text{ Gramm,}$$

welches mit dem erst bestimmten Werthe in gutem Einklange steht.

2) Die Stoßfläche stand vertikal, und es lag δ auf der äußeren Seite des Wasserstrahles.

Hier war bei unbelastetem Rade, $t = 78$ Sec., $v = 0{,}222$ Meter, $c = 2{,}332$, $c - v = 2{,}110$ Meter, $R = 53{,}64\, c\, (c - v) = 264$ Gramm, $W = 1$, also $P = 263$, und $P_1 = 27$, folglich $K = P - P_1 = 263 - 27 = 236$ Gramm. Ferner ist $N = 53{,}28$, $c^2 = 290$, und daher

$$K = \left(\sin \delta - \frac{40}{125} \cos \delta\right) N = (0{,}891 - 0{,}145)\, N$$

$$= 0{,}746\, N = 216 \text{ Gramm.}$$

Es ist also hier der theoretische Werth von K kleiner als der Erfahrungswerth.

3) Die Stoßfläche lief parallel zur Axe der Schwungröhre, und es lag δ auf der unteren Seite des Strahles.

Hier war bei unbelastetem Rade, $t = 123$ Sec., $v = 0{,}141$, $c = 2{,}326$, $c - v = 2{,}185$ Meter, $P = R = 273$, $W = 0$, und $P_1 = 27$, folglich $K = P - P_1 = 273 - 27 = 246$ Gramm. Theoretisch ist $K = 53{,}28\, c^2 = 257$ Gramm, also die Uebereinstimmung eine leidliche.

4) Die Stoßfläche stand zwar wieder parallel zur Axe der Schwungröhre, es lag aber δ auf der oberen Seite des Strahles.

Hier war bei unbelastetem Rade, $t = 90$ Sec., $v = 0{,}189$, $c = 2{,}330$,

$c - v = 2{,}141$ Meter, $R = 268$, $W = 1$, $P = 267$, $P_1 = 27$ Gramm, und folglich

$K = P - P_1 = 240$ Gramm; wogegen theoretisch

$K = 258$ Gramm ist.

B. Versuche bei einem Stoßwinkel $\delta = 45$ Grad.

1) Die Stoßfläche stand vertikal, und war innen dem Strahle zugeneigt.

Bei einem ersten Versuche war die Belastung $G_1 = 15$ Gramm, folglich $P_1 = 27 + 1{,}089 . 15 = 43$ Gramm, ferner $t = 71{,}25$ Sec., $v = 0{,}243$, $c = 2{,}334$, $c - v = 2{,}091$ Meter, $R = 262$, $W = 1$, folglich $P = 261$ und $K = P - P_1 = 218$ Gramm. Dagegen ist

$$N = \frac{2 \sin 45^0}{1 + (\sin 45^0)^2} . 53{,}64\, c^2 = \frac{2\sqrt{2}}{3} . 53{,}64\, c^2$$

$= 50{,}57\, c^2 = 276$ Gramm, und folglich

$$K = (\sin 45^0 + 0{,}32 \cos 45^0)\, N = 1{,}32 . 0{,}707\, N$$

$= 0{,}933\, N = 257$ Gramm.

Bei einem anderen Versuche war $G_1 = 40$ Gramm, hiernach $P_1 = 71$, ferner $t = 159$ Sec., $v = 0{,}109$, $c = 2{,}325$, $c - v = 2{,}216$ Meter, $R = 276$, $W = 0$, folglich $K = R - P_1 = 276 - 71 = 205$ Gramm. Theoretisch ist $K = 0{,}933 . 35{,}75\, c^2 = 180$ Gramm.

2) Die Stoßfläche stand vertikal und war außen dem Strahle zugeneigt.

Versuch 1. Es ging das Rad leer um, war also $P_1 = 27$ Gramm, ferner war $t = 14{,}83$ Sec., $v = 1{,}167$, $c = 2{,}585$, $c - v = 1{,}418$ Meter, $R = 197$, und $W = (1{,}167)^2 . 17 = 23$, folglich

$$K = R - W - P_1 = 197 - 50 = 147 \text{ Gramm.}$$

Theoretisch: $K = (\sin 45^0 - 0{,}32 \cos 45^0) . 50{,}57\, c^2$

$= 0{,}68 . 0{,}707 . 50{,}57\, c^2 = 24{,}31\, c^2 = 162$ Gramm.

Versuch 2. Es war $G_1 = 40$, folglich $P_1 = 71$ Gramm, ferner $t = 19^1/_3$ Sec., $v = 0{,}895$, $c = 2{,}482$, $c - v = 1{,}587$, $R = 211$, $W = 14$, $K = 211 - 85 = 126$ Gramm.

Theoretisch: $K = 24{,}31\, c^2 = 150$ Gramm.

Versuch 3. Es war $G_1 = 65$, $P_1 = 98$ Gramm, $t = 30^1/_3$ Sec., $v = 0{,}570$, $c = 2{,}390$, $c - v = 1{,}820$, $R = 233$, $W = 6$, $K = 233 - (98 + 6) = 129$ Gramm.

Theoretisch: $K = 24{,}31 . c^2 = 139$ Gramm.

Versuch 4. Es war $G_1 = 90$, $P_1 = 125$, $t = 66{,}5$ Sec., $v = 0{,}260$,

$c = 2{,}336$, $c - v = 2{,}076$ Met., $R = 260$, $W = 1$, $K = 260 - 126 = 134$ Gramm.

Theoretisch: $K = 133$ Gramm.

Versuch 5. Es war $G_1 = 105$, $P_1 = 141$, $v = 0$, $c = 2{,}322$ $R = 289$, $K = 148$ Gramm, und theoretisch $K = 131$ Gramm.

Hiernach ist also der theoretische Werth theils kleiner, theils größer als der aus den Versuchen abgeleitete Werth, und im Ganzen die Uebereinstimmung eine recht leidliche.

3) Die Stoßfläche stand parallel zur Axe der Schwungröhre und es lag δ auf der untern Seite des Strahles.

Versuch 1. Das unbelastete Rad machte 22 Umdrehungen in 35 Sec.; es ist folglich $P_1 = 27$ Gramm, $v = 0{,}494$, $c = 2{,}372$, $c - v = 1{,}878$ Meter, $R = 239$, $W = 4$, $K = 139 - 31 = 208$, dagegen theoretisch

$$K = 50{,}57 \sin\delta \, . \, c^2 = 184 \text{ Gramm.}$$

Versuch 2. Es war $G_1 = 55$, folglich $P_1 = 87$, ferner $v = 0$, $c = 2{,}322$, $R = 289$, $W = 0$, $K = 289 - 87 = 202$ Gramm.

Theoretisch: $K = 193$ Gramm.

4) Die Stoßfläche war zwar wieder parallel der Axe der Schwungröhre, es lag aber δ auf der oberen Seite des Strahles.

Versuch 1. Das unbelastete Rad machte 22 Umdrehungen in $28\frac{1}{2}$ Sec., es war folglich $P_1 = 27$ Gramm, $v = 0{,}606$, $c = 2{,}398$, $c - v = 1{,}792$ Meter, $R = 231$, $W = 6$, $K = 198$ Gramm.

Theoretisch: $K_1 = 50{,}57 \sin\delta \, . \, c^2 = 206$ Gramm.

Versuch 2. Es war $G_1 = 85$, folglich $P_1 = 120$ Gramm, ferner $v = 0$, $c = 2{,}322$ Meter, $R = 289$, $K = 169$ Gramm.

Theoretisch: $K = 35{,}75 \, c^2 = 193$ Gramm.

Während bei den Versuchen unter (3) die Erfahrungswerthe die größeren sind, fallen bei den Versuchen unter (4) die theoretischen Werthe etwas größer aus. Im Mittel ist jedoch sowohl der Erfahrungswerth als auch der theoretische Werth von $K = 195$ Gramm.

§. 53. Versuche über den Widerstand des Wassers.

Um auch die Gesetze des Widerstandes, welchen das Wasser den in ihm bewegten starren Körpern entgegensetzt, zu erproben, kann man sich wieder des aus dem Vorstehenden bekannten Reactionsrades bedienen. Zu diesem Zwecke hat man dann nur noch die zu untersuchenden Körper unten an die Schwungröhre fest anzuschließen, und das Gefäß, in welchem die ganze Maschine steht, so weit mit Wasser anzufüllen, daß nur diese Körper in dasselbe eintauchen. Uebrigens werden diese Versuche, wie die gewöhnlichen Stoßversuche ausgeführt. Die Art und Weise, wie ein durch das Reactionsrad im Wasser herumzuführender Körper an die Schwungröhre anzuschließen ist, führt Fig. 146 in einer Seitenansicht und in einem Durchschnitte vor Augen. Es ist hier A eine ebene Platte, deren Widerstand im Wasser untersucht werden soll, C eine Hülse, welche über das Mundstück der Schwungröhre, durch welches der Ausfluß erfolgt, geschoben wird, und AC ein Stiel, welcher A mit C verbindet und während des Versuches fast ganz unter Wasser zu stehen kommt.

Fig. 146.

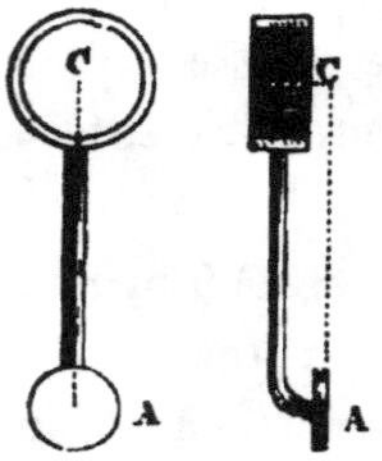

Der Durchmesser einer solchen Widerstandsplatte war 1 Centimeter, folglich der Inhalt beider Platten $\frac{2\pi}{4} = 1{,}571$ Quadratcentimeter; ferner der Durchmesser des cylindrischen Stieles maß 2 Millimeter, und die Länge des eingetauchten Theiles desselben 2 Centimeter; hiernach betrug der Querschnitt des eingetauchten Stielstückes: $2 . 0{,}2 = 0{,}4$, und folglich der beider Stiele: 0,8 Quadratcentimeter. Nehmen wir an, daß der Widerstand dieser runden Stiele, unter übrigens gleichen Verhältnissen nur zwei Drittel mal so groß sei als der ebener Flächen, so erhalten wir für die ganze ins Wasser eingetauchte ebene Fläche

$$F = 1{,}571 + 0{,}533\ t = 2{,}104 \text{ Quadratcentimeter.}$$

Der Widerstand des Wassers ist hiernach

$$K = \zeta . \frac{v^2}{2g} F\gamma = \frac{2{,}104}{19{,}62} . \zeta v^2 = 0{,}001072\ \zeta v^2,$$

und folglich der Widerstandscoefficient

$$\zeta = 932 \frac{K}{v^2}.$$

Wenn man also für verschiedene Geschwindigkeiten (v) die Widerstandskräfte

$$K = P - P_1 = R - W - P_1$$

durch Versuche ermittelt hat, so kann man mittelst der Formel für $\zeta = 932 \frac{K}{v^2}$ verschiedene Werthe des Widerstandscoefficienten ζ bestimmen und zuletzt noch den Mittelwerth desselben berechnen.

Die Versuchsergebnisse enthält folgende Tabelle:

Nummer des Versuches	Zeit t für 22 Umdrehungen	Geschwindigkeit v	Quadrat v^2	Geschwindigkeit c	Differenz $c - v$	Reaction R	Luftwiderstand W
I.	28	0,617	0,381	2,401	1,784	230	6
II.	$23^1/_6$	0,746	0,557	2,436	1,690	221	9
III.	$21^1/_6$	0,816	0,666	2,455	1,639	216	11
IV.	$18^1/_2$	0,934	0,872	2,493	1,559	209	15
V.	$16^1/_6$	1,069	1,143	2,545	1,476	202	19
VI.	$14^1/_2$	1,205	1,452	2,604	1,399	195	25

Nummer des Versuches	Gehobenes Gewicht G_1	Umdrehungskraft P_1	Umdrehungskraft $P = R - W$	Widerstand des Wassers $P - P_1$	Verhältniß $\frac{P - P_1}{v^2}$
I.	140	179	225	46	121
II.	115	152	212	60	108
III.	90	125	205	80	120
IV.	65	98	194	96	110
V.	40	71	183	112	98
VI.	15	43	170	127	87.

Aus der letzten Columne dieser Tabelle bestimmt sich der Mittelwerth von $\frac{P - P_1}{v^2} = 107{,}3$, daher ist für den Widerstand K des Wassers, wenn man noch v in Centimetern ausdrückt:

$$\frac{K}{v^2} = \frac{b}{a}\left(\frac{P - P_1}{v^2}\right)$$

$$= 0{,}13 \,.\, 0{,}01073 = 0{,}001394\,,$$

und folglich der Widerstandscoefficient

$$\zeta = 932\,\frac{K}{v^2} = 932 \,.\, 0{,}001394 = 1{,}30\,,$$

wogegen Versuche im größeren Maßstabe, wobei jedoch die Fläche in gerader Linie fortbewegt worden ist,

$\zeta = 1{,}25$ gegeben haben.

§. 54. Versuche über den Stoß springender Strahlen.

Wenn man einem vertikal aufsteigenden Strahle AB, Fig. 147, einen Rotationskörper C von mäßigem Gewichte G entgegenhält, so stellt sich der Stoß P des Wassers gegen diesen Körper mit dem Gewichte G desselben ins Gleichgewicht und man erhält dadurch ein neues Mittel, die Größe dieses Stoßes zu finden. Jedenfalls ist hier

Fig. 147.

$$P = G = (1 - cos\,\delta)\,\frac{c^2}{g}\,F\gamma,$$ wenn wie oben

c die Geschwindigkeit des stoßenden Wassers,

F den Querschnitt des Wasserstrahles, und

δ den Ablenkungswinkel desselben bezeichnet.

Es ist zur Entstehung dieses Gleichgewichtes nicht nöthig, daß die Axe des Strahles durch den Schwerpunkt C des gestoßenen Körpers gehe, da bei einem excentrischen Aufschlagen des Wasserstrahles die Ablenkung, und folglich auch die Stoßkraft P_1 auf der einen Seite des Strahles in dem Maße kleiner ist als die Ablenkung und die entsprechende Stoßkraft P_2 auf der entgegengesetzten Seite, in welchem die Richtung von P_2 dem Schwerpunkte C näher liegt als die Richtung von P_1, so daß also in Hinsicht auf C das Moment von P_1 gleich dem von P_2 bleibt.

Zur Ausführung derartiger Versuche diente die schon aus §. 12 bekannte Röhre AB von 3 Centimeter Weite, auf welche dann ein conisches Mundstück CD, Fig. 148, von 0,707 Centimeter Mündungs-

Fig. 148.

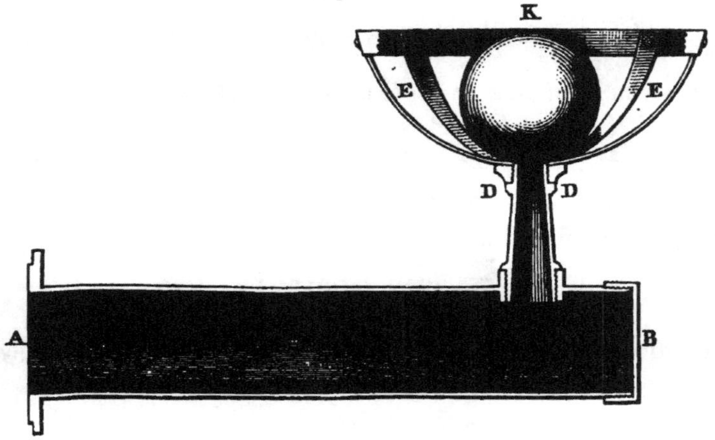

weite so aufgeschraubt wurde, daß es vertikal empor zu stehen kam. Um die Kugel K aufzufangen, wenn sie zufällig aus der Richtung des Strahles gekommen ist, dient der Blech- oder Drahtkorb EE, welcher an das Mundstück CD angeschraubt wird.

Die Kugel war aus Messingblech, hatte einen Durchmesser von 4 Centimeter, und wog 24 Gramm. Bei ihrem höchsten Stande stand sie in vertikaler Richtung noch 50 Centimeter vom Wasserspiegel im Zuflußreservoir AB, Fig. 5 ab. Setzen wir hiernach

$$P = G = 24, \frac{c^2}{2g} = 50, \text{ und } F = (0{,}707)^2 \frac{\pi}{4},$$

so erhalten wir folgendende Bestimmungsgleichung

$$24 = (1 - \cos \delta) . 2 . 50 . 0{,}3927, \text{ und hiernach}$$

$$1 - \cos \delta = \frac{24}{39{,}27} = 0{,}611, \; \cos \delta = 38{,}9, \text{ folglich}$$

$$\delta = 67 \text{ Grad.}$$

In der Regel erhebt sich die Kugel noch nicht so hoch, es ist folglich auch die Ablenkung δ noch kleiner. Jedenfalls hängt δ vorzüglich mit von der Adhäsion des Wassers an die Kugel ab, und da ohnedies das Gleichgewicht desselben mit dem des Wasserstoßes nur ein labiles ist, so eignet sich die Kugel nicht zur Bestimmung der Größe des Wasserstoßes, es gehört vielmehr hierzu eine concave Rotationsfläche, z. B. eine hohle Halbkugel, welche äußerlich rings um ihre kreisförmige Oeffnung mit einem schweren Ringe versehen ist.

§. 55. Versuche über die Wirkung des Wassers und der Luft bei den sogenannten Saugplatten.

Wenn man an die Ausmündung DD des cylindrischen Mundstückes CD, Fig. 149, eine ebene Platte EE ansetzt und dieser während des Ausflusses der Luft oder des Wassers eine andere ebene Platte FF nahe entgegenhält, so strömt die eine oder die andere Flüssigkeit mit

Fig. 149.

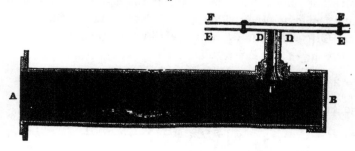

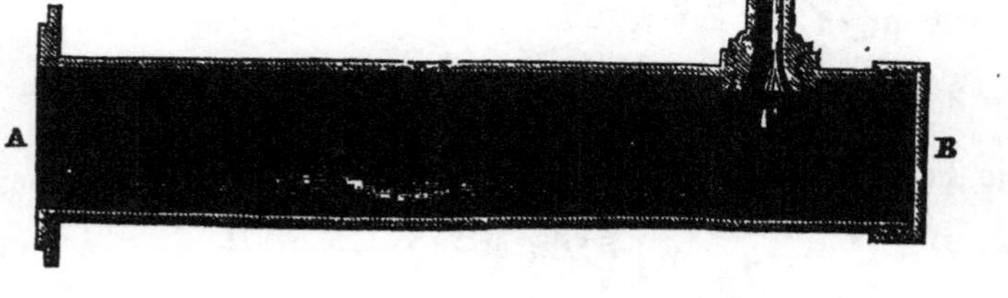

gefülltem Querschnitt rings durch den ringförmigen Raum zwischen beiden Platten aus, und es bildet sich hierbei ein negativer Druck zwischen diesen Platten, welcher selbst den Stoß der ausfließenden Flüssigkeit gegen FF übertrifft, so daß die bewegliche Platte FF gegen die feste Platte EE hingezogen wird. Dieses Experiment wird gewöhnlich mit der Luft gemacht, läßt sich aber auch recht gut an dem ausfließenden Wasser anstellen.

Ist die Geschwindigkeit, mit welcher das Wasser aus der ringförmigen Mündung $EFFE$ ausfließt, $= v$, und ist der Halbmesser dieser Oeffnung, und also auch der der beiden Scheiben, $= a$, ist ferner w die radiale Geschwindigkeit des Wassers zwischen beiden Scheiben im Abstande x von der Axe derselben, haben wir:

$$wx = va, \text{ daher } w = \frac{a}{x} v,$$

und folglich den negativen Druck des Wassers im Abstande x:

$$p = \frac{w^2 - v^2}{2g} \gamma = \left[\left(\frac{a}{x}\right)^2 - 1\right] \frac{v^2}{2g} \gamma \text{ (Vgl. §. 5, II).}$$

Für einen Elementarring der einen Scheibe, dessen Halbmesser x und Breite dx also Inhalt $= 2\pi x dx$ ist, fällt folglich dieser Druck

$$dP = \left[\left(\frac{a}{x}\right)^2 - 1\right) \frac{v^2}{2g} \gamma . 2\pi x dx = 2\pi \frac{v^2}{2g} \gamma \left(\frac{a^2}{x} - x\right) dx \text{ aus.}$$

Ist nun noch a_1 der Halbmesser des ringförmigen Querschnittes, durch welchen das Wasser mit der Geschwindigkeit v_1 die radiale Bewegung von innen nach außen beginnt, so haben wir den gesammten negativen Druck des Wassers gegen die eine oder die andere Scheibe

$$P = 2\pi \frac{v^2}{2g} \gamma \int_{a_1}^{a} \left(\frac{a^2}{x} - x\right) dx$$

$$= 2\pi \frac{v^2}{2g} \gamma \left[a^2 Ln\left(\frac{a}{a_1}\right) - \frac{(a^2 - a_1{}^2)}{2}\right].$$

Ist r der Durchmesser der Mündung DD, also πr^2 der Querschnitt derselben, und nehmen wir an, daß das Wasser beim Eintritte in den Raum zwischen beiden Platten, und dem damit verbundenen Umbiegen die Geschwindigkeit v_1 nicht verändere, so können wir den Stoß des Wassers gegen die äußere Platte FF

$$S = 2 . \frac{v_1{}^2}{2g} \gamma . \pi r^2$$

setzen, so daß nur noch die Kraft

$$R = P - S = \frac{2\pi v^2}{2g} \gamma \left[a^2 Ln\left(\frac{a}{a_1}\right) - \frac{a^2 - a_1{}^2}{2}\right] - 2 \frac{v_1{}^2}{2g} \gamma . \pi r^2$$

übrig bleibt, womit durch das ausfließende Wasser die Platte FF nach EE hingezogen wird.

Noch haben wir $v_1 = \frac{a}{a_1} v$, und, wenn wir den Abstand der beiden Platten von einander durch s bezeichnen, auch $2\pi a_1 s = \pi r^2$, oder $a_1 = \frac{r^2}{2s}$, daher läßt sich

$$R = \pi a^2 . \frac{v^2}{2g}\gamma \left[2\,Ln\left(\frac{a}{a_1}\right) - 1 + \left(\frac{a_1}{a}\right)^2 - \frac{2r^2}{a_1{}^2}\right]$$

$$= Fh\gamma \left[2\,Ln\left(\frac{a}{a_1}\right) + \left(\frac{a_1}{a}\right)^2 - \left(1 + \frac{8s^2}{r^2}\right)\right]$$

setzen, wofern noch F den Inhalt πa^2 der Scheibe EE oder FF und h die Geschwindigkeitshöhe $\frac{v^2}{2g}$ des ausfließenden Wassers bezeichnen.

Wäre z. B. $a = 10r$ und $s = \frac{r}{2}$ also $a_1 = r$, so hätte man

$$R = [2\,Ln\,10 + (0{,}1)^2 - (1 + 2)]\,Fh\gamma$$

$$= (2 . 2{,}3026 + 0{,}01 - 3)\,Fh\gamma = 1{,}615\,Fh\gamma .$$

Diese Bestimmung ist natürlich nur eine sehr angenäherte, da bei ihr weder auf die Reibung des Wassers an den Scheiben, noch auf den Verlust an lebendiger Kraft in Folge einer plötzlichen Geschwindigkeitsveränderung beim Eintritt in den Raum zwischen beiden Scheiben Rücksicht genommen worden ist.

Alphabetisches Sachregister.

A.

B.

C.

D.

E.

F.

G.

H.

K.

L.

M.

N.

P.

Q.

R.

S.

T.

U.

CPSIA information can be obtained
at www.ICGtesting.com
Printed in the USA
BVHW04*1723290818
525941BV00010B/128/P

9 780332 227320